대표 편집위원
무네타 타케시

편집위원
무네타 타케시
나카무라 시게루
이와사키 노리마사
사이료 코우이치

Routine procedures and handing of instruments in arthroscopic surgery

관절경 아틀라스

— 정형외과 관절경 기본 술기

역자 송영동

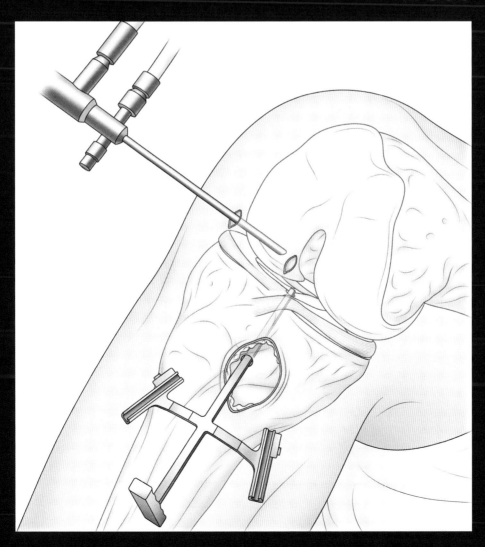

관절경 아틀라스 – 정형외과 관절경 기본 술기

Routine procedures and handing of instruments in arthroscopic surgery

첫째판 1쇄 인쇄 | 2022년 10월 25일
첫째판 1쇄 발행 | 2022년 11월 15일

대 표 편 집　MUNETA Takeshi
옮 긴 이　송영동
발 행 인　장주연
출 판 기 획　한수인
책 임 편 집　구경민
편집디자인　신지원
표지디자인　신지원
발 행 처　군자출판사
　　　　　등록 제 4-139호(1991. 6. 24)
　　　　　본사 (10881) **파주출판단지** 경기도 파주시 회동길 338(서패동 474-1)
　　　　　전화 (031) 943-1888　팩스 (031) 955-9545
　　　　　홈페이지 | www.koonja.co.kr

OS NEXUS No.20 KANSETSUKYO SHUJUTSU NO KIHON ROUTINE SOSA TO DEVICE NO
ATSUKAIKATA
edited by MUNETA Takeshi et al.
Copyright © 2019 MEDICAL VIEW CO., LTD., Tokyo
All rights reserved.
Originally published in Japan by MEDICAL VIEW CO., LTD., Tokyo.
Korean translation rights arranged with MEDICAL VIEW CO., LTD., Japan
through THE SAKAI AGENCY and A.F.C. LITERARY AGENCY.

ISBN　979-11-5955-927-3
정가: 100,000원

서 문

『OS NEXUS』 No.20은 2015년 1월부터 5년간 계속된 『OS NEXUS』 시리즈의 마지막을 장식하는 책이다. 『OS NEXUS』의 첫 출판에 즈음하여 필자는 No.1의 서문에서, '전작 "OS NOW"는 1991년에 간행되었으며, 다양한 일러스트를 특징으로 하여 실제로 수술을 시행하는 데 진정으로 도움이 되는 수술서로 인정받았다. 이제는 수많은 젊은 정형외과 의사의 눈을 사로잡은 OS 시리즈를 새롭게 시작하는 "OS NEXUS"로 다시 한번 젊은 정형외과 의사에게 새롭게 도전하겠다.'라고 말한 바 있다.

『OS NEXUS』에서는 각각 분야에 해당되는 담당 편집자에게 Up-to-Date한 테마를 적극적으로 다룰 것, 기존 방침에 얽매이지 않고 서술하고 싶은 테마를 선출할 것, 전체적인 밸런스를 맞출 것 등을 신경 써달라고 부탁하면서 전체 기획을 맡았다. 돌아보면, 참신한 기획을 했던 부분도 있었던 것 같다. 골절 등 독자의 반응이 높았던 테마를 생각해보면 수술서로서 독자들의 사랑을 받았다는 것을 느낀다.

전체 20권에 걸쳐서 필자는 전공을 불문하고 모든 항목을 검토하면서 각각의 항목에 감수자로서 기탄없는 요구를 각 집필자에게 해왔다. 결과적으로, 매출의 많고 적음만으로 서적의 가치를 평가할 수 없지만 최근 젊은 의사들 사이에서 서적 구매도가 저하되는 가운데, 『OS NEXUS』는 다양한 수술 소견과 일러스트레이션으로 진정 도움이 될 수 있는 수술서라는 나름의 평가를 받아왔다고 자부하고 있다.

이번 No.20은 그동안 내가 전문으로 해 온 관절경수술에 대해서 정리한 책으로, 전문가로서 향후 수술 실력을 높여 가고 싶은 의사들이 꼭 손에 쥐었으면 하는 책이다. 개별 관절에 대한 관절경수술에는 관련 해부학, 적응질환, 사용하는 장치나 기술 등 차이가 있지만, 일단 모든 항목을 반복하여 숙독해주기 바란다. 그러한 과정을 통해서 젊은 정형외과 의사들이 관절경수술의 전체적인 흐름에 대한 통찰을 갖게 하고 싶기 때문이다. 관절경수술은 최근의 고관절경의 발전이나 족관절경의 다이내믹한 진보를 보더라도 지속적으로 발전하고 있다는 것이 명백하다. 보다 나은 디바이스의 개발, 보다 좋은 수술법의 선택, 보다 명확한 수술 적응의 확립 등이 다양하게 조합되면서 저침습수술의 이점을 최대한 발휘하는 것이 관절경수술에서는 항상 필요하다.

오늘날 각 학회나 관절경 관련 회사에 의해서 많은 관절경 세미나나 카데바 트레이닝 등이 열리고 있다. 관절경수술을 막 시작하거나, 보다 전문가로서 성장하고자 하는 의사들은 실제 환자를 대상으로 하기 전에 반드시 미리 훈련을 받아야 한다. 또 해당 관절경수술을 많이 다루고 있는 병원을 견학하여, 수술의 실제 진행과정을 배우기 바란다.

관절경수술은 기술적으로 요구되는 부분이 크다. 저침습수술의 이점을 살리기 위해서는 올바른 적응증과 확실한 수술 기술의 훈련이 기본이다. 현재 관절경 디바이스들은 매일 일취월장하고 있지만, 그러한 진보를 의사가 정보로서 체득하고, 기술로서 소화하고, 나아가 더 개선된 수술 도구의 개발에 적극적일 것이 항상 요구되고 있다. 이 책이 그러한 과정 안에서 하나의 이정표로서 자리매김되기를 바란다.

2019年 10月

도쿄의과치과대학 명예 교수/국립병원기구 재난의료센터 원장

宗田 大(무네타 타케시, Takeshi Muneta)

역자의 말

　이 책은 일본 의학서적 전문회사인 메디칼뷰사의 정형외과 수술 아틀라스 'OS NEXUS' 시리즈 중 전반적인 관절경수술 술기를 담은 제20권을 번역한 책입니다. 일본 정형외과 의사들을 위한 책이므로 한국의 진료현장에 곧바로 적용하기 어려운 부분도 있습니다. 하지만, 그러한 한국과 일본 간에 진료방식의 차이가 분명히 존재함에도 불구하고, 환자를 위해 더 나은 수술 결과를 만들기 위해서 궁리하는 일본 정형외과 의사들의 다양한 노력은 분명 한국의 의사들에게 좋은 참고자료가 될 수 있다고 확신합니다.

　용어 선택에 있어서 정형외과학 7판과 대한슬관절학회 용어집을 주로 참조하였으며, 되도록 우리말 의학용어를 사용하였습니다. 고유명사는 가급적 원어 발음에 유사하도록 한글로 명시했습니다만, 문장 안에서 의미가 명확하게 전달이 되지 않는다고 판단된 경우에는 역주를 추가하거나 영어로 명시했습니다. 번역이라는 것은 외국어를 그대로 옮긴다는 의미보다는 상응하는 의미체계를 전달하는 작업이라고 생각해서 한국의 독자분들에게 일본 저자들의 의도를 충실하게 반영하려고 노력했습니다만, 혹시라도 이해하기 어려운 부분이 있다면 우선은 역자의 부족함을 탓해주시고, 가급적 인용된 영문 논문들을 참고해주시기 바랍니다. 그리고, 오역된 부분이 있다고 판단되어 지적해주시고자 할 경우에는 osdryd@gmail.com 연락을 주시기 바랍니다.

　이 자리를 빌려 감사해야 할 분들이 많습니다. 가장 먼저 일본 생활을 함께 하고 있는 가족들, 그리고 항상 응원해주시는 어머님과 형님, 누님에게 감사는 이루 말할 수가 없습니다. 부족함이 많은 저에게 슬관절학에 입문할 기회를 주셨고, 더 넓은 세계에서 공부할 수 있도록 해주신 김태균 교수님, 한국에서 석사 지도를 맡아 주시면서 관절경수술에 견문을 넓혀주신 이광원 교수님, 전공의 시절 족부외과학의 가르침을 주셨던 이경태 교수님, 일면식도 없는 저에게 친히 슬관절 관절경을 참관시켜 주시고 항상 격려해 주시던 왕준호 교수님, 전임의 시절 최신 관절경에 대해서 배움을 주셨던 이용석 교수님께 제자로서 감사의 말씀을 드립니다. 그리고 의국 선배로서 저를 정형외과의 길로 인도해 주신 부산큰병원의 정주선 원장님께도 항상 감사하는 마음을 갖고 있습니다. 또한, 일본 출판사와 복잡한 문제들에 대해서 항상 인내를 갖고 도와주신 군자출판사 한수인 팀장님과 편집을 맡아주신 구경민 사원님께도 감사드립니다.

　마지막으로 일본어는 커녕 영어도 제대로 못해서 여러모로 교수님들께 민폐 끼치는 나이 많은 외국인 대학원생을 친절하게 지도해주시고, 가족들 안부까지 챙겨주시며 따뜻하게 배려해주시는 교토대학 정형외과학교실 주임교수 마츠다 슈이치(松田 秀一) 교수님을 비롯해 슬관절팀의 쿠리야마 신이치 선생님(栗山 新一), 나카무라 신이치로 선생님(中村 伸一郎), 니시타니 코헤이 선생님(西谷 江平)께 감사의 말씀을 드립니다. 아무쪼록 앞으로도 잘 부탁드립니다.

2022년 10월

교토대학 대학원 의학연구과

송영동(宋永同/YD, Song)

관절경 아틀라스

CONTENTS

I 상지

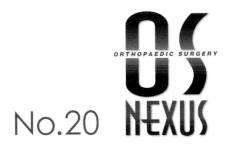

No.20

‖ 하지

집필자

※ 담당편집위원

무네타 타케시   도쿄의과치과대학 명예 교수/국립병원기구 재난의료센터 원장

※ 집필자(게재순)

츠지이 마사야   미에대학 대학원 의학계연구과 정형외과학

오모카와 쇼헤이   나라현립의과대학 수부외과학

나카무라 토시야스   국제의료복지대학 의학부 정형외과학/산노 병원 정형외과

시마다 코조   JCHO 오사카병원 응급부/스포츠의학과

아라이 타케시   쇼난병원 정형외과 부장/수부-주관절 외과센터

스가야 히로유키   후나바시 정형외과병원 스포츠의학·관절센터

스즈키 카즈히데   아소종합병원 스포츠정형외과

하시구치 히로시   일본의과대학 치바호쿠소 병원 정형외과

이와시타 사토시   일본의과대학 정형외과

후쿠시마 켄스케   기타사토대학 의학부 정형외과학

산도 타카시   도쿄의과대학 정형외과

나카마에 아쓰오   히로시마대학병원 정형외과

이다치 노부오   히로시마대학 대학원 의과학연구과 정형외과학

이이오 코헤이   히로사키대학 대학원 의학연구과 정형외과학

키무라 유카   히로사키대학 대학원 의학연구과 정형외과학

이시바시 야스유키   히로사키대학 대학원 의학연구과 정형외과학

코가 히데유키   도쿄의과치과대학 대학원 의치학종합연구과 운동기외과학

요시무라 이치로   후쿠오카대학 의학부 정형외과학

마츠이 도모히로   제생회 나라병원 정형외과

쿠마이 츠카사   와세다대학 스포츠과학 학술원

타카오 마사토   주조병원 CARIFAS 족부외과센터

상지 Ⅰ

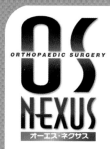

I. 상지

수지관절경(무지 CMC 관절·무지 MCP 관절)의 기본 술기와 기구 조작법

미에대학 대학원 의학계연구과 정형외과학 **츠지이 마사야**(Masaya Tsujii)

Introduction

수부외과 영역에서의 관절경수술에 관해서, 수근관절(wrist)에 대한 유용성은 널리 알려져 있었지만 수지관절에 대해서는 잘 알려지지 않았다. 하지만 최근, 다양한 관절경 관련 제작 회사의 노력 등으로 소관절용(small joints) 관절경 기구가 개선되어 과거보다 수술 시야가 개선되는 등 많은 부분에서 진전을 이루어 내면서 수지관절에서도 관절경수술이 증가하고 있다.

수부영역은 다른 관절에 비해서 중요 조직이 좁은 공간에 밀집되어 있기 때문에, 그동안 심부조직에 수술 및 조작을 가해야 하는 경우 주변 조직에서의 상당 부분 침습적 처치를 피하기 어려웠으나, 앞으로는 관절경수술의 가장 큰 장점이라고 할 수 있는 저침습적인 방법으로 심부조직의 진단 및 치료가 가능하다는 점을 이용하여 피하 및 관절막, 인대 등에 손상을 최소화할 수 있는 수지관절경을 통한 수술 방법이 지속적으로 발전하게 될 가능성이 있다.

하지만, 수지관절경수술은 이제 막 발전하기 시작한 수술 술기이기 때문에, 현재로서는 적응증과 유용성이 폭넓게 확립되었다고 볼 수는 없어서 수술 결정을 신중하게 해야 한다. 또한, 수술 후 합병증을 줄이기 위해서 삽입구 주위의 해부학적 구조물을 반드시 숙지해야 한다.

이번 편에서는 무지 CMC 관절과 무지 MCP 관절의 관절경 술기에 대해 설명한다.

수술 전 고려 사항

● 적응증과 금기증

무지 CMC 관절

① Bennett 골절-탈구

일반적인 Bennett 골절에서는 투시하 도수 정복 후 경피적 K-wire 고정만으로도 양호한 임상 성적을 기대할 수는 있지만, 간혹 골편이 골절 부위에서 회전 혹은 전위된 경우나 외상후 수술까지의 기간이 길어져서 진구성(obsolete)으로 진행된 경우에는 골절 부위의 처치(bone-bed preparation) 및 골편 정복에 있어서 관절경이 유용하게 이용된다.

사체를 이용한 Bennett 탈구-골절 연구에서 투시하 도수 정복을 확인한 후 경피적 고정을 시행한 뒤, 관혈적으로 관절상태를 관찰하였을 때 2~3 mm의 gap이나 step off가 확인되었다는 보고[1]를 감안하면 관절경을 이용한 골절편의 정복이 보다 더 유용할 것으로 생각된다.

② 무지 CMC 관절증

해외에서는 Menon, Berger가 일본에서는 木原 (키하라) 등이 관절경을 통한 interposition arthroplasty 수술 술기[2-4]를 보고하였고, 그 이후로도 관절증 질환에 대해서 관절경을 시도하는 수술이 증가하고 있다. 위에서 언급한 연구들은 비교적 가벼운 증례에 한정되었다는 한계가 있기는 하지만, 모두 양호한 임상성적을 보고하였다. 본원에서 시행한 임상시험에서도 외상후 관절증 등, 관절의 안정성(stability)이 확보된 무지 CMC 관절증에서는 관절경수술 결과가 양호하였다. 다만, 수술 전

기본 술기

관절증의 진행 정도를 판정하기가 쉽지 않기 때문에 interpostion arthroplasty의 수술 적응증 결정에 있어서 고려해야 할 점이 아직 많이 남아 있다.

현재는 장무지외전건(abductor pollicis longus tendon; APL)이나 장장건(palmaris longus tendon; PL) 등을 자가이식건으로 이용하거나 suture-button을 제1중수골 기저부에 고정시키는 방법을 이용하여 , 불안정성이 있는 예에서도 관절경수술을 적용할 수 있게 되었다. 또, 관절경하에 관절 고정술(arthrodesis)을 시행할 수도 있어서 MCP 관절의 과신전 변형을 보이는 경우에 적응을 고려하고 있다.

무지 MCP 관절

① 측부인대 파열

관절경수술이 가장 유용한 경우는 척측측부인대 관절내 감돈(Stener lesion)의 정복이 필요한 경우이다. 최근 MRI나 초음파로 수술 전에 Stener lesion 진단이 가능한 경우가 있는데[5], 이렇게 수술 전 진단이 가능한 경우에서는 관절경하에 정복을 시도해 보는 것도 좋을 것으로 생각된다.

척측측부인대 파열이 주로 원위부에서 손상되는 것과는 달리, 요측측부인대는 실질부나 근위에서 파열되어 있는 경우가 종종 발견되기 때문에, 파열 부위를 찾아내기 위한 목적으로 관절경이 유용하게 사용될 수 있다. 하지만, 원위부 파열은 파열된 부분이 비교적 안정적이므로 경피적 고정을 통해서 일시적으로 관절을 고정하여 치료할 수 있지만, 실질부 파열이나 근위부 파열 시에는 관절경보다는 관혈적으로 복구술을 시행해야 한다.[6]

② 관절내 골절

무지 CMC 관절의 Bennett 골절-탈구와 마찬가지로 수상(受傷) 후 수술이 지연되어 급성기를 경과하여 진구성으로 발전된 경우에, 관절경하에 골절 부위에 소파술(curettage)을 시행할 수 있으며, 투시영상장치 없이도 정복이 용이하기 때문에, 불필요한 관혈적 수술을 피할 수 있다.

a
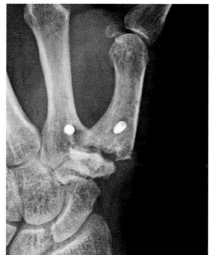

b
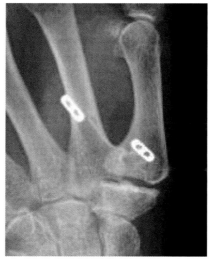

 무지 CMC 관절증의 수술 후 단순 X선 촬영

관절경을 이용하여 대능형골(trapezium)의 부분 절제와 인대성형술을 시행하였다.

a: 장장건(PL)을 이용한 관절경 인대성형술을 시행하였다. PL건은 inter-ference screw (TJ screw®, MEIRA Corporation)를 이용해 제1·제2 중수골 기저부에 고정하였다.

b: Suture-button (mini-tight rope®, Arthrex)에 의한 관절 성형술을 시행하였다.

● **자주 사용하는 기구**

관절경은 1.9 mm 30° 관절경을 short size로 이용한다 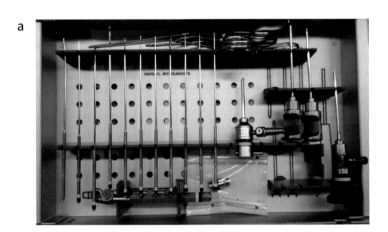**2a** .

무지 CMC 관절증은 수술 중 연골손상에 대한 부담이 비교적 적으므로 2.3 mm 관절경을 사용할 수도 있지만, 시야가 넓어지는 대신 관절경이 조작 도중에 걸려서 잘 빠지지 않을 수 있기 때문에 익숙해질 때까지는 1.9 mm 관절경을 권하고 있다. 한편, 골절 수술 시에는 수술 도중 연골손상이 발생할 수 있으므로 1.9 mm 관절경이 바람직하다.

수술조작을 위해 소관절용 겸자류(hemostat)를 사용하며, 반드시 프로브와 grasper를 준비한다 **2a** .

소관절용 쉐이버도 필수이며, 사이즈는 가장 작은 것(2.0 mm)을 사용할 수 있지만, 골표면을 처치해야 하는 경우에는 크기가 큰 것(3.5 mm)을 이용하면 수술 시간을 단축할 수 있다. 각 병원의 사정에 맞추어서, 각종 사이즈를 준비해 두는 것이 좋다.

고주파 시스템(RF 장치)도 사용하는 경우가 있는데, 이때 고주파 장치에서 발생된 열 때문에 화상(burn)이 발생할 수 있으므로, 대비할 필요가 있다. 관류액은 수액걸이대(IV pole stand) 등으로 매달아서 자연스럽게 중력을 이용하는 압력을 거는 것도 가능하지만, 저자는 arthroscopy pump를 이용하여 시야를 가로막는 출혈이나 관절 내 마모 조각(debris)에 대해서 수압으로 조절하여 관절경 시야를 확보하고 있다.

수지관절경은 대부분 수직견인 하에 실시한다. 트랙션 타워를 사용하면 견인력 조절이 용이하지만 **2b** , 수액걸이대를 이용하는 것으로도 충분히 수술할 수 있다.

a

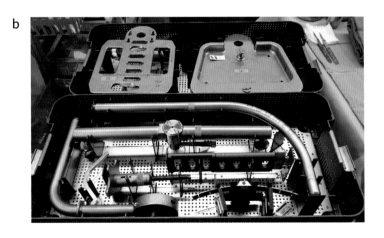

b

2 본원의 수지관절경 장비

a: 관절경과 소관절 겸자류
b: 트랙션 타워

● **수술 체위**

수술은 앙와위로 하고 hand table을 사용한다. 본 수술에서는 수직 견인을 위해 트랙션 타워를 사용하며, 게다가 투시영상장치를 사용하는 경우가 많아서, hand table에 투시영상장치가 사용 가능하도록 세팅해서 수술을 시행한다.

트랙션 타워는 Chinese finger trap을 이용해 5∼10 파운드 정도의 견인력을 걸리게 한다 ⓒ3.

트랙션 타워가 없는 경우에서는 수액걸이대 등을 사용할 때도 수술은 가능하지만, 다른 손가락들을 매달아 고정하여 전완의 회선(supination-pronation)을 제어하기 위해서라도 트랙션 타워를 사용하는 것을 권장한다.

코멘트 **NEXUS view**

여성 환자들은 손가락이 가늘기 때문에 Chinese finger trap에서 손가락이 빠질 수 있다. 이럴 때는 부착포로 finger trap의 기저부를 감아서 수술을 실시하는 것이 좋다.

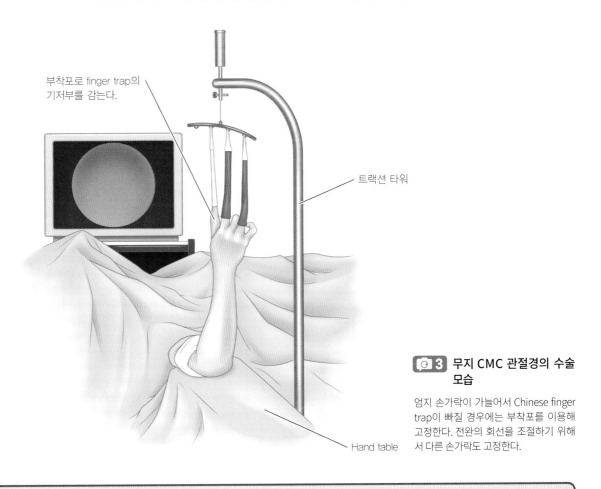

부착포로 finger trap의
기저부를 감는다.

트랙션 타워

Hand table

ⓒ3 **무지 CMC 관절경의 수술
모습**

엄지 손가락이 가늘어서 Chinese finger trap이 빠질 경우에는 부착포를 이용해 고정한다. 전완의 회선을 조절하기 위해서 다른 손가락도 고정한다.

Fast Check

❶ 외상 질환에 대해서 관절경수술을 실시해야 하는 경우에는 연골손상을 예방해야 할 필요가 있으므로 1.9 mm 직경의 가는 관절경이 권장된다.

❷ 삽입구 제작 시에는 신경손상을 피하기 위해 충분히 삽입구 주변의 피하조직을 박리할 필요가 있다. 그리고 수술 전에 환자에게 일시적인 감각마비가 발생할 수 있다는 위험성을 미리 설명해 둔다.

❸ 수지관절은 관절강의 working space가 충분하지 않아서 관절경수술이 어려울 수 있으므로, 그럴 경우에는 관혈적 수술로의 전환을 주저하지 않도록 한다.

기본 술기

1 삽입구 만들기

무지 CMC 관절

삽입구는 등측(dorsum) 무지 CMC 관절면상에서 각각 장무지외전건(APL건)의 요측면과 단무지신전건(extensor pollicis brevis; EPB건)의 척측면으로부터 5 mm 정도 떨어진 곳에, 엄지손톱의 양측 가장자리에서부터 근위로의 연장선과의 교차점에 위치하게 한다 **4**.

일반적으로 1R, 1U 삽입구로 호칭되지만, 무지 MCP 관절에서도 유사한 명칭을 사용하기 때문에 혼동을 피하기 위해서 본 편에서는 CM-R, CM-U로 칭하기로 한다. 이 삽입구 중 CM-R은 표재요골신경(superficial radial nerve)에 가까워서 신경손상이 발생할 수 있으므로 충분한 주의가 필요하다. 손상을 피하기 위해 CM-R을 보다 요측에 만드는 new radial portal이나, 수장부(palmar)에 만드는 thenar portal (모지구 삽입구)이 사용될 수 있다.

저자는 다음과 같은 이유로 thenar portal을 애용하고 있다.

① Thenar 삽입구는 관찰(viewing) 삽입구로 사용되는 CM-U와 거의 수직으로 제작되어 삽입구 사이에 공간이 생기기 때문에, 수술조작이 용이해진다.

② Bennett 골절-탈구에서는 골절 부위에 기구를 평행하게 넣을 수 있고, 골절부의 처치(preparation)도 여유 있게 할 수 있다.

③ 3개의 삽입구(CM-R, CM-U, thenar portal)를 사용함으로써 술기의 폭이 넓어진다.

④ 작업(working) 삽입구뿐만이 아니라 관찰 삽입구로써도 이용이 가능하여, 등측(dorsum)의 관절막인대(capsular ligament)를 명료하게 관찰할 수 있다.

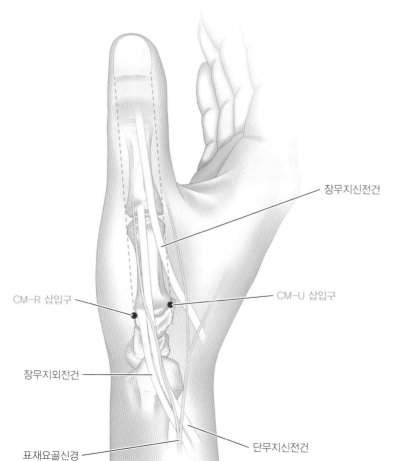

장무지신전건

CM-R 삽입구   CM-U 삽입구

장무지외전건

표재요골신경   단무지신전건

4 무지 CMC 관절에서 사용되는 삽입구 위치

무지 CMC 관절면의 등측(dorsum)에서 신전건(EPL, EPB)의 요측과 척측에 제작한다. 특히 무지 CMC 관절의 요측 삽입구에서는 표재요골신경에 가깝기 때문에 충분한 주의가 필요하다.

Thenar portal 제작법

CM-U에서 관절경으로 확인해가면서 제작한다. 우선 22G 주사바늘을 모지구(thenar space)에서 피부를 통과해 관절 내로 삽입하는 동시에 관절경하에서는 전방경사인대의 심층(deep layer of anterior oblique ligament; dAOL)을 확인하고, 수장측(palmar)에서 등측(dorsum)을 향해 삽입한다 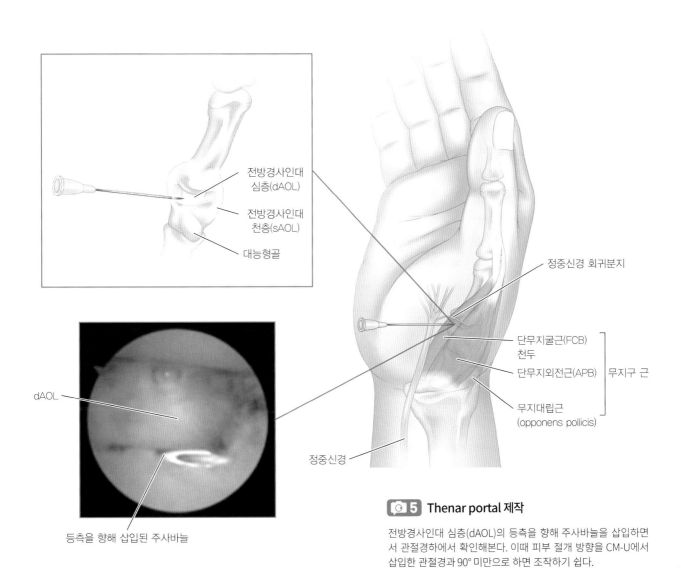5.

dAOL의 방향을 확인하고 나면, 주변 부위에 신경이 없는 부위에서 모지구근을 헤집지 않고 직접 Mosquito로 관통하여 삽입구를 제작한다.

> **코멘트 NEXUS view**
>
> Thenar portal은 전방경사인대의 천층(sAOL)을 관통하여 제작되는 삽입구이기 때문에 확장성이 좋다. 저자의 interposition arthroplasty 경험에서는 4.5 mm 지름의 cannula도 용이하게 삽입할 수 있었다.
>
> Thenar portal은 해부학적 연구로부터 안전하게 제작될 수 있다는 것이 알려져 있지만, 요수근굴근 (FCR)보다 척측으로 위치하게 되면 정중신경의 회귀분지(recurrent branch)가 근육에 들어가는 부분에서 손상될 위험이 있다 5.

전방경사인대 심층(dAOL)

전방경사인대 천층(sAOL)

대능형골

정중신경 회귀분지

dAOL

단무지굴근(FCB) 천두

단무지외전근(APB) ― 무지구 근

무지대립근 (opponens pollicis)

정중신경

등측을 향해 삽입된 주사바늘

5 Thenar portal 제작

전방경사인대 심층(dAOL)의 등측을 향해 주사바늘을 삽입하면서 관절경하에서 확인해본다. 이때 피부 절개 방향을 CM-U에서 삽입한 관절경과 90° 미만으로 하면 조작하기 쉽다.

무지 MCP 관절

MCP 관절면 등측에서 단무지신전건의 요측(MP-R)과 장무지신전근건 척측(MP-U)에 삽입구를 제작하는데 CMC 관절과 마찬가지로 엄지손톱의 요측과 척측 가장자리로부터의 연장선상에 두는 것을 기본으로 하고 있다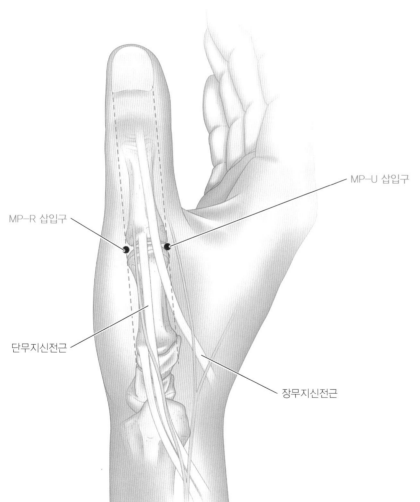6.

최초로 Stener lesion의 정복을 보고한 Ryu는 부착부에서 떨어져 나온 척측측부인대를 정복하기 위해 radiopalmar portal을 요측측부인대의 cord like portion 수장측(palmar)에 만들었던 증례를 보고하였다.[7] 저자는 경험이 없지만 증례에서의 인대가 등측(dorsum)에서 손상되어 분리되었기 때문에 유용한 방법이라고 생각한다.

MP-U 삽입구

MP-R 삽입구

단무지신전근

장무지신전근

⦿ 6 무지 MCP 관절에서 사용되는 삽입구 제작 위치

무지 CMC 관절과 마찬가지로 등측 무지 MCP 관절면상에서 신전건(EPL, EPB)의 요척측에 제작한다.

2 관절경 삽입

다른 관절 부위의 관절경과 마찬가지로 첫 삽입구(무지 CMC 관절에서는 CM-U, 무지 MCP 관절에서는 손상 부위의 반대측)를 통해서 관류액 등으로 관절 내부를 가득 채운다. 이때 일반적으로 1 mL 정도밖에 들어가지 않는다(📷 7a).

다음으로 Mosquito 끝이 들어갈 정도의 길이만큼만 피부 절개를 가하고, 피하를 충분히 박리한다(📷 7b). 이렇게 절개를 최소한으로 하고, 피하를 박리하는 조작은 신경을 손상시키지 않기 위해서라도 매우 중요하다. 그 후, Mosquito로 관절막을 뚫고, 관류액의 역류를 확인한 후 둔봉(obturator)을 장착한 투관침(trocar)으로 교체하면서 관절경을 세팅한다(📷 7c).

코멘트 **NEXUS view** ////

Curved Mosquito

피부 절개부위 조작 시에 피하신경이 손상되지 않으려면 스트레이트(straight)가 아니라 Curved Mosquito를 이용하여 관혈적 수술 때와 마찬가지로 관절막상의 지방조직을 충분히 박리하여 심층부에 충분한 피하포켓(pocket)을 만들어내는 것이 중요하다.

코멘트 **NEXUS view** ////

소관절이지만 관절강을 제대로 촉지한다면 관절경의 삽입은 어렵지 않다. 관절강의 촉지가 어려울 때는 투시영상장치로 확인하는 방법이 있다.

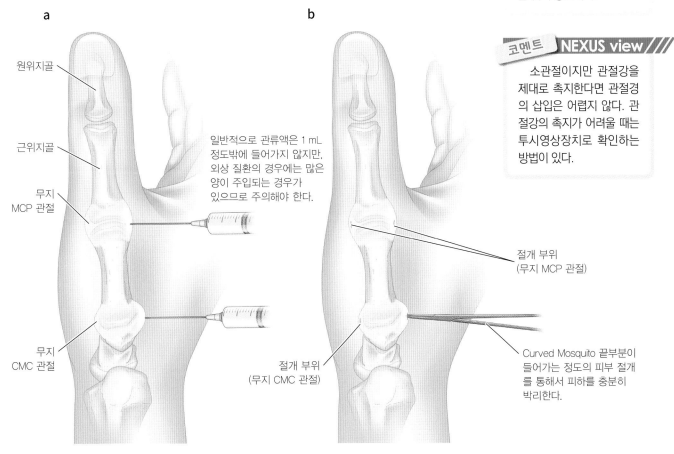

a

원위지골

근위지골

무지 MCP 관절

무지 CMC 관절

일반적으로 관류액은 1 mL 정도밖에 들어가지 않지만, 외상 질환의 경우에는 많은 양이 주입되는 경우가 있으므로 주의해야 한다.

절개 부위 (무지 CMC 관절)

b

절개 부위 (무지 MCP 관절)

Curved Mosquito 끝부분이 들어가는 정도의 피부 절개를 통해서 피하를 충분히 박리한다.

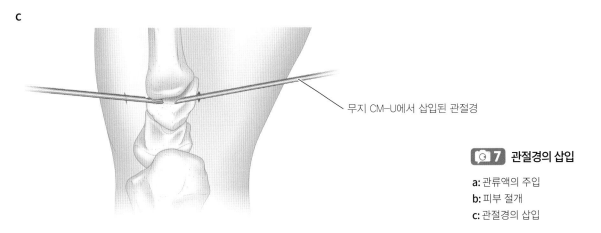

c

무지 CM-U에서 삽입된 관절경

📷 7 **관절경의 삽입**

a: 관류액의 주입
b: 피부 절개
c: 관절경의 삽입

3 관절경 소견

무지 CMC 관절

기본적으로 CM-U 삽입구를 관찰 삽입구(viewing portal)로서 이용한다. 처음에 관절경이 관절 깊숙이 들어가 있는 경우가 많기 때문에 천천히 비틀듯이 당기면서 초점을 맞추고 나서는 관절 내부를 관찰한다. 관절내 골절에서는 혈종에 의해서, 혹은 무지 CMC 관절증에서는 공기(air)에 의해서 시야가 안 좋을 수도 있지만, 우선 CM-R 삽입구로부터 22G 주사바늘을 찔러서 위치를 확인한다.

다음으로 작업 삽입구로서 CM-R 삽입구를 제작하는데, 이때에도 조수에게 관절경을 들게 하고 피하를 충분히 박리한다. 그 후 쉐이버를 이용해서 관절내 혈종이나 증식된 활막 등을 절제한다(📷8).

CM-U 삽입구에서 수장측의 인대를 확인할 수 있고, 그중에서도 두꺼운 섬유가 제1중수골 기저부의 끝부분보다 약간 원위에 부착하는 것을 확인할 수 있다(📷5 참조).

척측에서는 대능형골이 융기하고 있으며, 무지 CMC 관절증에서는 골극형성이 두드러진다. 이 골극은 요측 삽입구(CM-R)에서도 명료하게 관찰할 수 있다.

Thenar portal로부터 관절경을 통해서 활막 절제를 실시하면, 등측의 관절막인대를 관찰할 수 있다. 이외에도 대능형골의 부분 절제를 하고나면, 여러 가지 인접한 조직을 확인할 수 있다(📷9).

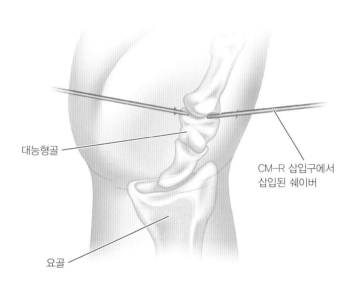

대능형골

CM-R 삽입구에서 삽입된 쉐이버

요골

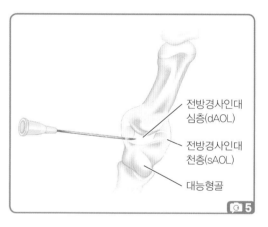

전방경사인대 심층(dAOL)

전방경사인대 천층(sAOL)

대능형골

📷5

📷8 무지 CMC 관절내 절제

CM-R 삽입구에서 삽입한 쉐이버로 관절내 혈종이나 활막을 절제한다.

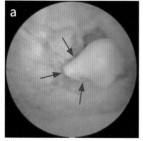
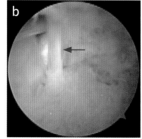
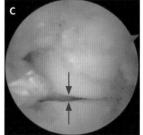
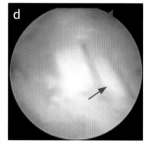

📷9 무지 CMC 관절경을 통해서 관찰 가능한 조직

무지 CMC 관절증에서는 주로 활막 절제나 대능형골의 부분 절제를 실시하게 되는데 유리체(a), 요측수근굴건(b), 제2 CMC 관절(c), 장요수근신건(d) 등도 관찰할 수 있다(적색 화살표들).

무지 MCP 관절

병변측의 반대편에 삽입구를 만들어서 관절경을 시작한다. 즉, 척측측부인대와 관련된 병변에는 MP–R 삽입구를, 요측측부인대와 관련된 병변에는 MP–U 삽입구를 이용한다.

가장 등측(dorsum)에 2개의 섬유속을 가진 측부인대가 확인된다. 그 수장측에는 종자골이 관찰되고, 그 사이에 수장판이 위치하지만, 전체적으로는 활막으로 덮여있기 때문에 인대 성분으로는 확인되지 않는다 ⓒ10a . 또 측부인대의 원위에서는 반월판 모양의 활막 주름이 전례에서 확인된다 ⓒ10b .

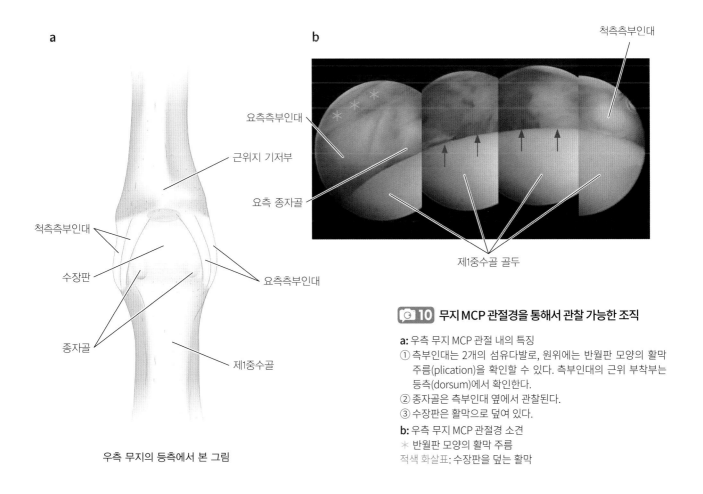

a

우측 무지의 등측에서 본 그림

척측측부인대
요측측부인대
근위지 기저부
요측 종자골
수장판
종자골
요측측부인대
제1중수골

b

척측측부인대
제1중수골 골두

ⓒ**10 무지 MCP 관절경을 통해서 관찰 가능한 조직**

a: 우측 무지 MCP 관절 내의 특징
① 측부인대는 2개의 섬유다발로, 원위에는 반월판 모양의 활막 주름(plication)을 확인할 수 있다. 측부인대의 근위 부착부는 등측(dorsum)에서 확인한다.
② 종자골은 측부인대 옆에서 관찰된다.
③ 수장판은 활막으로 덮여 있다.
b: 우측 무지 MCP 관절경 소견
＊ 반월판 모양의 활막 주름
적색 화살표: 수장판을 덮는 활막

4 관절경 술기

무지 CMC 관절

Bennett 골절-탈구

수장측 골편이 골절 부위에서 회전된 상태로 박혀있는 경우가 많으며, 프로브로 끌어내서 정복한다 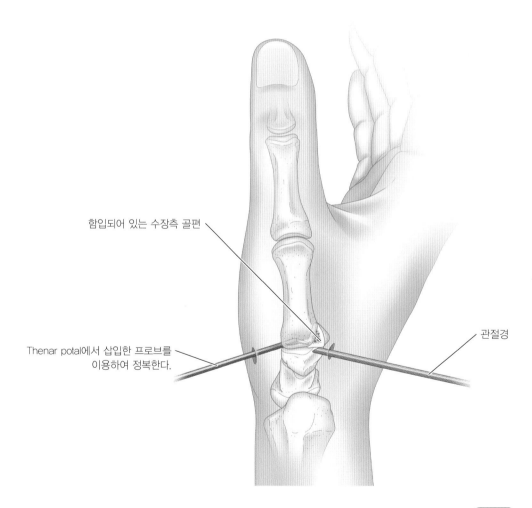. 이때 thenar portal이 유용하게 사용되는데, thenar portal에서 삽입된 기기가 골절선과 평행하기 때문에 충분한 debridement가 가능하다.[8] 골편이 충분한 가동성을 얻게 되면, 관절면의 정복 여부를 확인한다.

관절경하 정복면을 관찰하면서 핀을 삽입하여 고정하는 경우도 있지만, 투시하에서 확인하면서 핀을 고정하는 경우도 있다. 이렇게 투시하의 조작 중에도 삽입구에 프로브를 삽입함으로써 투시하 정복에 추가적인 조작을 할 수 있다는 장점도 있다.

함입되어 있는 수장측 골편

관절경

Thenar potal에서 삽입한 프로브를
이용하여 정복한다.

11 Bennett 골절-탈구의 정복

무지 CMC 관절증(대능형골 부분 절제)

관절증에 대해서 관절경수술이 필요한 경우는 interposition arthroplasty, APL건을 이용한 인대성형술, suture-button arthroplasty 등이 있는데, 이때 관절경수술의 역할은 대능형골 부분절제가 주된 역할이다. 인대성형술 및 interposition arthroplasty에 대해서는 다른 문헌 등을 참조하기 바란다.

관절내 평가는 CM-U 삽입구에서 실시하고, 활막을 절제하거나 남아있는 연골을 쉐이버로 절제한 후 CM-R에서 thenar portal에 걸쳐 대능형골 부분절제를 시작한다.

절제는 2.9 mm 직경의 쉐이버로 하지만, 관절막인대는 대능형골 관절면의 2~3 mm 깊이까지 부착되어 있기 때문에,[9] 사용하는 쉐이버의 직경을 참고해서 3 mm 정도의 절제를 목표로 한다 **@12a**.

척측은 CM-R 삽입구이나 thenar portal에서 관찰하면 산더미 같은 골극이 확인되며, 이것을 CM-U 삽입구로부터 삽입한 쉐이버로 절제한다.

코멘트 **NEXUS view** ///

대능형골 절제에서는 가능한 CM-U 삽입구에 관절경을 두고 절제하는 것이 중요하다. 그래야 다음 단계에서 삽입구를 변경하였을 때, 척측 절제가 편해진다.

척측의 골극이 클 경우에는 어디까지가 골극인지 확인이 어려울 수 있다. 가능한 골극 주변의 연부조직을 박리하고, 정점을 포함한 골극을 유리시켜 겸자를 이용해서 절제하는 것이 좋다.

제2중수골에 대응하는 관절면에도 연골이 존재하기 때문에, 제2중수골로 파고들지 않도록 신중하게 조작하도록 한다.

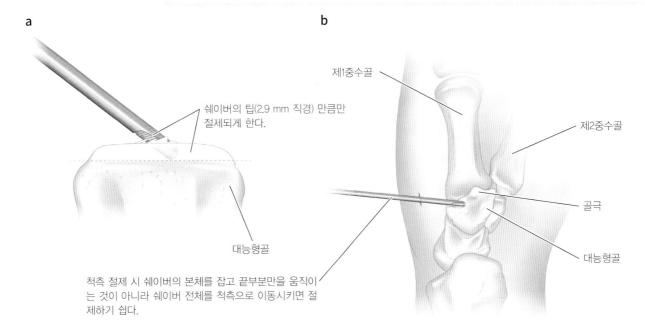

a

쉐이버의 팁(2.9 mm 직경) 만큼만 절제되게 한다.

대능형골

척측 절제 시 쉐이버의 본체를 잡고 끝부분만을 움직이는 것이 아니라 쉐이버 전체를 척측으로 이동시키면 절제하기 쉽다.

b

제1중수골

제2중수골

골극

대능형골

@12 대능형골의 부분 절제

a: 수장측 가장자리의 절제. 먼저 수장측에서 쉐이버의 팁(2.9 mm 직경)을 기준으로 약 3 mm 정도 절제하면서, 그 깊이를 기준으로 평탄해지도록 절제를 진행한다.

b: 척측 절제. 요측 삽입구로부터 척측의 골극을 확인하고, CM-U 삽입구에 쉐이버를 삽입하여 절제를 실시한다.

무지 MCP 관절

관절내 골절

관절경을 통해서 골절 부위가 명료하게 관찰된다. 골편은 프로브를 사용하여 정복한다. 손상으로부터 경과가 길어진 예에서는 골절 부위를 관절경하에 debridement 하면 골편의 가동성을 얻을 수 있고, 정복 조작이 가능해진다.

큰 골편은 그대로 경피적 pinning이나 경피적 스크류 삽입을 통해서 고정하는 경우도 있는데, 골편의 가동성과 관절면 정복 여부를 관절경으로 확인하고 투시하에 고정하는 경우가 많다.

척측측부인대 파열

Stener 병변에서는 측부인대가 보이지 않고 무지내전근 건막(adductor pollicis aponeurosis)이 관찰된다. 관절경 소견에서 무지내전근 건막과 측부인대의 모양은 크게 다른데, 무지내전근 건막은 거친 섬유성 조직으로 매우 얇은 반면에 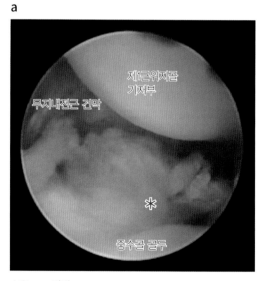 13a, 측부인대는 굵은 2개의 섬유다발이기 때문에 쉽게 구별할 수 있고, 만성 케이스에서는 full radius 쉐이버로 척측 연부조직을 박리하면 무지내전근 건막이 명료하게 관찰된다.

덧붙여서 이 조작에서 측부인대는 손상되지 않는다. 또 부착부에서 떨어진 인대는 MP-U 삽입구에서 프로브를 이용해 누르면서 정복할 수 있다 13b. 저자의 경험에서는 7례 중 5례에서 가능했다.

a

제1근위지골 기저부

무지내전근 건막

＊

중수골 골두

＊Stener 병변

b

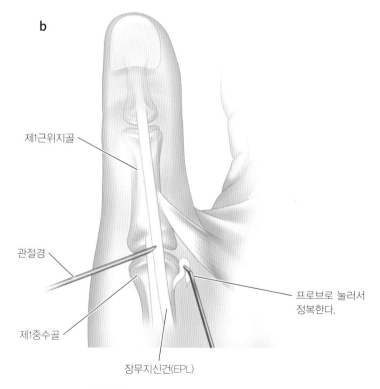

제1근위지골

관절경

제1중수골

장무지신건(EPL)

프로브로 눌러서 정복한다.

13 척측측부인대 파열(Stener 병변＊)의 관절경 소견

a: Stener 병변의 관절경 소견. 무지내전근 건막이 관찰되는데, 측부인대와는 달리 얇은 조잡한 섬유성 조직이므로 진단이 용이하다.

b: 떨어져 나온 측부인대의 정복

5 창상봉합

창상봉합이 필요한 부분은 피부 절개 부위뿐인데, 추가로 절개한 부위를 제외하고는 삽입구의 봉합은 실시하지 않는다. 일반적인 수술의 배액 상태와 동일하다고 생각하며 관류액 누출이나 출혈 때문에 수술 직후 드레싱은 두껍게 하고 있지만, 보통 수술 다음날에 종창도 거의 없었으며, 반창고 정도로 수술 부위를 보호하고 있다.

5~7일에 수술 부위가 드라이한 것을 확인하고 손 세척이나 샤워를 시작한다.

6 수술 후 재활치료

무지 관절은 안정성이 중요한 관절이기 때문에 외상성인 경우에는 CMC 관절도, MCP 관절도 관절 고정을 pinning으로 하고, 수술 후 1개월~6주에 핀을 제거하고 관절가동범위 훈련을 실시하고 있다.

무지 CMC 관절증에 대해서는 제1중수골 인대 성형술의 여부와 종류에 따라 다르지만 부목 고정(IP 관절을 포함해 수지관절까지)을 2주간 실시하고, 그 후에도 고정 장구를 장착한 후 강한 핀치(Pinch) 동작은 2개월간은 실시하지 않도록 지도하고 있다.

참고문헌

1) Capo JT, Kinchelow T, Orillaza NS, et al. Accuracy of fluoroscopy in closed reduction and percutaneous fixation of simulated Bennett's fracture. J Hand Surg Am. 2009;34(4):637-41.
2) Berger RA. A technique for arthroscopic evaluation of the first carpometacarpal joint. J Hand Surg Am. 1997;22(6):1077-80.
3) Menon J. Arthroscopic management of trapeziometacarpal joint arthritis of the thumb. Arthroscopy. 1996;12(5):581-7.
4) 木原 仁, 別府諸兄, 石井庄次, ほか. 母指CM関節症に対する鏡視下手術. 日手の外科会誌. 2000;17(2):181-4.
5) Shinohara T, Horii E, Majima M, et al. Sonographic diagnosis of acute injuries of the ulnar collateral ligament of the metacarpophalangeal joint of the thumb. J Clin Ultrasound. 2007;35(2):73-7.
6) Tsujii M, Iida R, Sudo A. Arthroscopic findings of injured ulnar and radial collateral ligaments in the thumb metacarpophalangeal joint. J Hand Surg Eur Vol. 2018;43(10):1111-2.
7) Ryu J, Fagan R. Arthroscopic treatment of acute complete thumb metacarpophalangeal ulnar collateral ligament tears. J Hand Surg Am. 1995;20(6):1037-42.
8) Tsujii M, Iida R, Satonaka H, et al. Usefulness and complications associated with thenar and standard portals during arthroscopic surgery of thumb carpometacarpal joint. Orthop Traumatol Surg Res. 2015;10(6):741-4.
9) 北條潤也, 面川庄平, 飯田昭夫, ほか. 鏡視下大菱形骨部分切除における適切な骨切除量についての解剖学的検討. 日手外科会誌. 2016;33(3):267-9.

I. 상지
수근관절 관절경의 기본 술기

나라현립의과대학 수부외과학 **오모카와 쇼헤이(Shohei Omokawa)**

Introduction

수술 전 고려 사항

● 관절경수술에 필요한 주변 해부학

랜드마크 📷1a

요골 원위부 등측(dorsum)에서 Lister 결절과 요골 경상돌기(radial styloid process)를 촉지해서, 요골의 원위 경계선을 마킹한다. 다음으로는 원위측에 위치한 제2–4중수골 기저부를 촉지하고, 마찬가지로 제2–4 CMC 관절을 마킹한다.

수근관절을 약간 전방(palmar)으로 구부리면 Lister 결절의 원위부에 요골측 수근관절의 soft spot을 촉지할 수 있다. 이 부위가 후술(後述)하게 될 3–4 삽입구의 위치가 된다.

수근관절을 후방굴곡(dorsiflexion)하면 제3 CMC 관절의 가운데에서 유두골(capitate)을 촉지할 수 있고, 수근관절을 전방굴곡(palmar flexion)하면 Lister 결절의 원위에 주상골(scaphoid)의 근위 극(proximal pole)을 촉지할 수 있다.

반복적으로 수근관절을 전후방굴곡 하면서 촉진을 하면, 유두골과 주상골 사이에서 또 다른 soft spot을 발견할 수 있다. 이 부위가 후술하게 될 요측 중수근관절 삽입구(radial portal of midcarpal joint; MC)의 위치가 된다.

척측에서는 척골두와 척골경상돌기를 촉지하고 척골 원위단을 마킹한다. 척골 경상돌기의 원위에서 척수근신근(ECU)의 움직임도 미리 감지해 둔다. 그리고 두상–삼각관절(pisiotriquetral joint)을 전후방(dorsopalmar)으로 움직여 봄으로써 삼각골의 중추연과 월상–삼각관절(lunotriquetral joint)의 위치를 파악할 수 있다.

신경 해부 📷1b

표재요골신경은 제1–2구획 사이을 종주하고, 척골신경 표재분지는 제6구획의 척측을 비스듬하게 지나간다.

척골신경 표재분지는 수장쪽(palmar)에서 척골두를 우회하면서 척수근신건(ECU)과 굴건(FCU)의 간극인 ulnar snuff box를 주행한다. 요골신경의 심부 분지인 후골간신경의 종말지는 총지신건(제4구획)의 요측 기저부를 종주한다. 외측 전완피부신경은 전완의 요등측(dorsoulnar)을 주행하며, 30%의 빈도로 표재요골신경과 교통(communicating)한다. 후방 전완피부신경은 전완의 원위 등측을 분포한다.

인대 해부 📷1c

수근관절의 관절낭인대는 내재인대와 외재인대로 나누어지며, 외재인대는 다시 위치에 따라서 전방과 후방으로 나누어진다. 전방 외재인대(palmar extrinsic ligament)는 두껍고 강성(stiffness)이 크지만, 후방 외재인대(dorsal extrinsic ligament)는 비박(菲薄)한 구조를 갖고 있다. 이들은 모두 수근관절의 장축에 대해서 비스듬히 주행하여, 수근관절을 입체적으로 지지함으로써 수근관절의 안정화에 기여하고 있다.

후방 수근인대는 측방향으로 V자형으로 주행하며 삼각골과 요골, 대능형골 · 소능형골을 각각 연결하는 2개의 인대(후방 요수근인대와 후방 수근간인대)가 수근골의 회전 변형을 방지하고 있다. 전방(수장측)의 요수근인대(radiocarpal ligament)와 척수근인대(ulnocarpal ligament)는 요수근관절 후방 삽입구에서 관찰할 수 있다(3-4 삽입구는 후방 요수근인대의 요측으로부터 진입하고, 중수근관절(MC) 삽입구는 2개의 후방 수근간인대 사이로 진입한다).

기본 술기

1 세팅

2 삽입구 제작
· 요수근관절(RCJ) 후방 삽입구
· 중수근관절(MC) 후방 삽입구

3 관절내 탐색
· 연골의 상태, 유리체 탐색
· 활막염 평가
· TFCC 인대 손상 유무
· 관절 적합성(인대 손상)
· 가관절의 안정성과 골수 출혈의 유무

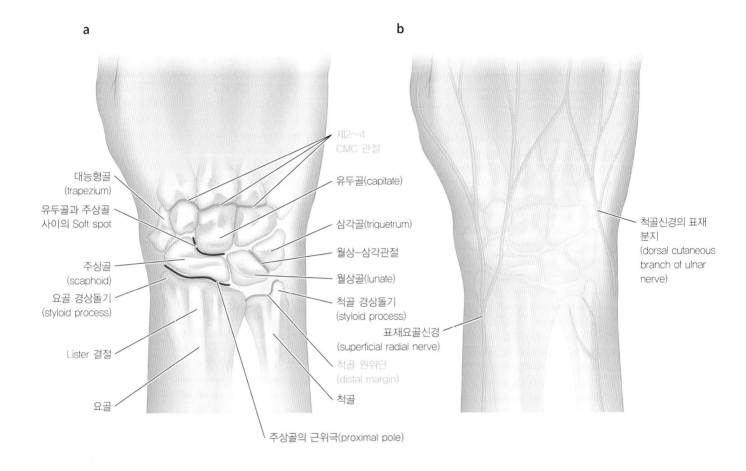

a

제2~4
CMC 관절

대능형골
(trapezium)

유두골과 주상골
사이의 Soft spot

주상골
(scaphoid)

요골 경상돌기
(styloid process)

Lister 결절

요골

주상골의 근위극(proximal pole)

유두골(capitate)

삼각골(triquetrum)

월상-삼각관절

월상골(lunate)

척골 경상돌기
(styloid process)

표재요골신경
(superficial radial nerve)

척골 원위단
(distal margin)

척골

b

척골신경의 표재
분지
(dorsal cutaneous
branch of ulnar
nerve)

c

대능형골

주상골

요주상유두인대
(Radioscaphocapitate:
RSC)

요골

후방 요수근인대
(dorsal radiocarpal ligament)

후방 수근간인대
(dorsal intercarpal ligament)

삼각골

척골수근인대

요척인대

척골

G1 수근관절의 주변해부

a: 랜드마크
b: 신경
c: 인대

● 수술 적응증

보존요법에 반응하지 않는 만성적 수근관절 통증이 있으면서, 관절내 병변이 의심되는 증례는 관절경수술에 적응이 된다. 관절내 병변의 유무는 각종 화상검사와 이학적 소견을 통해서 알아볼 수 있다. 관절경 검사를 통해서는 병변에 대한 확정 진단이 가능하며, 동시에 외과적 치료를 할 수 있다.

주상월상(scapholunate; SL) 인대 손상

수근관절 단순 X선 전후상에서 SL 간 거리가 넓어(>3 mm)지고, 측면상에서 요월상 각(radiolunate angle) 변형(>15°)과 주상월상 각 변형(>60°)을 보이는 후방 중간 분절 불안정성(dorsal intercalary segment instability; DISI)을 보이는 경우이다. 이학적 소견에서는 SL 상에서 압통이 관찰되며 Watson 테스트가 양성인 경우이다.

TFCC 손상

수근관절 단순 X선 전후상에서 원위요척관절(distal radioulnar joint; DRUJ)이 (>3 mm) 벌어지며, MRI에서 삼각 섬유연골 복합체(triangular fibrocartilage complex; TFCC) 손상을 보인다. 이학적 소견에서는 DRUJ의 불안정성이나 통증이 동반되는 탄발음, fovea sign (척골와 부위의 압통)이 나타난다.

척측충돌증후군

수근관절 단순 X선 전후상에서 척골 양성 변이(ulnar positive variance) 변형을 나타내며, 월상골 근위 척측이나 척골두에 골낭종이나 골경화를 보인다. MRI에서는 동일 부위에 골수 이상 음영을 나타낸다. 이학적 소견으로 ulnocarpal stress test (수근관절 ulnar deviation 상태에서 축압(axial load)을 가하고 회내-회외 동작을 시도함으로써 통증을 유발)가 양성으로 나온다.

감별해야 할 관절외 병변

De Quervain병이나 척수근신전건(extensor carpi ulnaris; ECU)건초염이 꼽힌다. 이학적 소견이나 초음파 검사로 감별할 수 있다.

● 자주 사용하는 기구

관절경은 1.9 mm~2.4 mm 직경의 30° 소관절용 관절경을 사용한다. 원위요척관절에 대해서는 1.9 mm 직경을 이용한다 2a .

관절경 쉐이버는 각 메이커로부터 다양하게 사용할 수 있지만, 가벼우면서 고회전(6,500회 이상)이 가능한 기종이 사용하기 쉽다. 활액막 절제나 연골 절제에는 Full Radius 쉐이버를 사용하고, 골절제는 surgical burr를 사용한다 2b, c, d .

고주파 기기(radiofrequency probe; RF 디바이스)는 활액막 절제나 TFCC 원판 절제에 유용하지만, 수술 도중 발생할 수 있는 관절내 화상(burn)에 주의하며 조작 중 관류액의 배액을 확인하면서 실시한다. 최근 관절불안정증에 대한 안정화 술기로써, 관절막의 thermal shrinkage를 시도하는 경우도 있다 2b, c, d .

관류 펌프는 수압이 과도할 경우 피하부종이 우려되기 때문에 저자는 이용하지 않는다. 생리식염수의 자연 적하로 수술을 시행한다.

기타 사용하는 기구로는 프로브, 펀치, 각종 grasper, arthroscopic banana blade 등이 있다 2e, f, g .

● 마취

수근관절 관절경수술은 전신마취부터 부위마취나, 국소마취를 이용한 상지에 국한된 마취까지 다양한 마취방법하에서 이뤄질 수 있다. 수술시간이나 환자 상태, 병원의 사정에 따라 선택되는 마취법이 다를 수 있다. 최근 초음파 유도하의 부위마취를 통해서 확실하고 장시간의 통증조절 효과를 얻을 수 있게 되어 수술 후의 동통 관리에 있어서도 유용성이 높다는 점을 감안할 때, 수근관절 관절경수술에서 마취방법으로 고려해볼 수 있을 것으로 보인다.

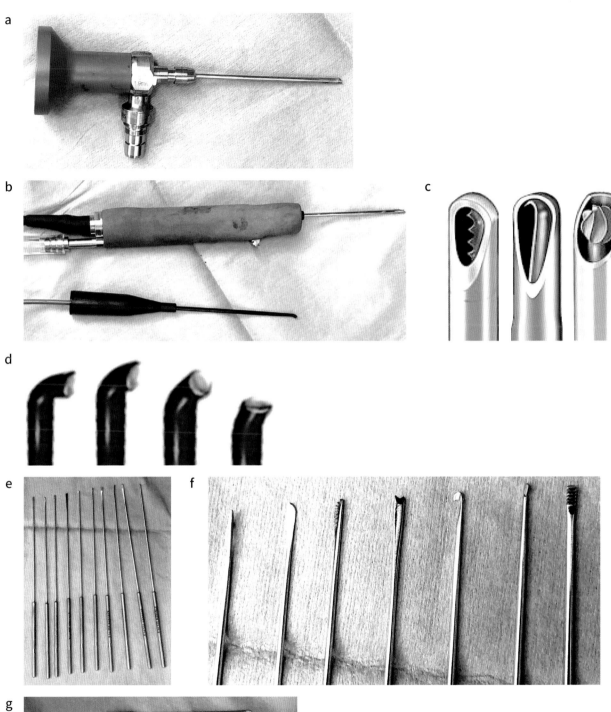

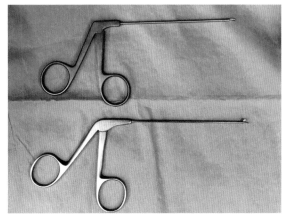

📷 2 자주 사용하는 기구

a: 1.9 mm~2.4 mm 직경, 30° 소관절경
b: 관절경 쉐이버, RF 디바이스
c: 다양한 쉐이버 tip 종류
d: 다양한 RF 디바이스 tip 종류
e: 기타 관절경 기구 1세트
f: e의 확대 사진
g: 각종 관절경 펀치

기본 술기

1 세팅

앙와위로 수술한다. 시지부터 환지까지 세 손가락에 핑거트랩을 장착하고, 견인장치에 상지를 고정한다 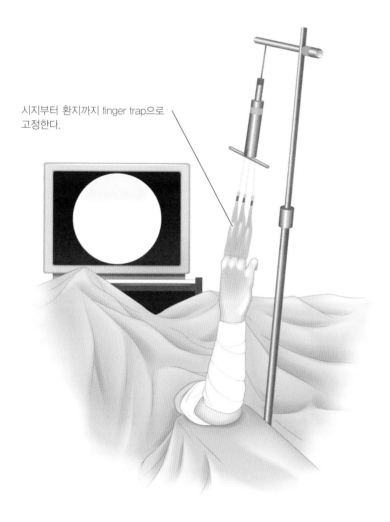. 약 10 파운드(5 kg)로 견인한다. 견인장치가 없을 경우에는 멸균시트를 씌운 IV stand pole에 매단 상태에서 실시한다. 상완부에 지혈대를 장착하지만 일반적인 관절경수술이라면 지혈대 사용은 불필요하다. 구획증후군을 예방하기 위하여 미리 전안에 붕대로 압박해 둔다.

시지부터 환지까지 finger trap으로 고정한다.

📷3 세팅

2 삽입구 제작

수근관절 관절경은 기본적으로 등측(dorsum)에서 접근한다. 충분히 랜드마크를 촉진해서 삽입구 위치를 결정하는데, 23G 주사바늘로 생리식염수를 주입하여 올바른 진입 위치를 확인해 둔다.

피부를 메스로 횡절개한 후, 피부는 더 이상 손상되지 않도록 벌린 상태로 고정하고, straight hemostat을 이용해 연부조직을 박리하면서 수직하게 관절막에 도달한다. Hemostat을 이용해 관절막을 둔하게(blunt) 뚫고, 관절의 내부를 펼쳐낸 후 삽입관(sheath)을 관절 내로 삽입한다.

요수근관절(RCJ) 후방 삽입구 📷4

요수근관절(radiocarpal joint; RCJ) 후방 삽입구는 종종 신전건구획(compartment)과의 위치관계로부터 명명된다. 가장 자주 사용되는 것은 아래의 2개 삽입구이다(3-4, 4-5).

3-4 삽입구

장무지신근건(EPL;3 구획)과 총수지신전근건(EDC;4 구획) 사이, Lister 결절의 1 cm 원위부의 soft spot에서 진입한다. 요골 원위단 관절면의 수장측 경사의 기울기(12°)에 맞추어 근위 방향으로 삽입한다. 표재요골신경 종말지나 장무지신근건이 손상될 다소의 가능성은 있지만, 비교적 안전한 삽입구이다. 본 삽입구에서 RCJ의 요측부 80% 정도 관찰 가능하지만, 삼각골의 척측은 보이지 않는다.

4-5 삽입구

총지신근건(EDC; 4구획)과 소지신근건(EDQ; 5구획) 사이로 진입한다. RCJ의 척측부 20%가 관찰이 가능하며, 3–4 삽입구와 함께 자주 이용되는 안전한 삽입구이다. 척골두의 원위 경계와 삼각골 근위 경계를 촉진하는 것이 정확한 삽입구 제작에 중요하다. 그리고 소지신근건이 원위요척관절의 바로 위를 주행한다.

6R 삽입구

척수근신근(ECU; 6구획)의 요측으로 진입한다. 척골신경 감각 분지가 삽입구 주변에 존재할 수 있지만, 비교적 안전한 삽입구이다. 배액용 삽입구로 이용되는 경우가 많다.

6U 삽입구

척수근신근건(ECU; 6획) 척측에서 진입한다. 월상삼각골간 인대, 수근골 척측 연골의 관찰이 용이하지만, 척골신경 감각분지가 근접해 있어 신경손상 위험이 있다. 약 5 mm의 피부 절개를 종으로 해서 진입하여 손바닥을 비스듬히 지나가는 표재신경에 유의하도록 한다.

1-2 삽입구

단무지신전근건(EPB; 1구획)과 장요수근신근건(ECRL; 2구획) 사이로 진입한다. 후방 관절막을 요측으로부터 관찰할 때나 요골 경상돌기 절제에 이용되며, 표재요골신경으로부터 약 3 mm 정도로 근접해 있어서, 표재요골신경, 외측 전완피부신경, 요골동맥 손상의 위험성이 있다.

본 삽입구는 약 5 mm 세로로 피부 절개하여 피하를 blunt하게 충분히 박리시킨 후 제작해야 한다.

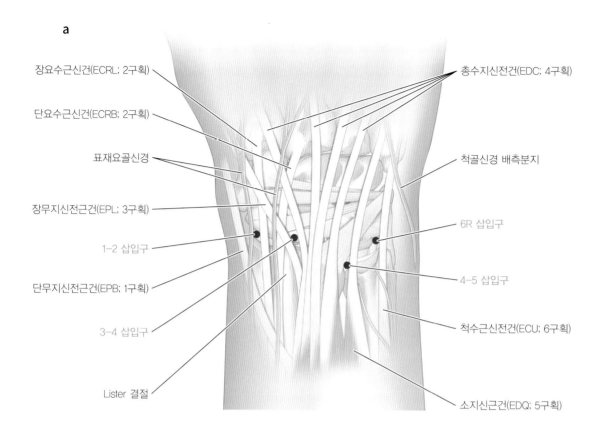

a

장요수근신건(ECRL; 2구획)

단요수근신건(ECRB; 2구획)

표재요골신경

장무지신전근건(EPL; 3구획)

1-2 삽입구

단무지신전근건(EPB; 1구획)

3-4 삽입구

Lister 결절

총수지신전건(EDC; 4구획)

척골신경 배측분지

6R 삽입구

4-5 삽입구

척수근신전건(ECU; 6구획)

소지신근건(EDQ; 5구획)

b

주상월상인대
(SL ligament)

주상골

월상삼각인대
(LT ligament)

월상골

요주상유두인대
(RSC ligament)

장요월상인대
(long RL ligament)

TFCC
(삼각섬유연골복합체)

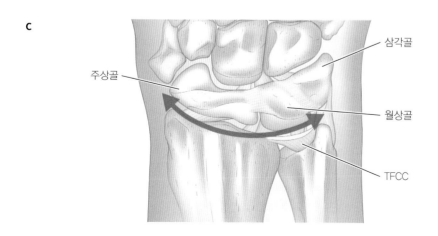

c

삼각골

주상골

월상골

TFCC

📷4 요수근관절(RCJ) 후방 삽입구

a: 삽입구의 제작 위치
b: 관절경 소견
c: 관절경 관찰 가능 범위(화살표)

중수근(MC)관절 후방 삽입구 📷5

MC-R (midcarpal radial, 요측) 삽입구

3–4 삽입구의 1 cm 원위부로, 제3중수골의 요측가장자리의 연장선상이 진입 포인트이다. 유두골을 잘 촉지하고, 주상유두골 관절에 관절경을 삽입한다.

MC-U (midcarpal ulnar, 척측) 삽입구

4–5 삽입구의 1 cm 원위부로, 제4중수골축의 연장선상에 있다. 관절경은 four corner부위, 즉 월상·삼각골·유두·유구골관절에 삽입된다.

STT (scaphotrapezialtrapezoid, 주상능형관절) 삽입구

MC–R (요측) 삽입구의 약 1 cm 요측 원위부에서 장무지신전근건의 척측에 제작한다. ST관절의 관절면에 위치하므로 ST관절의 관찰, 조작에 유용하다.

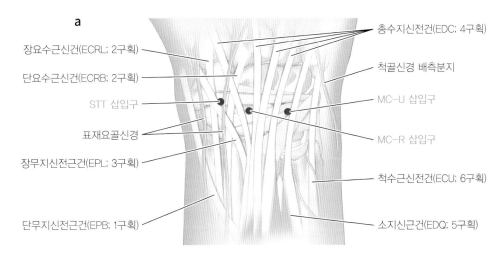

a

장요수근신건(ECRL: 2구획)
단요수근신건(ECRB: 2구획)
STT 삽입구
표재요골신경
장무지신전근건(EPL: 3구획)
단무지신전근건(EPB: 1구획)

총수지신전건(EDC: 4구획)
척골신경 배측분지
MC–U 삽입구
MC–R 삽입구
척수근신전건(ECU: 6구획)
소지신근건(EDQ: 5구획)

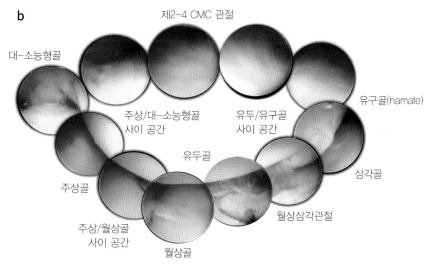

b

제2–4 CMC 관절
대–소능형골
주상/대–소능형골 사이 공간
유두/유구골 사이 공간
유구골(hamate)
유두골
삼각골
주상골
월상삼각관절
주상/월상골 사이 공간
월상골

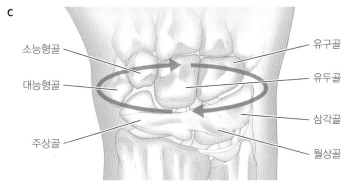

c

소능형골
대능형골
주상골

유구골
유두골
삼각골
월상골

📷5 중수근관절(MC) 후방 삽입구

a: 삽입구의 제작 위치
b: 관절경 소견
c: 관절경 관찰 가능 범위(화살표)

코멘트 NEXUS view ////

삽입구 제작

절개 후 피부가 움직이지 않도록 고정한 상태에서 관절 내에 도달하는 것이 중요하다.

랜드마크 촉지에 의해서 도달된 삽입 부위가 계획했던 삽입구에 정상적으로 도달하지 못한 경우를 대비해서, 피부 절개를 연장할 수 있도록 세로로 피부 절개를 한다.

Straight hemostat로 관절막에 수직하게 도달하여 관절막을 관통하면 앞서 주입한 생리식염수의 역류가 확인된다.

삽입 시 삽입관(arthroscopic cannula)의 날카로운 부분에 의해 관절연골이 손상될 가능성이 있으므로 무딘 투관침(blunt trocar)과 함께 삽입한다.

작업 삽입구(working portal)로부터의 쉐이버 삽입 시에 신전근건이나 신경손상을 피하기 위해서 삽입구는 가급적 넓게 제작한다.

코멘트 NEXUS view ////

관절경

섬세한 관절경 술기가 요구되는 수근관절 관절경에서는 술자의 손가락 끝부분으로 외통관의 끝부분을 피부에 함께 누르면서, 관절경 본체를 잡으면 안정적으로 수술을 시행할 수 있다 6.

관절경의 오리엔테이션을 정확하게 인식하기 위해 관절경 조작 버튼의 위치를 항상 일정한 방향(상방)으로 유지하는 것이 중요하다. 30°의 관절경을 사용할 경우 렌즈의 기울어진 방향을 통상 12시 방향으로 세팅하고 요측 방향을 관찰하려고 하는 경우에는 10시, 척측으로는 2시 방향으로 세팅한다. 관절경 본체를 관절 내에 최초로 삽입했을 때 렌즈 방향을 9시부터 3시까지 이동시켜 보면서 전체적인 시야를 파악하는 술기가 유용하다.

중수근 관절의 골간 인대(주상월상골간(SL), 월상삼각골간(LT))의 dorsal 부분을 관찰할 때는 렌즈 방향을 4시에서 8시 사이에 관찰한다 5b.

쉐이버

쉐이버 삽입 시에 연부조직이 말려드는 것을 피하기 위해서 suction을 끈 상태로 삽입한다.

코멘트 NEXUS view ////

삽입구 제작이 곤란할 때!

관절 내에 반흔 조직이나 활액막이 가득 차 있는 경우에는 삽입구 제작이 어려운 경우가 있다. 그런 경우에는 기존 방식의 삽입구를 고집하기보다는 인접한 다른 삽입구를 먼저 제작한다.

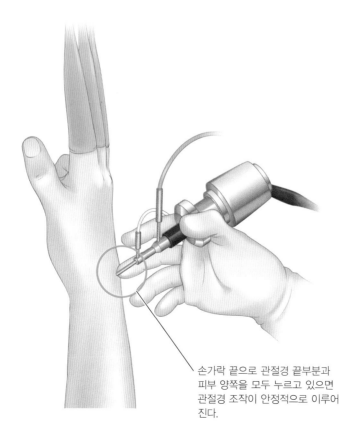

손가락 끝으로 관절경 끝부분과 피부 양쪽을 모두 누르고 있으면 관절경 조작이 안정적으로 이루어진다.

6 관절경 조작법

3 관절내 탐색

연골의 상태, 유리체 탐색

연골을 프로빙하면서 연골 연화(softening)나 fibrillation, eburnation (퇴행성 변화의 일종)의 정도를 파악한다. 연골결손이나 유리체의 유무를 검색한다 📷7.

활막염 평가

후방 및 요측관절막, 척측 prestyloid recess에 활막염이 주로 증식한다 📷8. Prestyloid recess 활막증식은 삼각섬유연골복합체(triangular fibrocartilage complex; TFCC) 손상을 시사한다.

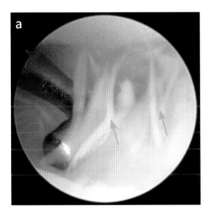
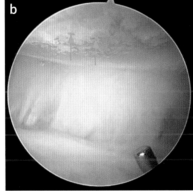
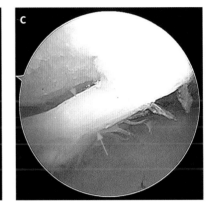
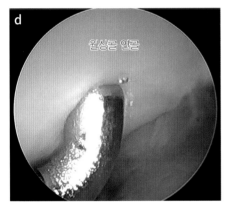
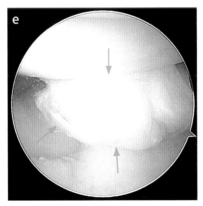

📷7 프로빙에 의한 연골결손 및 유리체 평가

a: 월상골와(lunate fossa)골면에 fibrillation이 보인다(파란 화살표).
b: 월상골 근위와 월상골와 연골면에 eburnation이 보인다(파란 화살표).
c: 월상골 연골결손 관찰됨(파란 화살표)
d: 월상골 연골연화 관찰됨
e: 연골 유리체가 보인다(파란 화살표).
a~d는 요수근관절경 소견
e는 중수근관절경 소견

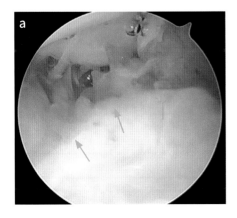
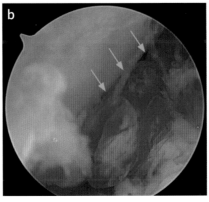

📷8 프로빙으로 인한 활막염 평가 (요수근관절경 소견)

a: 요골 경상돌기에 활막염을 보임(파란 화살표)
b: 주상골 요측에 활막염을 보임(파란 화살표)

TFCC 인대 손상 유무

요수근 삽입구로부터 TFCC 반월판은 관찰 가능하지만, TFCC 인대는 근위(DRUJ 내)에 위치하기 때문에 직접 관찰이 불가능하다. TFCC 인대 손상의 유무는 hook test (TFCC 원판의 척측부를 요측으로 당길 때 저항의 유무) 및 loss of trampoline sign (TFCC 원판의 중추 방향에서 눌렀을 때 팽팽한 느낌이 있으면 정상, 소실되면 손상)으로 판정한다 9 .

관절 적합성(인대 손상)

주상월상(scapholunate; SL) 인대 손상이나 월상삼각(lunotriquetral; LT)인대 손상은 근위 수근열의 적합성 여부를 판정한다. 프로빙에 의한 수근골간의 해리 및 단계를 평가하고 10 , 주상월상 관절 부적합 정도는 Geissler 분류로 평가한다.

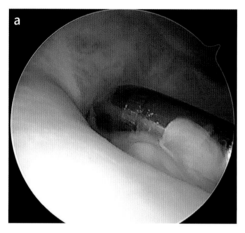 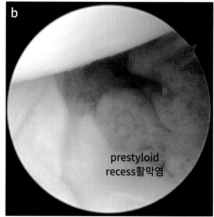

prestyloid
recess활막염

9 프로빙에 의한 TFCC 손상 평가(요수근관절 관절경 소견)

a: TFCC의 탐색
b: TFCC 척측에 prestyloid recess 활막염을 보인다.

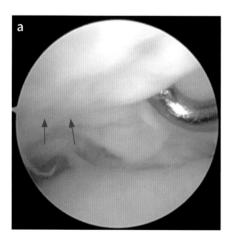 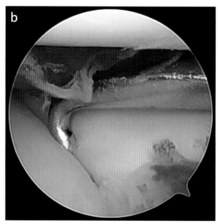

10 프로빙을 통한 관절 적합성(인대 손상)의 평가

a: 주상-월상골 사이 공간, 프로브로 확인(요수근관절 관절경 소견)
월상골: 빨강 화살표
주상골: 파랑 화살표
b: 수장측관절 활막염을 보인다(중수근관절 관절경 소견).

가관절(pseudoarthrosis)의 안정성과 골수 출혈의 유무

주상골 골절이나 Kienböck병의 병적 골절의 가관절 부위의 상태을 평가하기 위해 프로브를 사용한다. 가관절 부위의 불안정성이나 전위 정도, 골수에서의 출혈 유무를 판정할 수 있다 (◎ 11).

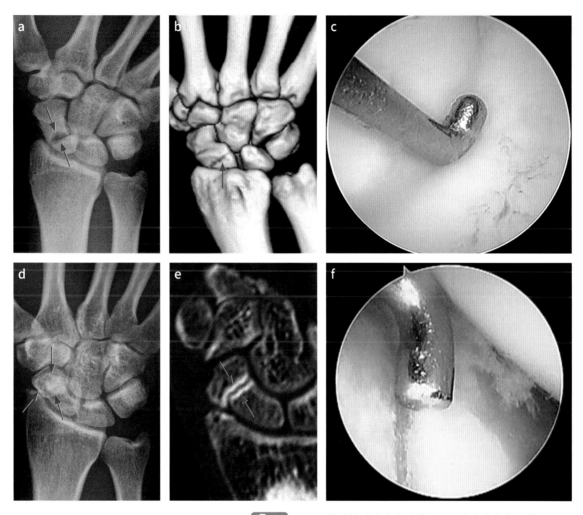

(◎ 11) **프로브에 의한 가관절의 평가(중수근관절 관절경 소견)**

a: 주상골 proximal pole 가관절(빨간 화살표). 낭종 형성을 보인다.
b: CT에서 전위는 거의 보이지 않음. SL인대보다 중앙쪽에 골절선을 보인다(빨간 화살표).
c: 연골성 유합을 보인다.
d: 주상골 요부(waist) 가관절, 요골-주상골간 관절간격의 협소화를 보인다(빨간 화살표).
e: CT에서도 경화성 가관절을 보인다(빨간 화살표).
f: 섬유성 유합을 보인다.

참고문헌

1) Iida A, Omokawa S, Kawamura K, et al. Arthroscopic Distal Scaphoid Resection for Isolated Scaphotrapeziotrapezoid Osteoarthritis. J Hand Surg Am. 2018 pii:S0363-5023(16)31256-4.

2) Shimizu T, Omokawa S, del Piñal F, et al. Arthroscopic Partial Capitate Resection for Type Ia Avascular Necrosis:A Short-Term Outcome Analysis. J Hand Surg Am. 2015 40(12):2393-400.

3) Omokawa S, Fujitani R, Inada Y. Dorsal radiocarpal ligament capsulodesis for chronic dynamic lunotriquetral instability. J Hand Surg Am. 2009 34(2):237-43.

I. 상지

관절경 TFCC transosseous 봉합술

국제의료복지대학 의학부 정형외과학 / 산노 병원 정형외과 **나카무라 토시야스(Toshiyasu Nakamura)**

Introduction

현재 수근관절 관절경수술에서는 수근관절을 구성하는 요수근관절(radiocarpal joint; RCJ), 중수근관절(midcarpal joint; MCJ), 원위요척관절(distal radioulnar joint; DRUJ) 모두에서 관절경 삽입이 가능하며 [1], 수술 적응질환으로서는 삼각섬유연골복합체(triangular fibrocartilage complex; TFCC) 손상, 척골충돌증후군, 요골 원위 관절내 골절, 주상–월상인대 손상, 월상–삼각인대 손상 등이 거론되고 있다.[1] 그 중에서 관절경수술을 가장 효과적으로 사용할 수 있으며, 빈도가 높은 질환은 TFCC 손상이다.[1]

수술 전 고려 사항

● TFCC 손상

TFCC 손상은 Palmer 분류상, 외상과 퇴행성으로 분류 가능하며, 주로 호소하는 증상은 수근관절 척측 통증, 전완의 회내–회외 가동범위 제한, 원위요척관절 불안정성 등이다. 척측 통증 중에서도 특히 수건을 짜거나, 문고리를 돌리는 등의 수근관절을 비트는 동작에서의 통증이 많다. 원위요척관절 불안정성은 자각적으로 원위요척관절의 탄발음(click)으로서 감지하는 경우가 많으며, 중증도(moderate)로 파열된 경우에는 뚫리는 느낌(slack)을 호소한다.[3]

TFCC 손상의 이학적 검사 시에는 회내–회외 중립위에서 DRUJ의 전후 방향 불안정성을 확인하는 ballottement 테스트가 특이도가 높다. 화상을 통한 진단방법으로는 관절조영술과 MRI가 효과적이다. 최종 진단은 관절경으로 확인한다.

● 수술 적응증

관절경으로 TFCC 손상 부위를 진단 후, 손상부위가 삼각섬유연골 내부로 제한되는 slit 형태나 flap 형태의 손상에서는 관절경하에 TFCC 부분 절제술을, 원위측 변연 손상(Palmer 1B[2])에는 손상 부위를 관절막에 봉합하는 capsular 봉합법을, 척골와에서 TFCC가 파열된 경우에는 척골에 터널(bone tunnel)을 이용해 척골에 TFCC를 부착시키는 transosseous 봉합법을 사용한다.[3]

양성 척골 변이(척골이 요골보다 원위에 존재하는 상태)의 척골충돌증후군일 경우에는 척골 단축술을, 봉합이 불가능한 경우에는 근건을 이용한 재건법을 적용한다.

● 자주 사용하는 기구

자주 사용하는 기구는 1.9 mm 30° 관절경, arthroscopic cannula 2개, 쉐이버, 관절경 시스템(CCD 카메라, 카메라 전원 연결장치, 모니터, 영상기억장치), 흡인관, 관절경 grasper (겸자 등) 등이 있다 [2].

DRUJ에 관절경을 삽입하려면 1.9 mm 직경 관절경이 필수적이기 때문에 RCJ나 MCJ에도 1.9 mm 직경을 이용하는 것이 수술하기가 쉽다. RCJ와 MCJ에 2.7 mm 관절경도 삽입할 수 있지만, 관절강이 좁다는 것을 고려하면 직경이 적은 관절경 쪽이 다루기 쉽다. 다만, 직경이 작은 관절경은 깨지기 쉽다는 것을 감안해야 한다.

수술 진행

1	요수근관절 관절경 삽입
2	원위요척관절 관절경 삽입
3	중수근관절 관절경 삽입
4	척골와 부위의 전처치(bone bed preparation)
5	Wrist drill guide 설치 및 터널 제작 · Wrist drill guide 설치 · 터널 제작
6	TFCC 봉합
7	수술 후 재활치료

미니정보

Ballottement 테스트

왼손으로 요골과 수근골을 동시에 쥔다.

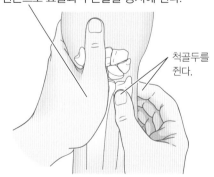

척골두를 쥔다.

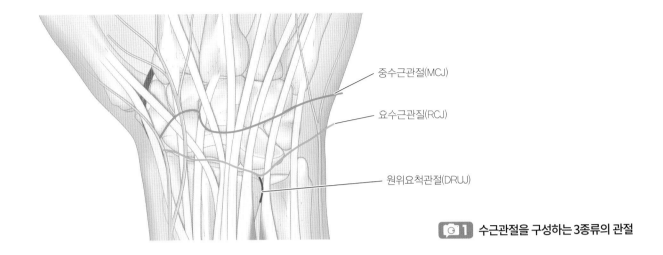

중수근관절(MCJ)

요수근관질(RCJ)

원위요척관절(DRUJ)

📷1 수근관절을 구성하는 3종류의 관절

① 1.9 mm 30° 관절경

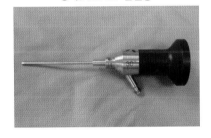

② Arthroscopic cannula

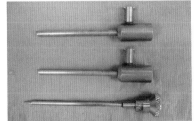

③ 쉐이버

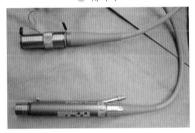

④ 관절경 시스템

⑤ 관절경 카메라

⑥ 관절경 grasper

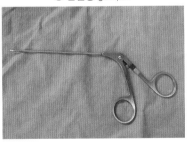

⑦ TFCC 봉합용 21G 주사바늘
(Loop 봉합사 사용)

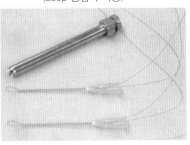

⑧ Wrist drill guide
(Arthrex사)

📷2 자주 사용하는 기구

쉐이버의 손잡이 부분(handpiece)은 가벼워야 다루기가 쉽다. 대부분의 증례에서 Full radius 타입을 사용하였다.

관절경 TFCC transosseous 봉합술에서는 wrist drill guide (Arthrex사, Naples, FL, USA), 1.5~1.6 mm 직경 K-wire, 드릴, 21G 주사바늘, 4-0 Nylon, 3-0 Vicryl를 준비한다. Wrist drill guide가 준비되지 않은 경우에는 Blind로 터널을 제작해야 하기 때문에 수술이 상당히 어려워진다.

● **마취와 수술 체위**

수술은 전신마취하 또는 사각근간 차단술하에서 실시한다.

환자는 반듯이 누운 상태로, 지혈대를 상완에 설치하고, 같은 부위에 견인용 2 kg 주머니를 걸어 둔다. 환측의 손가락을 소독 후에, 멸균한 트랙션 타워나 IV pole stand에 멸균된 Mayo 스탠드 커버를 씌우고 멸균한 finger trap을 검지와 중지에 설치하고 ③ 3, 수직으로 견인하여 수술을 실시한다.

코멘트 **NEXUS view** ////

저자는 수술 중 cannula를 2개 이용하고 있으며, 이를 통해 viewing portal (통상 3-4 삽입구)과 working portal (통상 6R 삽입구)을 상시 확보할 수 있다. 거기다가 관절경과 수술기구의 삽입구를 서로 교체하는 것이 쉬워져서, 관절액의 배액 위치가 원활히 확보됨으로써 피하부종을 방지하여, 관절경 관찰이 용이해지는 장점이 있다.

Cannula 1개만을 이용해서 서로 교체하다 보면 관류액에 의해 피하 조직이 상당히 붓게 된다. Cannula의 내경과 프로브의 두께가 일치해야 관류 시의 배액을 조절할 수 있기 때문에 가급적 이런 기구들은 같은 회사의 제품을 선택하는 것이 좋다.

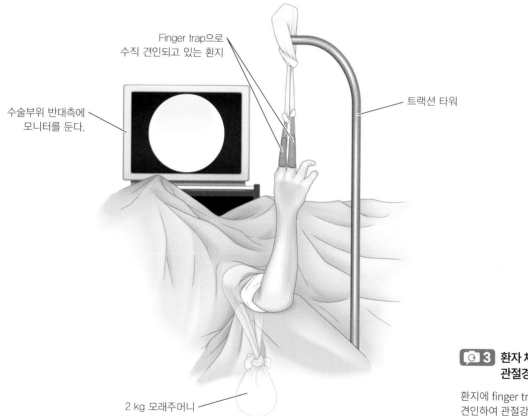

Finger trap으로 수직 견인되고 있는 환지

트랙션 타워

수술부위 반대측에 모니터를 둔다.

2 kg 모래주머니

③ 3 환자 체위와 관절경 모니터의 설치 위치

환지에 finger trap을 걸어서 수직으로 견인하여 관절강을 충분히 넓힌다.

Fast **C**heck

① 관절경으로 확인하면서, 특히 DRUJ에서 TFCC의 척골와(ulnar fovea) 부위의 건열 손상(avulsion injury) 여부를 확인한다.

② 진구성(obsolete)이거나, 양성 척골 변이가 동반된 경우에서는 수술 성적이 나쁘기 때문에 적응되지 않는다.

③ DRUJ 관절경을 통해서 척골와 부위의 bone bed preparation을 시행할 수 있으며, 반흔 형성이 적고 TFCC 근위 면에 인대 성분이 확인되면 봉합 가능하다.

수술 술기

1 요수근관절 관절경 삽입

3-4 삽입구에 관절경을 삽입, 수술기구는 6R 삽입구에 삽입한다 **📷 4a**. 요척인대가 척골와에서 완전히 분리되어 있으면 요수근관절경에서 TFCC 전체적인 긴장 저하가 발견된다. 척측 파열에서는 수평 파열로 이행되는 경우가 있어 프로브를 잘 활용해야 확인할 수 있다 **📷 4b**.

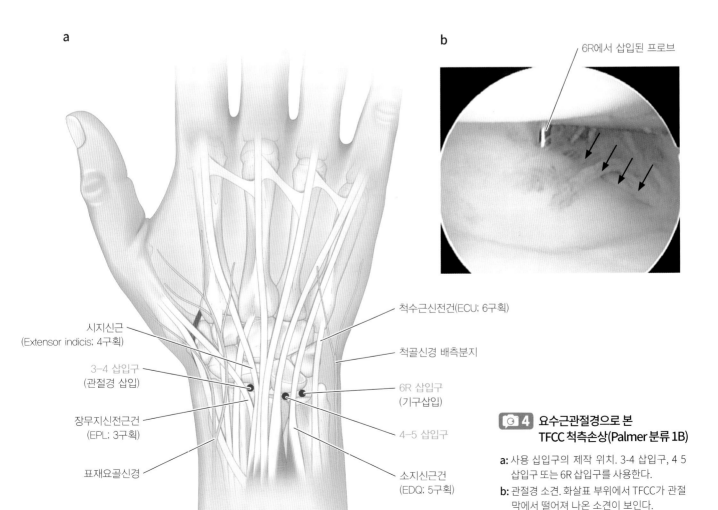

a

b

6R에서 삽입된 프로브

시지신근
(Extensor indicis: 4구획)

3-4 삽입구
(관절경 삽입)

장무지신전근건
(EPL: 3구획)

표재요골신경

척수근신전건(ECU: 6구획)

척골신경 배측분지

6R 삽입구
(기구삽입)

4-5 삽입구

소지신근건
(EDQ: 5구획)

📷 4 요수근관절경으로 본
TFCC 척측손상(Palmer 분류 1B)

a: 사용 삽입구의 제작 위치. 3-4 삽입구, 4 5 삽입구 또는 6R 삽입구를 사용한다.

b: 관절경 소견. 화살표 부위에서 TFCC가 관절막에서 떨어져 나온 소견이 보인다.

2 원위요척관절(DRUJ) 관절경 삽입

DRUJ 관절경은 척골두 가장 원위부위와 요골과 척골의 절흔(notch)이 직교하는 부위(DRUJ-d 삽입구)로부터 관절 내에 생리식염수를 1 mL 삽입구에 주입해, 삽입구를 만든다 📷5a. 요척인대의 척골와 기시부나 TFCC 근위면의 손상을 파악한다 📷5b.

요척인대 파열의 종류에는 완전 파열과 부분 파열이 있으며, 관절경 관찰 시 23G 주사바늘 등을 DRUJ-u 삽입구로 진입하여 조직의 긴장 정도를 확인한다. 요척인대 파열부에 인대 섬유가 확인되고 반흔이 적은 경우 관절경 transosseous 봉합술이 적응된다 📷5c.[1]

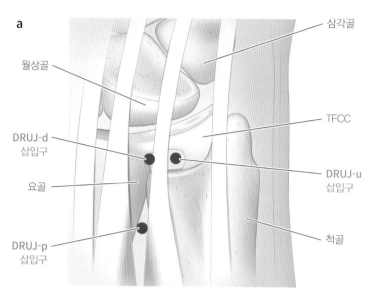

a

삼각골
월상골
DRUJ-d
삽입구
요골
DRUJ-p
삽입구
TFCC
DRUJ-u
삽입구
척골

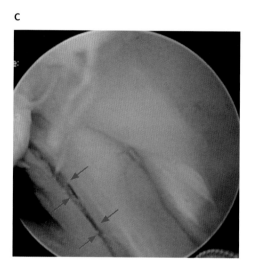

c

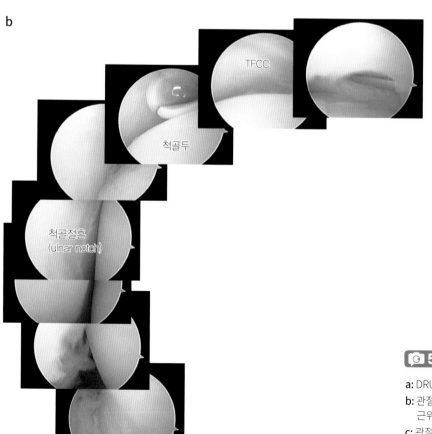

b

TFCC
척골두
척골절흔
(ulnar notch)

📷5 원위요척관절경에서 관절경 소견

a: DRUJ 삽입구의 제작 위치
b: 관절경 소견. 요척인대의 척골와 기시부나 TFCC 근위면의 손상을 파악한다.
c: 관절경 소견. 요척인대 파열부에 인대 섬유 확인됨(빨간 화살표)
(b, c는 문헌1에서 참고함)

3 중수근관절 관절경 삽입

월상삼각(lunotriquetral; LT) 인대손상을 요수근관절경으로 확인해야 하는 경우에는 중수근관절에 관절경을 삽입한다. 일반적으로 MC–R 삽입구에 관절경을, MC–U 삽입구에서 프로브 등 수술기구를 삽입한다 📷6. LT 인대 손상은 Geissler 분류의 Grade 1–3에서는 보존적 치료를 하고, Grade 4에서는 thermal shrinkage와 월상골 삼각골 사이 pinning을 통해서 고정한다.

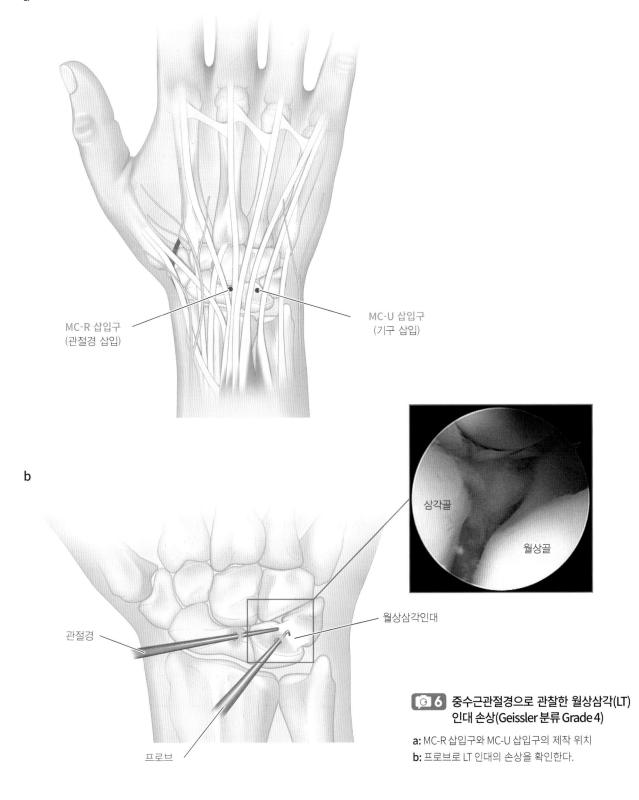

a

MC-R 삽입구
(관절경 삽입)

MC-U 삽입구
(기구 삽입)

b

관절경

프로브

삼각골

월상골

월상삼각인대

📷6 중수근관절경으로 관찰한 월상삼각(LT) 인대 손상(Geissler 분류 Grade 4)

a: MC-R 삽입구와 MC-U 삽입구의 제작 위치
b: 프로브로 LT 인대의 손상을 확인한다.

4 척골와 부위의 전처치(bone bed preparation)

관절경 봉합 전에 먼저 척골와 부위를 쉐이버로 전처치한다. DRUJ-d 삽입구에 관절경을, DRUJ-u 삽입구에 쉐이버를 삽입하고, 관절경으로 확인하면서 전처치를 실시한다 ⓒ 7a .

쉐이버

DRUJ로부터의 관절경 관찰이 어려울 경우에는 disc를 부분 절제하거나 prestyloid recess 부위에서 쉐이버를 세로 방향으로 삽입하여 블라인드(blind)로 척골와를 충분히 전처치하는 것이 중요하다 ⓒ 7b . DRUJ-u 삽입구나 direct fovea 삽입구로부터 쉐이버를 삽입해도 된다.

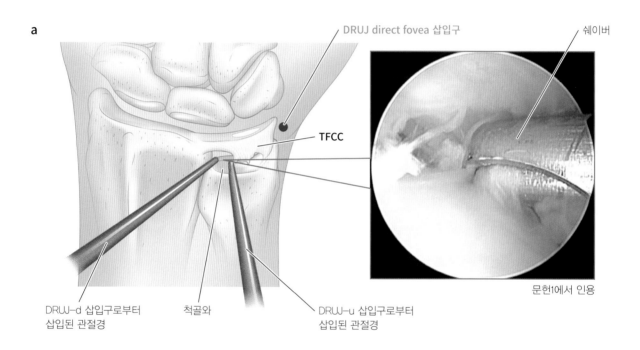

a

DRUJ direct fovea 삽입구

쉐이버

TFCC

문헌1에서 인용

DRUJ-d 삽입구로부터
삽입된 관절경

척골와

DRUJ-u 삽입구로부터
삽입된 관절경

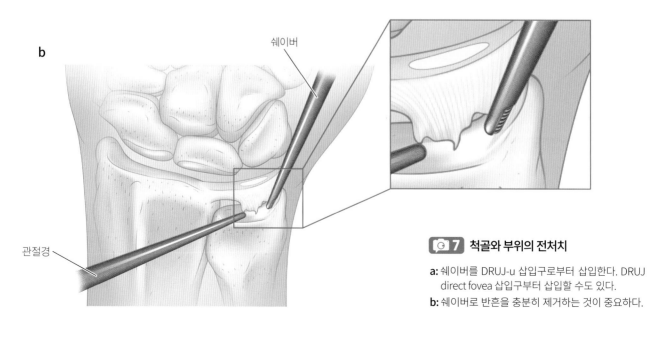

b

쉐이버

관절경

ⓒ 7 척골와 부위의 전처치

a: 쉐이버를 DRUJ-u 삽입구로부터 삽입한다. DRUJ direct fovea 삽입구부터 삽입할 수도 있다.
b: 쉐이버로 반흔을 충분히 제거하는 것이 중요하다.

5 Wrist drill guide 설치 및 터널 제작

Wrist drill guide 설치

척골 근위에 피부 절개를 하고 척골두 직하의 외측 피질골까지 박리한다. Wrist drill guide (Arthrex사, Naples, FL, USA) 중에서도 parallel guide를 이용한다. 가이드 tip을 6R 삽입구에서 삽입하여 disc의 척측 1/2에 설치한다 ⓖ 8.

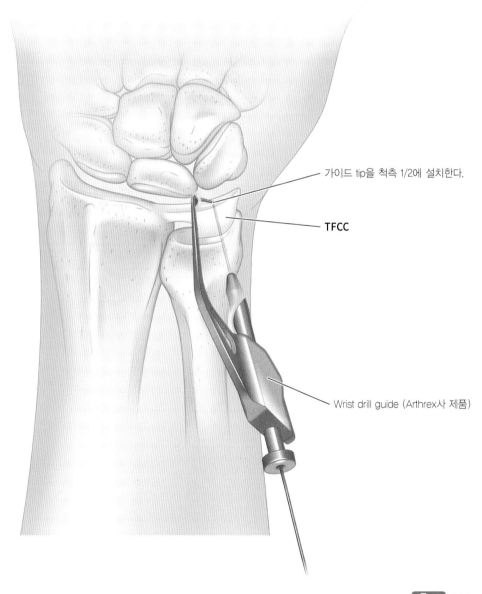

가이드 tip을 척측 1/2에 설치한다.

TFCC

Wrist drill guide (Arthrex사 제품)

ⓖ 8 Wrist drill guide 설치

터널 제작

척골 외측 피질에서 관절 내부로 첫 번째 K-wire를 삽입하면 TFCC에서 K-wire는 disc의 척측을 관통하게 된다 📷9a. 이때, parallel guide의 나머지 홀을 통해서 추가로 K-wire를 삽입하여 척골 외측-척골와-disc를 일직선으로 연결하는 터널을 평행하게 2개 제작한다.

척골 외측에서부터 이 터널에 4-0 Nylon 루프를 장착한 21G 주사바늘을 통과시켜 TFCC를 관통시킨다 📷9b.

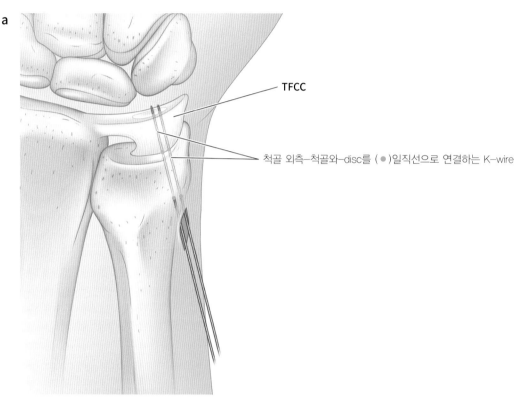

TFCC

척골 외측-척골와-disc를 (●)일직선으로 연결하는 K-wire

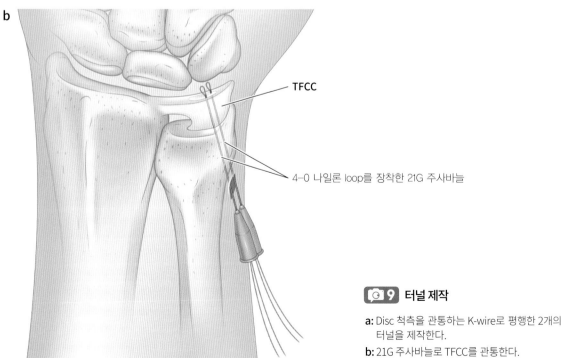

TFCC

4-0 나일론 loop를 장착한 21G 주사바늘

📷9 **터널 제작**

a: Disc 척측을 관통하는 K-wire로 평행한 2개의 터널을 제작한다.
b: 21G 주사바늘로 TFCC를 관통한다.

6 TFCC 봉합

루프를 6R 삽입구로 꺼내고, 3-0 polyester 또는 3-0 흡수사를(ethibond 또는 vicryl) 설치하고 루프를 척골 외측으로 빼내면서 disc 척측과 척골와에 pull-out해서 10a, disc-TFCC를 척골와에 압착시켜 봉합한다 10b. TFCC 척측의 원위 변연 파열을 수반하는 경우에는 Outside-In법으로 관절막에 TFCC를 봉합한다.

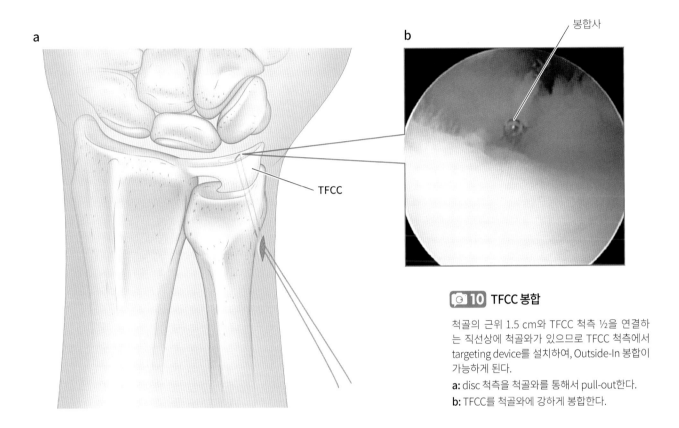

a

b

봉합사

TFCC

📷 10 TFCC 봉합

척골의 근위 1.5 cm와 TFCC 척측 ½을 연결하는 직선상에 척골와가 있으므로 TFCC 척측에서 targeting device를 설치하여, Outside-In 봉합이 가능하게 된다.
a: disc 척측을 척골와를 통해서 pull-out한다.
b: TFCC를 척골와에 강하게 봉합한다.

7 수술 후 재활치료

관절경 TFCC 봉합술의 경우에는 sugar tong splint를 수술 후 2주간, 그 후 전완 고정을 3주간 실시한다.

Brace 제거 후에는 능동적 회내-회외 운동을 2주간 실시하고, 그 후부터는 건측에 의한 수동 관절 가동범위 훈련을 2~3주 실시한다. 가능하면 물리치료사 지도하에서의 재활이 바람직하다.

물건을 들거나 운동은 수술 후 8~10주 경과 후부터, 스포츠 복귀는 4~6개월부터 가능하다.

참고문헌

1) 中村俊康.ゼロからマスター 手・肘の鏡視下手術. 第1版, 東京:メジカルビュー社:2010.
2) Palmer AK.Triangular fibrocartilage complex lesions:a classification. J Hand Surg. 1989:14A:594-606.
3) Nakamura T, et al. Functional anatomy of the triangular fibrocartilage complex. J Hand Surg. 1996:21B:581-6.
4) Nakamura T, et al. Repair of the foveal detachment of the TFCC:Open and arthroscopic transosseous techniques. Hand Clinics. 2011:27:281-90.
5) 中村俊康.TFCC損傷に対する鏡視下手術. 整形外科最小侵襲手術手技ジャーナル. 2011:58:2-11.

Ⅰ. 상지

주관절 관절경의 기본 술기

JCHO 오사카 병원 응급부/스포츠의학과 **시마다 코조(Kozo Shimada)**

Introduction

수술 전 고려 사항

- **관절경수술에 필요한 주변 해부학**

  주관절의 구획을 '전방', '후방', '후외측'의 3부위로 나누고, 각각 부위별로 관절경과 기구 삽입을 위한 두 개의 삽입구를 제작하여 수술을 시행한다(◎1). '후방'과 '후외측'에 대해서는 후외측 삽입구를 함께 사용할 수 있다(◎1).

  '전방'에서는 표층의 혈관과 피부신경(요측 두 정맥, 척측 기저정맥, 외측전완피부신경, 내측전완피부신경, ◎2a) 및 심층의 혈관과 신경(상완동맥, 정중신경, 요골신경, ◎2b), '후방'에서는 척골신경, '후외측'에서는 외측 척골측부인대 ◎2c 의 해부학에 대한 이해가 중요하다.

- **수술 적응증**

  주관절 관절경수술의 대표적인 적응증은

  ① 관절내 병변과 인대 파열(불안정성)에 대한 진단

  ② 활막염이나 관절내 유리체의 절제

  ③ 관절증에서 골극의 절제 및 관절성형술

  ④ 박리성 골연골염 등 골연골병변에 대한 debridement 및 drilling

  ⑤ 외상과염에 대한 활막추벽이나 단요수근신근건의 변연 절제술 등이다.

  관절내 골절이나 골연골 병변에 대한 관절경 접합술, 골이식술 등도 수술 술기의 발전과 함께 적응되고 있다.

기본 술기

1 세팅
2 삽입구 제작
  · 전방 관절 구획
  · 후방 관절 구획
  · 후외측 관절 구획
3 어프로치와 프로빙
  · 전방 관절경 소견
  · 후방 관절경 소견
  · 후외측 관절경 소견

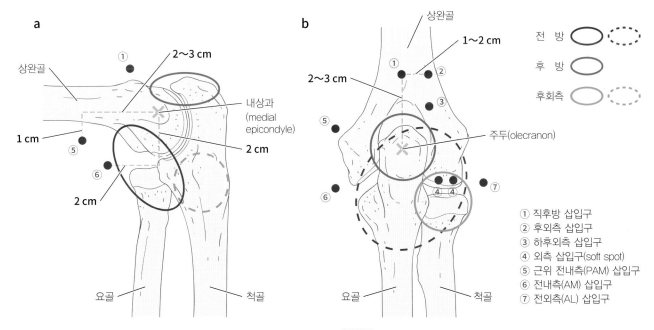

그림 1 주관절의 전·후방, 후외측 공간과 삽입구 위치(우측 주관절)

a: 내측면
b: 후면

① 직후방 삽입구
② 후외측 삽입구
③ 하후외측 삽입구
④ 외측 삽입구(soft spot)
⑤ 근위 전내측(PAM) 삽입구
⑥ 전내측(AM) 삽입구
⑦ 전외측(AL) 삽입구

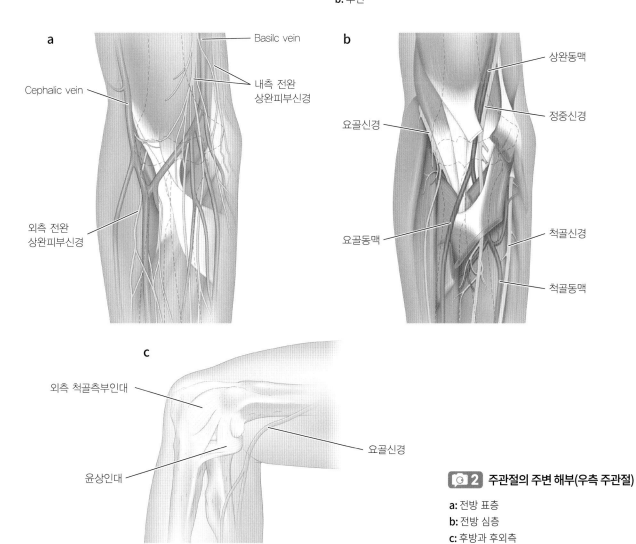

그림 2 주관절의 주변 해부(우측 주관절)

a: 전방 표층
b: 전방 심층
c: 후방과 후외측

• 관절경의 종류와 특징

무릎이나 어깨와 마찬가지로 4 mm 직경(cannula 직경 5 mm)의 rigid scope을 사용하며, 30°
관절경이 사용하기 쉬워서 주로 사용된다. 관절 내부를 샅샅이 관찰하려면 70° 관절경이 필요한
경우도 있지만, 70° 관절경은 화면에 익숙해지는 데 시간이 걸린다. 저자들은 그 중간적 특징을
갖고 있는 45° 관절경을 즐겨 사용한다 📷3. 때에 따라서 2.7 mm 직경의 소관절경(small joint
scope)도 유용하게 사용하고 있다.

a

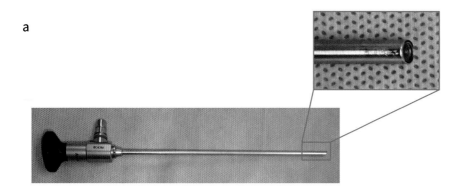

b

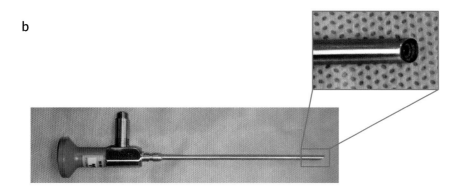

c

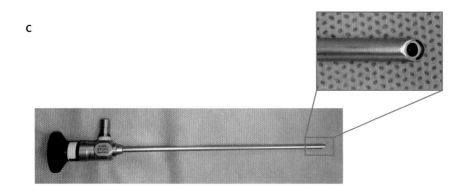

📷3 자주 사용하는 관절경
(4 mm 직경)의 종류

a: 30° 관절경
b: 45° 관절경
c: 70° 관절경

① 주관절을 전방, 후방, 후외측 등의 3개 구획으로 나누어서 관절경 관찰 및 관절내 처치를 한다.
② 삽입구 사이에 존재하는 해부학적으로 중요한 조직(신경, 혈관)들을 인지하면서 수술을 진행하는 것이 중요하다.
③ 수술 전 진단을 통해서 수술의 목표(유리체 유무나 절제해야 할 골극의 위치와 절제량, 병변부로의 삽입 방향 등)
를 확실히 정하고, 설정된 목표에 적절한 삽입구를 설정한다.

기본 술기

1 세팅

기본적으로 전신마취하에서, 복와위로 상완을 arm-holder로 받친 상태에서 전완을 아래로 늘어 뜨린 상태로 수술을 실시한다 .

전완을 하수함으로써 신경이나 혈관이 전방으로 이동하기 때문에 비교적 안전한 관절경의 삽입이 가능해진다. 수술대에 arm-holder를 설치하고, 미리 장착한 지혈대의 위치에 맞추어서 상완을 받치 면 팔꿈치 전방에 주먹이 드나들 수 있는 정도의 공간을 확보할 수 있다. 측와위에서도 마찬가지 방 법으로 실시할 수 있지만, 기도삽관 튜브나 반대측의 상지가 방해가 되지 않도록 준비를 해야 한다. 앙와위로 행하는 경우에는 overhead suspension device가 필요하다.

상완부에 지혈대를 장착해서, 필요에 따라 지혈을 하고 관류 펌프도 적절히 이용한다. 단, 관류압 설 정은 너무 높으면 관절 주위의 종창이 심해지므로 주의한다(저자들은 30 mmHg 정도로 설정하고 있다).

> **코멘트** **NEXUS view**
>
> Arm-holder와 지혈대 의 위치를 가급적 근위로 조절하여 수술대와 주관절 의 전방 사이에서도 관절경 기구 조작이 가능하도록 공 간을 충분히 두는 것이 관 절경수술을 용이하게 한다.

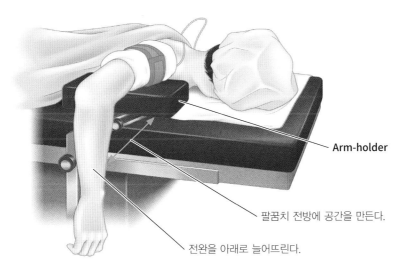

Arm-holder

팔꿈치 전방에 공간을 만든다.

전완을 아래로 늘어뜨린다.

◉4 수술 체위

2 삽입구 제작

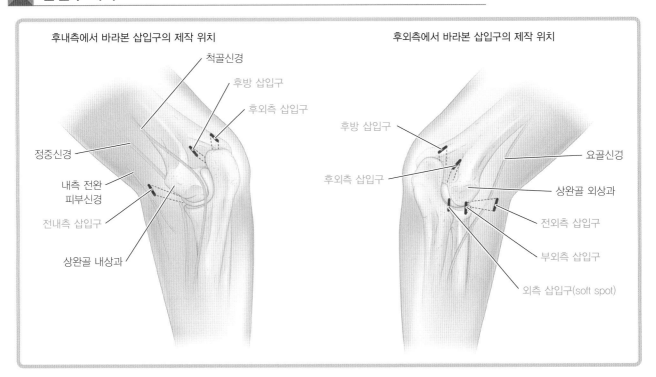

후내측에서 바라본 삽입구의 제작 위치

척골신경
후방 삽입구
후외측 삽입구
정중신경
내측 전완 피부신경
전내측 삽입구
상완골 내상과

후외측에서 바라본 삽입구의 제작 위치

후방 삽입구
후외측 삽입구
요골신경
상완골 외상과
전외측 삽입구
부외측 삽입구
외측 삽입구(soft spot)

전방 관절 구획

주관절 관절경에서 가장 중요한 술기이다. 상완-요골 관절의 후방(soft spot)으로부터 관절 내로 20 mL 정도 관류액을 주입한다. 상완골 내상과를 마킹하고, 내상과로부터 2 cm 전방, 2 cm 원위에, 내측전완피부신경을 손상하지 않도록 피부만을 절개한다(No.11 blade). 피부 절개 후, straight hemostat으로 직접 전완근막을 관통하고, 주관절의 활차(trochlea) 전내측 경계를 향하여 관절막까지의 진입로를 만든다 **5a**.

Soft spot의 주사바늘은 남겨두고, 연결된 주사기를 보조자에게 누르게 하여 관절강 내부의 압력을 유지하면서 대각선 전방에서 시술자의 하복부 중심을 향해 hemostat으로 한번에 관절막을 꿰뚫는다. Blunt trocar를 장착한 arthroscopic cannula를 같은 방법으로 삽입해서 전내측(anteromedial; AM) 삽입구를 제작한다. 이후, 내측으로부터 삽입된 관절경으로 상완골 소두와 요골두를 관찰하고, 관절강의 약간 전방(상완골 외상과의 2 cm 전방, 2 cm 원위 부근)에 22G 바늘을 찔러 넣고, 위치와 방향을 확인하면서 전외측(anterolateral; AL) 삽입구를 Outside-In 방법으로 기구를 삽입한다 **5b**. 두 삽입구는 약 160°의 각도를 이루게 만들면 조작이 용이하다 **5c**.

주의! **NEXUS view**

정중신경이나 상완동맥의 손상을 두려워한 나머지, 과도하게 후방으로 진입하려고 하다가 간혹, 수술기구가 활차의 측면 경계에 충돌하여 의도치 않게 전방으로 향하게 되는 경우가 있다. 이럴 경우에 관절막 전방에서 미끄러져 근육 내로 들어가는 등, 오히려 위험할 수 있고 또한 관절 내에서의 조작도 어려워진다.

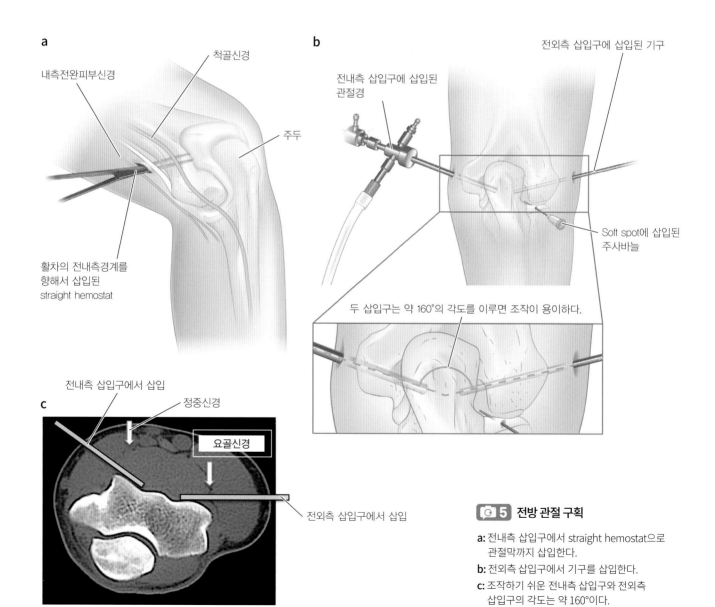

a

내측전완피부신경
척골신경
주두
활차의 전내측경계를 향해서 삽입된 straight hemostat

b

전내측 삽입구에 삽입된 관절경
전외측 삽입구에 삽입된 기구
Soft spot에 삽입된 주사바늘

두 삽입구는 약 160°의 각도를 이루면 조작이 용이하다.

c

전내측 삽입구에서 삽입
정중신경
요골신경
전외측 삽입구에서 삽입

5 전방 관절 구획

a: 전내측 삽입구에서 straight hemostat으로 관절막까지 삽입한다.
b: 전외측 삽입구에서 기구를 삽입한다.
c: 조작하기 쉬운 전내측 삽입구와 전외측 삽입구의 각도는 약 160°이다.

후방 관절 구획

주두를 마킹하고, 주두로부터 근위 약 2 cm에 위치한 후방(posterior) 삽입구에서 관절경을 삽입하고, 그 2~3 cm 외측 혹은 원위에 위치한 후외측(posterolateral; PL) 삽입구에서 기구를 삽입하는 것이 기본이다 6a.

여기서도 관찰 삽입구와 작업 삽입구를 적절하게 위치를 번갈아 가면서 수술을 시행한다. 상완–척골 관절의 외측 가장자리는 후외측 삽입구로부터, 내측 가장자리는 후방 삽입구로부터 접근해야 하지만, 내측 가장자리는 척골 신경이 가깝기 때문에 특히 조심해야 한다 6b.

> 코멘트 **NEXUS view**
>
> 척골신경을 제외하고는 후방 구획은 비교적 안전하지만, 후방 삽입구에서의 관절경으로 관절 내를 잘 관찰할 수 없을 때는 후외측에서 관절경 tip 근처로 쉐이버를 삽입하여 가볍게 주변 조직을 정리하면 관찰이 쉬워진다.

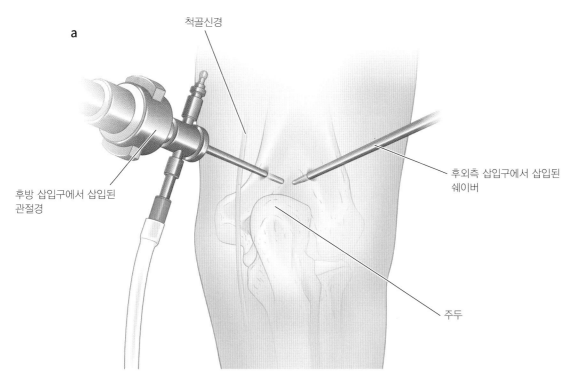

a

척골신경

후방 삽입구에서 삽입된 관절경

후외측 삽입구에서 삽입된 쉐이버

주두

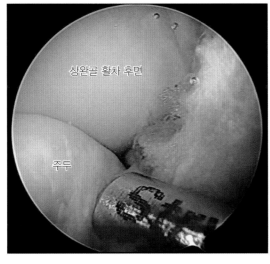

b

상완골 활차 후면

주두

6 후방 관절 구획

a: 후방 삽입구에 관절경을 후외측 삽입구에 쉐이버를 삽입한다. 관절경으로 상완-척골 관절을 보면서 관절에 기구의 삽입이 가능하다.

b: 후방 관절경 소견

후외측 관절 구획

상완–요골 관절의 후방으로는 외측(direct lateral, 이른바 soft spot) 삽입구로부터의 관절경 관찰이 유용하다. 주관절 관절경수술에서 가장 첫 처치인 관절 내에 관류액을 주입한 부위이며, 기구의 삽입은 나중에 외측 삽입구 또는 부외측 삽입구(accessory direct lateral)를 이용한다 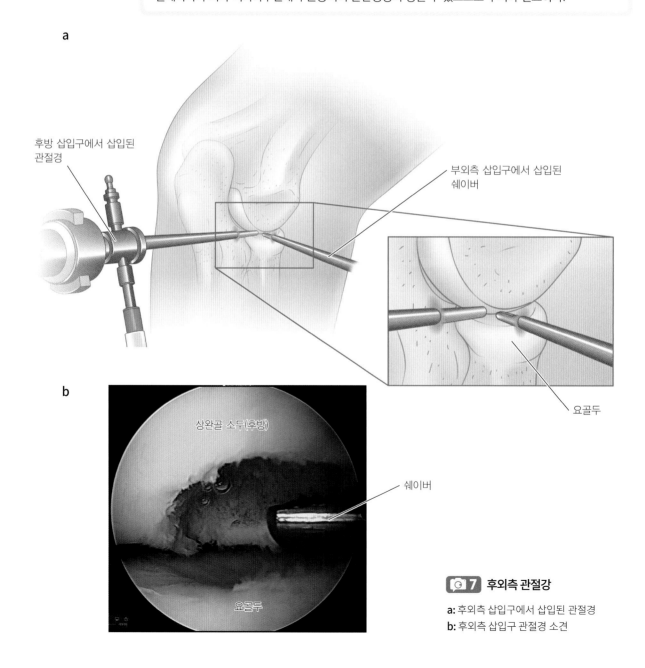. 부외측 삽입구는 외측 삽입구에서 관절경으로 보면서 2~3 cm 외측에서 22G 바늘을 찔러넣고, 바늘의 위치를 확인한 후 그 방향으로 피부 절개를 하고 겸자(hemostat)로 진입로를 만든다.

양측 삽입구 모두 주관절 근육을 관통해서 확실하게 관절강의 관찰은 할 수 있지만, 관절의 공간이 좁기 때문에 관절내 조작은 약간 어려운 편이다. 상완–척골 관절로의 외측에서 진입하려고 할 때에도 이 삽입구는 유용하다.

코멘트 NEXUS view

부외측 삽입구는 활액막 추벽 절제 등에 유용하나 외측 척측측부인대에 가깝기 때문에, 관절막을 절제하다가 외측 척측측부인대가 손상되어 불안정성이 생길 수 있으므로 주의가 필요하다.

a

후방 삽입구에서 삽입된 관절경

부외측 삽입구에서 삽입된 쉐이버

요골두

b

상완골 소두(후방)

쉐이버

요골두

📷7 후외측 관절강

a: 후외측 삽입구에서 삽입된 관절경
b: 후외측 삽입구 관절경 소견

3 어프로치와 프로빙

전방 관절경 소견

주관절 전방 관절 구획에서는 전내측 삽입구에 관절경을 삽입하여 상완골 소두와 요골두를 관찰하고 📷8a, 전외측 삽입구에서 삽입된 쉐이버로 관절경 시야에 방해가 되는 관절 내의 조직(활막 등)을 제거한다 📷8b. 관절경을 천천히 당겨오면서, 상완-척골 관절면(척골 구상돌기와 상완골 활차)을 관찰하고 📷8c, 이어서 관절경을 회전시켜 상완골 구상과(coronoid fossa)를 관찰한다.

전체적인 상태를 파악한 후 병변부의 프로빙이나 유리체의 절제를 실시한다. 적절하게 switching stick을 이용해 삽입구를 교체한다. 수술자가 주관절을 바라보는 이미지와 모니터에 비치는 상이 좌우가 바뀌는 거울 음영(mirror image) 관계가 되므로 이에 익숙해질 필요가 있다.

> **코멘트　NEXUS view**
>
> 전내측 삽입구에서의 관절경 삽입이 어려운 경우에는 피부에서 관절강까지의 거리가 비교적 가까운 전외측 삽입구부터 먼저 만들어서, 관절 내에 arthroscopic cannula를 삽입한 상태에서 switching stick을 이용해 Inside-Out으로 전내측 삽입구를 만들 수도 있다.
>
> 주관절 전방에 대해서 최소 침습적이면서 효율적으로 접근할 수 있다는 것이 주관절 관절경수술의 가장 유용한 점이지만, 반면에 중요한 혈관 및 신경에 근접하기 때문에 주의를 요하는 관절 부위이기도 하다.

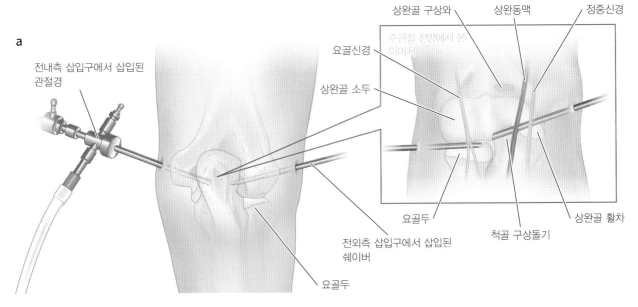

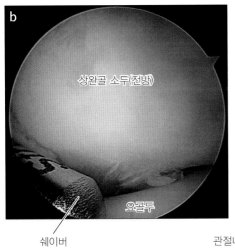

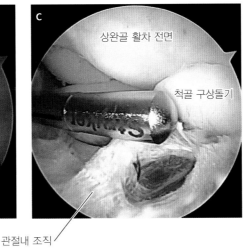

📷8 전방 관절강의 전방 관절경 소견

a: 전내측 삽입구에서 삽입된 관절경
b: 전내측 삽입구에서의 관절경 소견
c: 상완-척골 관절면(척골 구상돌기와 상완골 활차)의 관절경 소견

후방 관절경 소견

　운동선수를 비롯하여 퇴행성 관절염에서 흔히 볼 수 있는 주두 첨단에 위치한 골극은 신전 시의 충돌 현상에 의해 종종 유리체화(化)되므로 해당 부위 주변 프로빙을 행한다. 마주 보는 위치에 존재하는 주두와(olecranon fossa)에도 유리체가 자주 존재할 수 있으므로, 프로빙 조작을 잊지 않도록 한다 🗨9.

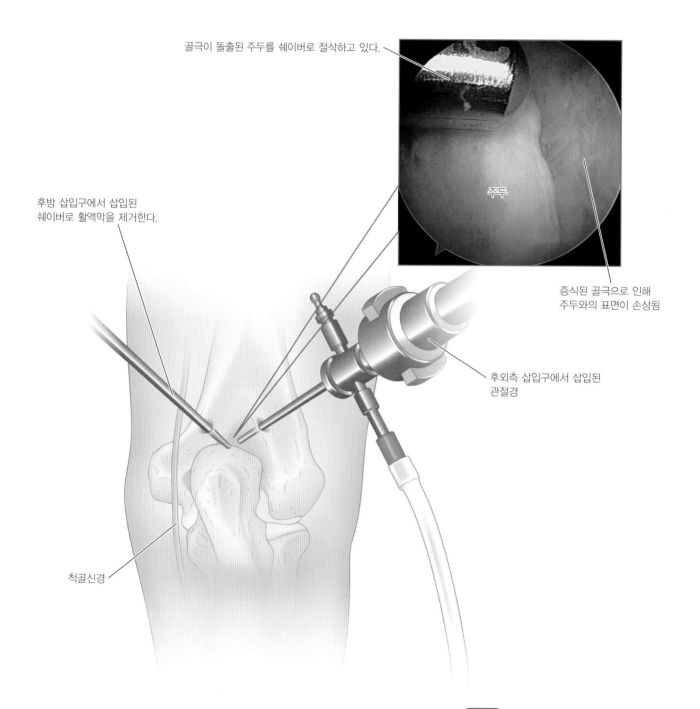

골극이 돌출된 주두를 쉐이버로 절삭하고 있다.

주두

증식된 골극으로 인해 주두와의 표면이 손상됨

후방 삽입구에서 삽입된 쉐이버로 활액막을 제거한다.

후외측 삽입구에서 삽입된 관절경

척골신경

🗨9　퇴행성 관절증의 후방 관절경 소견

후외측 관절경 소견

상완골 박리성 골연골염에서는 병소가 소두 관절면의 전방에서 하면으로 걸쳐 존재하는 경우가 많아서, 후외측 삽입구로부터의 관절경으로 확인하면 프로빙이나 abrasion chondroplasty하기가 쉽다 ⓒ 7b . 또, 상완–척골 관절내에 감돈된 유리체도 여기에서 접근할 수 있다 ⓒ 10 .

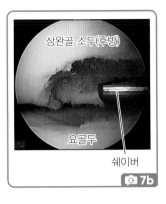

상완골 소두(후방)

요골두

쉐이버

ⓒ 7b

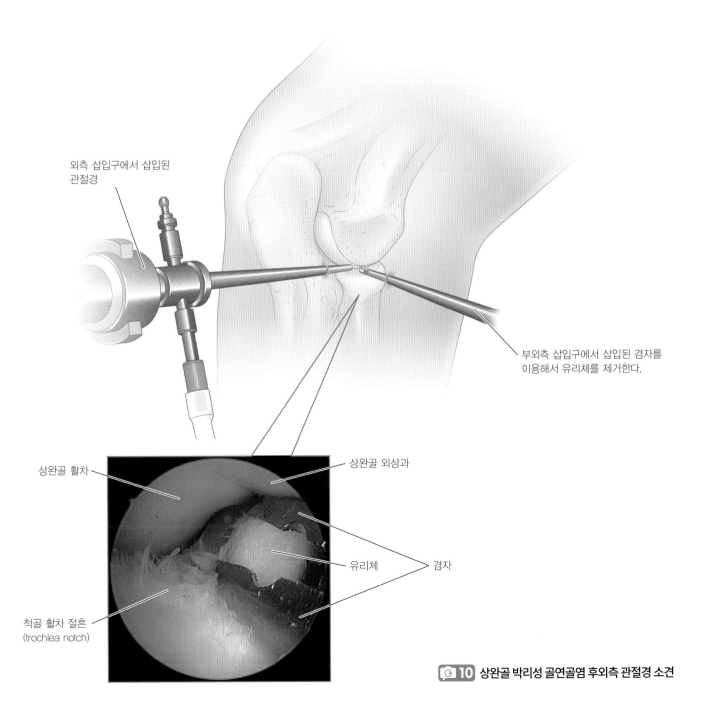

외측 삽입구에서 삽입된
관절경

부외측 삽입구에서 삽입된 겸자를
이용해서 유리체를 제거한다.

상완골 활차

상완골 외상과

유리체

겸자

척골 활차 절흔
(trochlea notch)

ⓒ 10 상완골 박리성 골연골염 후외측 관절경 소견

I. 상지
주관절 관절경의 기구 취급법

쇼난병원 정형외과/수부-주관절 외과센터 **아라이 타케시(Takeshi Arai)**

Introduction

수술 전 고려 사항

● **관절경수술에 필요한 주변 해부학**

　주관절 질환 중 관절경수술이 적응되는 질환은 관절내 유리체, 퇴행성 관절염, 류마티스 관절염, 박리성 골연골염, 상완골 외측상과염 등이다.

● **자주 사용하는 기구**

　사용하는 관절경은 어깨나 무릎과 마찬가지로, 4.0 mm의 30° 관절경 혹은 70° 관절경 등이다.

　주관절은 어깨나 무릎과는 달리 관절강이 좁기 때문에 관류액이 대량으로 필요하지는 않지만 지속적인 관류 시스템이 있으면 편리하다 📷 **1a**.

　어느 질환이든 공통적으로 이용하는 관절경 기구는 쉐이버와 RF device 이다 📷 **1c, e**.

　관절내 유리체증에서는 유리체 적출 시에 각종 겸자를 이용한다 📷 **1b**.

　퇴행성 관절염에서는 골극절제를 위해서 arthroscopic burr를 이용하는데, 증례에 따라서는 osteotome을 직접 사용하는 경우가 있다.

수술 진행

1 　세팅
2 　관절경 검사
　　· 전방
　　· 후방
3 　활액막 절제

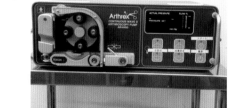

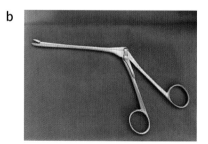
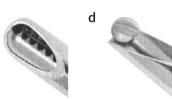

📷 **1** 　**자주 사용하는 기구**

a: 지속 관류 시스템
b: 겸자
c: 쉐이버
d: Ablator
e: RF device
　（c~e 는 Arthrex사）

NEXUS view ////

상완골 외상과염 접근

근위 내측 삽입구에서 전방 관절강을 관찰하고, 근위 외측 삽입구로부터 쉐이버, RF device 등으로 처치한다. 상완-요골 관절의 후방은 soft spot으로부터 2개의 삽입구를 제작해, 처치를 실시한다.

Fast **C**heck
1 삽입구 제작 시에는 주관절의 해부학적 구조를 미리 숙지해 둔다(특히 신경·혈관 다발의 주행 등).
2 관절 내에 충분한 생리식염수를 주입하고 관절막을 부풀린 후에 cannula를 삽입해야 한다.

수술 술기

1 세팅

수술 체위는 측와위 또는 복와위로 하되, 상완은 고정된 상태를 유지하고 전완은 아래로 늘어뜨린다.

주관절은 신전, 굴곡을 충분히 실시할 수 있도록 포지셔닝을 한다.

상완의 지지대로 전용 주관절 positioner를 이용하면 편리하다 **②**.

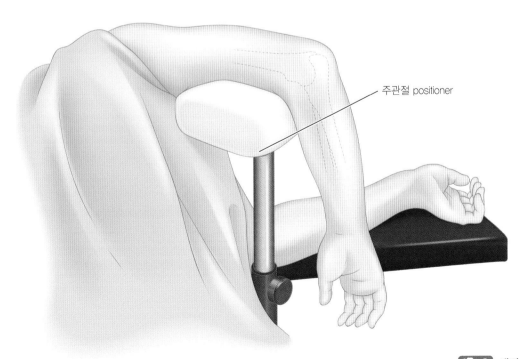

주관절 positioner

② 세팅

2 관절경 검사

전방

주관절 내측에서 관절경을 삽입하면, 상완–요골 관절(상완골 소두와 요골두)이 잘 관찰된다 ⓒ3a.
주관절 외측에서 관절경을 삽입하면 상완–척골 관절(상완골 활차와 척골 구상돌기)을 관찰할 수 있다 ⓒ3b.

후방

후방 관절경 검사 시에서는 주두와(olecranon fossa)와 상완–요관절 후방(soft spot)을 관찰할 수 있다 ⓒ4.

코멘트 **NEXUS view**

어떤 주관절 질환에서든 관절경 소견에서 활액막 증식이 현저한 증례가 많아서 수술 시야가 명확하게 확보되지 않아 곤란해지는 일이 빈번하므로, 쉐이버로 충분히 활액막 절제를 한 후에 관절면의 평가나 처치를 하도록 한다.

a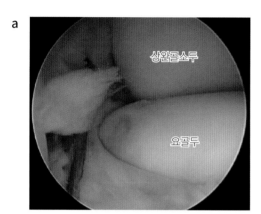

b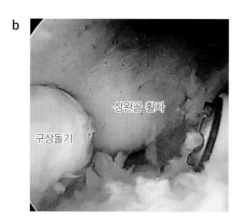

ⓒ3 **전방 관절경 소견**

a: 상완-요관절(내측으로부터의 관절경 소견). 프로브를 통해서 상완-요골 관절 관찰을 실시하고, 요골두의 변성 부위를 확인한다.

b: 상완-척골 관절(외측으로부터의 관절경 소견). 관절내 활막조직을 RF device로 소작함으로써 관절내 출혈을 예방할 수 있다.

a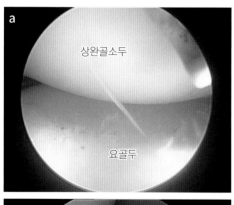

b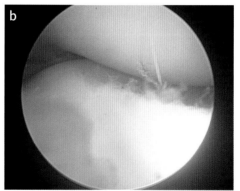

c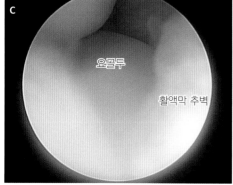

ⓒ4 **상완-요관절 후방(soft spot) 관절경으로 보이는 부위**

a: 상완-요관절강이 좁기 때문에 장치의 조작에 세심한 주의를 기울인다.

b~a: 활막 절제를 철저히 하면 상완-요관절 전체 범위의 관찰이 가능해진다.

c: 전완을 회내-회외시키면 요골두의 전체 범위에서 관절면을 관찰할 수 있다.

3 활액막 절제

충혈된 활막을 쉐이버로 절제하면 출혈을 초래하여 시야가 불량해지기 때문에, 적절히 RF device를 함께 이용해 활액막 조직을 제거한다 📷5.

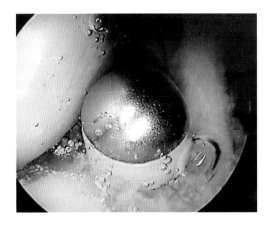

📷5 **RF device를 이용한 활액막 조직의 소작, 지혈 조작**

가동시간을 최대한 단축해야 하는 것을 염두에 두고 활액막 조직을 소작한다.

코멘트 **NEXUS view** /////

쉐이버

쉐이버 조작 시에 관절경이 파손되는 경우가 있다. 쉐이버를 조작할 때는 관절경을 가급적 원거리에 두고 넓은 수술 시야를 확보하면서 실시한다.

특히, 쉐이버의 회전하는 blader가 관절경의 끝을 향하지 않도록 주의한다.

RF device

RF device는 지속적으로 전류가 통하게 하는 기구이다. 그런데, 전류가 통하는 시간을 연속으로 길게 하면 관절 내 관류액의 온도가 상승해 버리기 때문에 주의한다.

Bur

Bur 사용 시에 골극 등을 절삭할 때는 역회전으로 조작하면 과도하게 절삭하는 것을 막을 수 있다.

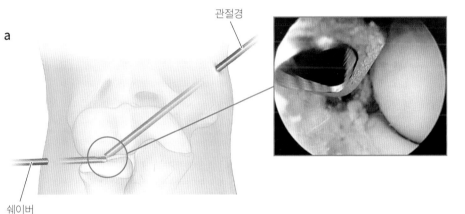

a

관절경

쉐이버

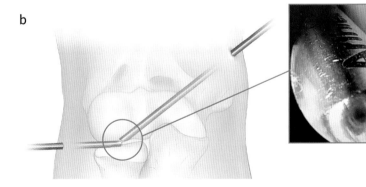

b

📷6 **쉐이버를 통한 활액막 제거**

a: 잘못된 위치의 쉐이버
쉐이버 blade 부분이 관절경을 향해 있기 때문에 관절경 가장자리를 파손시킬 위험이 있다.
b: 올바른 위치의 쉐이버

참고문헌

1) Andrew JR et al:Arthroscopy of the elbow.Arthroscopy. 1985;1:97-107.
2) 新井　猛, 安藤　亮, 里見嘉昭, ほか. 肘外側部痛症候群に対する関節鏡視下手術の治療経験. 日手会誌 2009;25:644-6.
3) 新井　猛, ほか. 上腕骨外側上顆炎の鏡視下手術のための解剖学的検討. 日肘関節会誌. 2006;13(2):81-2.
4) Ando R, Arai T, Beppu M, et al. Anatomical study of arthroscopic surgery for lateral epicondylitis. Hand Surg. 2008;13:85-91.
5) Poehling GG, et al. Elbow arthroscopy: A new technique. Arthroscopy. 1989;5:222-4.

I. 상지
견관절 관절경의 기본 술기

후나바시 정형외과병원 스포츠의학·관절 센터 **스가야 히로유키(Hiroyuki Sugaya)**

Introduction

수술 전 고려 사항

● 관절경수술에 필요한 주변 해부학

견관절은 심부에 존재하며, 삼각근이나 회전근개 등의 주변 정상조직에 의해서 넓게 덮여있기 때문에, 주변의 조직들을 손상시키지 않고 견관절에 접근할 수 있는 관절경수술의 장점은 대단히 크다고 할 수 있다.

견관절은 상완골두가 상대적으로 작은 크기의 관절와(glenoid)에 관절막(하 관절와 상완인대, IGHL)가 관절와순(glenoid labrum)을 통해 연결되어 있으며 그 주위를 회전근개가 덮고 있다 **📷 1a, b**.

병변부가 존재하는 견관절에 도달하기 위해서는 삼각근과 회전근개보다 더 깊은 심부에 도달할 필요가 있으며, 회전근개 수술에서도 삼각근 뒷면의 견봉하활액막에 도달할 필요가 있다 **📷 1c**.

● 수술 적응증

견관절은 기능적인(functional) 관절이기 때문에 통증 등의 원인으로 의심되는 해부학적 문제가 발견되더라도, 즉시 수술 적응증이 되는 것이 아니다.

견관절은 상완골두에 비해 관절와가 비교적 면적이 적은 형태의 Ball-Socket 관절이며, 고관절과 비교하면 골성 구조로부터의 지지성이 약하기 때문에 관절와에 대한 상완골두의 관절면의 일치성(congruency)을 유지하기 어렵다. 따라서 관절막이나 회전근개 등의 연부조직의 역할이 중요하며, 흉곽이나 견갑골의 가동성 등 국소적 부위의 기능도 매우 중요하다.

반복성 견관절 (아)탈구는 근치를 위해서는 수술이 우선시되지만, 그 외의 질환, 즉 회전근개 파열, 견관절 구축, 스포츠 손상 등은 기능적 진단과 물리치료가 우선되므로, 수술이 치료로서 첫 번째 선택이 되는 경우는 극히 적다. 견관절 관절경수술을 마스터하려는 경우는 우선 견관절의 구조와 기능적인 특징 및 기능적 진단과 물리요법의 중요성에 대해서 제대로 이해할 필요가 있다.[1]

● 관절경의 종류와 특징

견관절 관절경은 4 mm 직경을 사용한다. 일반적으로는 30° 관절경을 사용하는데, 반복성 탈구 수술에서의 HAGL (humeral avulsion of glenohumeral ligament) 병변 봉합 시에 앵커 삽입 등, 특수한 경우에만 70° 관절경을 사용한다.

기본 술기

1 세팅
2 삽입구 제작
 · 기본 삽입구
 · 질환별 삽입구 : 반복성 견관절 탈구
 · 질환별 삽입구 : 회전근개 파열
 · 질환별 삽입구 : HAGL 손상(특수 삽입구)
 · 질환별 삽입구 : SLAP
 · 질환별 삽입구 : 견관절 구축
3 어프로치와 프로빙(좌체위)
 · 반복성 견관절 탈구
 · 회전근개 파열

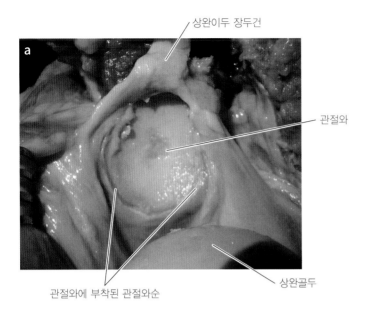

상완이두 장두건

관절와

관절와에 부착된 관절와순

상완골두

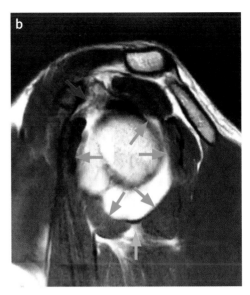

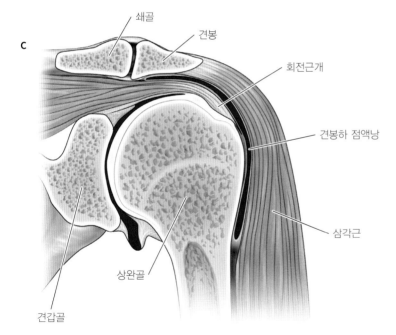

쇄골

견봉

회전근개

견봉하 점액낭

삼각근

상완골

견갑골

📷1 견관절의 주변 해부

a: 견관절의 구조(우측 견관절, 상완골두를 제거하고 외측에서 바라본)

상완이두 장두건은 관절와 상방에 관절순을 매개로 부착되어 있다. 관절와순은 관절와의 전체 주위에 부착되어 있는데, 관절막이 상완골두와 관절와순을 연결하고 있다.

b: MRA 시상면

관절막 주위를 뒷받침하는 회전근 군(群) (➡)을 확인할 수 있다. 회전근 간격(rotator interval, ▶)과 관절와 최하방 부위에는(➡) 회전근이 관찰되지 않는다.

c: 견관절 주변(관상면)

Fast Check

① 좌체위(beach chair position)에서는 환자의 턱을 확실히 테이프로 고정하면 체위가 안정된다.

② 좌체위에서의 수술의 시야 확보를 위해서는 환지의 위치 상태가 중요하다. 견관절 신전 상태가 되면 시야가 나빠지므로 주의한다.

기본 술기

1 세팅

전신마취에서, 측와위 📷 2a 혹은 좌체위 📷 2b 로 한다.

측와위에서는 견인장치가 필요하며, 좌체위에서도 최근에는 positioner를 사용하는 경우가 많다. 좌체위는 견갑하근건 봉합술이나 골이식 등의 관절외 조작을 수반하는 술기에 시야를 확보하기 쉬워서 유리하며, 측와위는 견관절의 후하방 조작에 유리하다고 알려져 있는데, 술기나 기구의 향상에 의해 양자의 차이는 거의 없어지고 있어 술자의 익숙함이나 취향에 따라 선택된다.

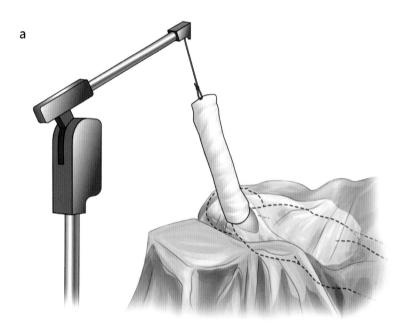

a

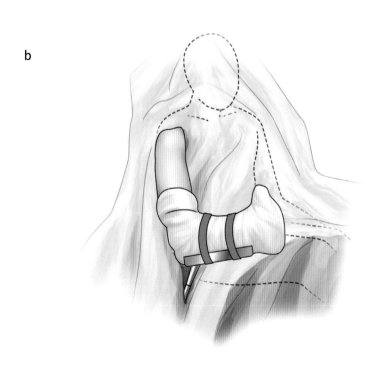

b

📷 2 수술 체위

a: 측와위
b: 좌체위

2 삽입구 제작[2]

기본 삽입구

후방 삽입구

우선, 후방 삽입구를 제작한다. 견관절의 관절면을 의식하면서 **◎3a** 관절면에 평행하게 견봉하 (subacromial) soft spot으로부터 삽입한다. 11번 메스로 약 5 mm의 피부 절개를 가한다.

다음으로 blunt trocar를 삽입한 arthroscopic cannula로 피부와 삼각근을 관통한 후, 상완골두와 관절와를 '느끼면서' 목표 부위(상완골두와 관절와가 이루는 V자의 첨단 부분)를 찾아 관절막을 관통한다 **◎3b** . 이렇게 함으로써 상완골두연골을 손상시키지 않고 관절 내에 삽입할 수 있다.

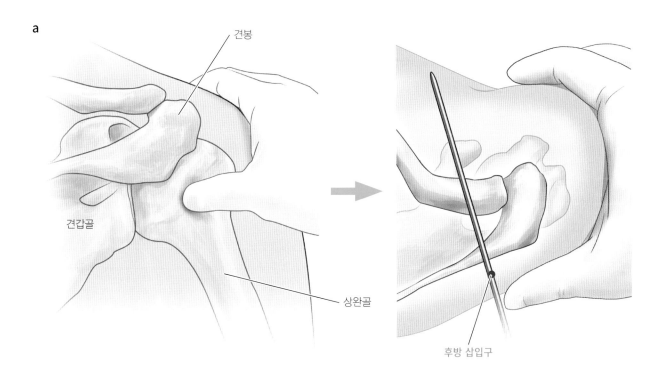

a

견봉

견갑골

상완골

후방 삽입구

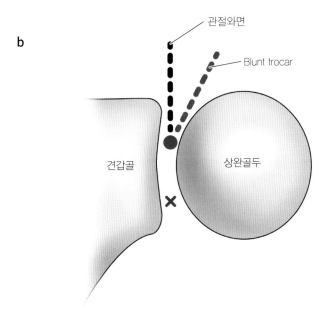

b

관절와면

Blunt trocar

견갑골

상완골두

◎3 후방 삽입구 제작 위치

a: 상완골두를 쥐고 앞뒤 방향으로 움직여보면서 관절와 의 관절면을 이미지(금속봉 방향)화 시킨다.

b: 관절막 삽입 부위(blunt trocar)로 극하근 및 관절막을 꿰뚫어 관절 내에 도달한다. 이때, blunt trocar의 끝부 분에서 관상면상에서 상완골두 및 관절와로 이루어진 V 자를 상상하면서 그 접점(●)에 관절막을 꿰뚫어 관절 내에 삽입한다. ●부분보다 아래로 가면 상완골두를 손 상하기 쉬워질 뿐만 아니라 상완골두 하방 공간에 진입 해 버릴 수도 있다(✖).

전방 삽입구

전방 삽입구는 후방에서 관절경으로 보면서 Outside-In 방식으로 제작한다. 피부 절개는 견봉 외측 끝부분에서 약간 미측, 관절 내 제작 부위는 견갑하건과 결합건(conjoined tendon)의 교점을 의식하고, 이들을 피해 회전근 간격에 제작한다 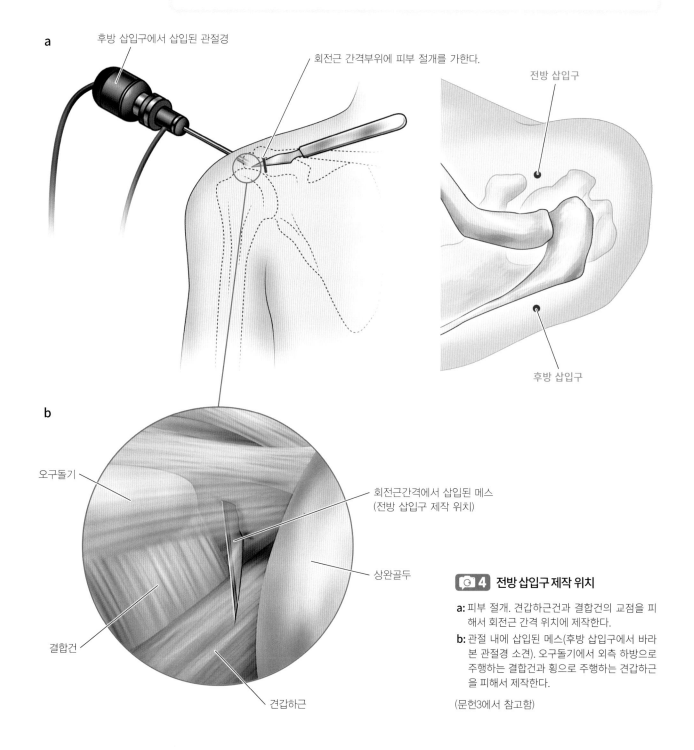 4a .[3]

> **코멘트** **NEXUS view** //////
>
> 전방 삽입구는 관절 내에서 보면서 견갑하근건과 결합건의 교점 부위에, 견갑하근도 결합건도 손상되지 않게 제작하면 cannula 없이도 기구의 출납이 용이해진다 4b . 만약 결합건을 뚫어버리면 cannula 없이는 기구 사용이 곤란하게 된다.

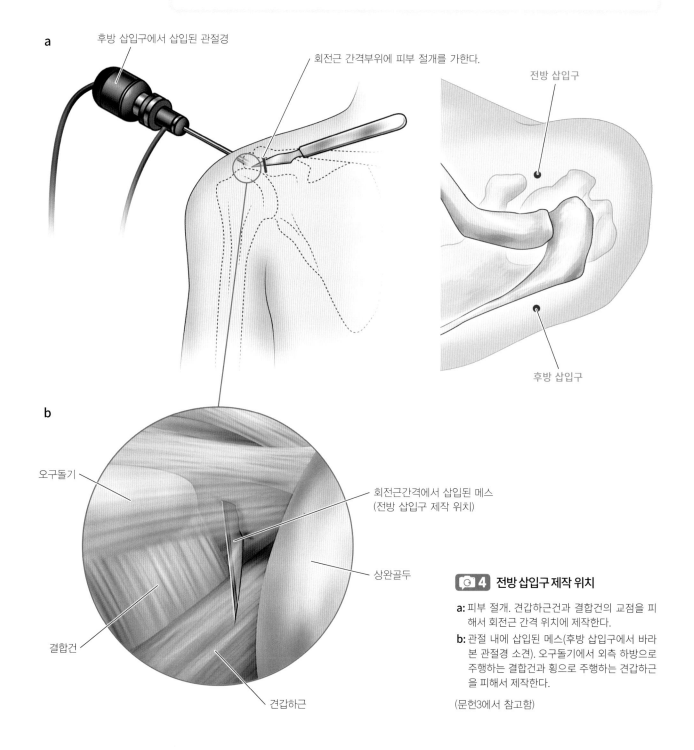

a
후방 삽입구에서 삽입된 관절경
회전근 간격부위에 피부 절개를 가한다.
전방 삽입구
후방 삽입구

b
오구돌기
회전근간격에서 삽입된 메스
(전방 삽입구 제작 위치)
상완골두
결합건
견갑하근

4 전방 삽입구 제작 위치

a: 피부 절개. 견갑하근건과 결합건의 교점을 피해서 회전근 간격 위치에 제작한다.
b: 관절 내에 삽입된 메스(후방 삽입구에서 바라본 관절경 소견). 오구돌기에서 외측 하방으로 주행하는 결합건과 횡으로 주행하는 견갑하근을 피해서 제작한다.

(문헌3에서 참고함)

질환별 삽입구: 반복성 견관절 탈구

기본적인 전후방 삽입구에 덧붙여, 작업 삽입구를 원칙적으로 하나 더 제작한다.

상방 관절와순의 박리가 동반되어 추가로 봉합이 필요할 때는 외측 삽입구[2]를, 상방 관절와순 봉합을 필요로 하지 않을 때는 전상방 삽입구를 제작한다.

외측 삽입구

먼저 18G spinal needle을 관절와 11시 방향(우측 기준)으로 찔러 넣어 방향을 확인한다. 그 후, 11번 메스를 회전근 섬유 방향으로 세로로 절개하듯이 찔러 넣으며 이어서 cannula를 삽입한다. 이 삽입구는 회전근을 통과하는 삽입구이기 때문에 cannula는 필수이다 @ 5a, b.[2]

전상방 삽입구

전방 삽입구의 약 3 cm 상외측으로 견봉의 전방 가장자리에 인접한 위치에 11번 메스로 피부 절개를 한다. 관절 내부로는 상 관절와상완인대(SGHL)의 약간 미측(caudal)에 메스를 진입시킨다.

해당 질환의 경우에는 미리 전방 삽입구를 약간 낮게(견갑하근의 상연을 간신히 넘게) 제작해 두고, 전방 삽입구와 전상방 삽입구를 피부 상에서 간격이 최소한 3 cm는 되도록 제작하면, 그 후의 조작을 하기 쉽다 @ 5c.

코멘트 NEXUS view ////

· 외측 삽입구에서는 회전근을 통과하기 때문에 cannula를 이용하지만, 그 외의 삽입구에서는 기본적으로 cannula는 불필요하다.

반복성 견관절 탈구수술에서는 회전근 간격에 2개 삽입구를 만들기 위해 전방 삽입구를 가급적 아래쪽(견봉의 전방 가장자리에서 5 cm 정도)에 제작한다.

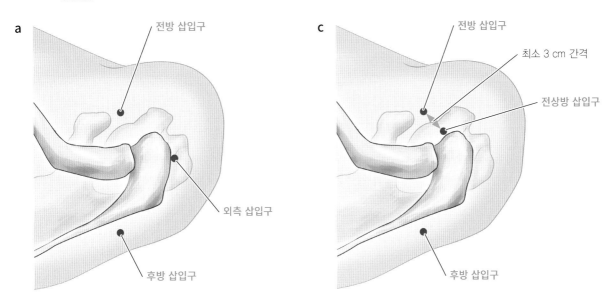

a
전방 삽입구
외측 삽입구
후방 삽입구

c
전방 삽입구
최소 3 cm 간격
전상방 삽입구
후방 삽입구

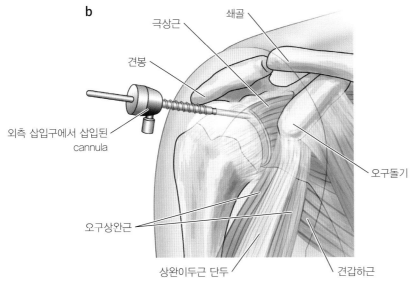

b
극상근
쇄골
견봉
외측 삽입구에서 삽입된 cannula
오구돌기
오구상완근
상완이두근 단두
견갑하근

@ 5 **반복성 견관절 전방 탈구에서의 작업 삽입구**

a: 외측 삽입구의 제작 위치

b: cannula 삽입

c: 전상방 삽입구의 제작 위치. 전방 삽입구(오구돌기 외측)와 너무 가까우면 수술하기 어렵기 때문에 견봉의 전연보다 3 cm는 떨어지게 하고 견갑건을 통과하지 않도록 제작한다.

질환별 삽입구: 회전근개 파열

기본적인 전후방 삽입구와 더불어 전외측, 후외측 및 앵커 삽입용 삽입구를 사용하며, 극상근 근위부에 봉합사를 걸 때 유용한 Neviaser 삽입구를 이용되기도 한다. 견갑하건 봉합술과 상완이두근의 suprapectoral tenodesis (대흉근 부착부보다 근위부에 고정)를 실시할 때는 독자적인 삽입구를 이용한다 6b .

전외측 삽입구

견봉 전외측각의 2~3 cm 전외측에 제작하고, 회전근개 봉합 시의 작업 삽입구로서 사용한다 6a .

후외측 삽입구

견봉 후외측각 2~3 cm 외측에 제작한다. 주로 회전근개 봉합 시의 관찰 삽입구로 사용한다.

앵커 삽입용 삽입구

견봉 전외측각의 약간 후방에 제작한다. 앵커 삽입용으로 사용하는데, 견갑하근건 봉합 시에는 관찰 삽입구로서 사용할 수도 있다 6a, b .

Neviaser 삽입구

극상근 근위부에 봉합사를 걸 때 유용하다. 견봉-쇄골 관절 후방의 극상와(supraspinatus fossa) 가장 외측 부위에 제작한다 6a .

견봉각 전외측 삽입구

견갑하근건 봉합 시에 사용하는 관찰 삽입구이다. 특히 견갑하근건에 봉합사를 장착할 때 양호한 시야를 확보할 수 있다 6b .

제4삽입구

견갑하근건 봉합 시의 작업 삽입구로서 매우 유용하며 대흉근 부착부 바로 위에서 관절경으로 보면서 상완이두근 장두건을 고정을 할 때에도 유용하다 6b .

코멘트 **NEXUS view** ///

전외측 삽입구와 후외측 삽입구는 전방·후방 삽입구와 아울러 정확히 균등하게 4등분이 되는 위치에 제작한다 6a .

제4삽입구는 견봉 전외측각 삽입구, 전방 삽입구, 전외측 삽입구와 함께 사각형 혹은 마름모꼴이 되도록 제작한다 6b .

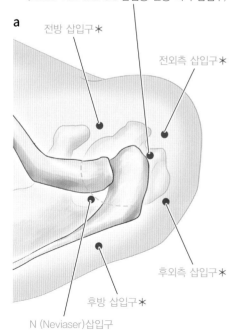
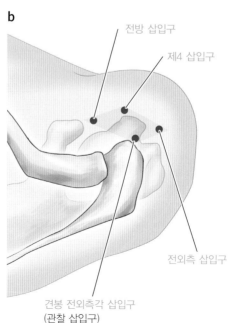

a

앵커 삽입용 삽입구
(Medial-row anchors 삽입용 견봉 외측 삽입구)

전방 삽입구＊

전외측 삽입구＊

후외측 삽입구＊

후방 삽입구＊

N (Neviaser)삽입구

b

전방 삽입구

제4 삽입구

전외측 삽입구

견봉 전외측각 삽입구
(관찰 삽입구)

6 회전근개 파열 봉합 시 사용하는 삽입구

a: 견갑하근건 봉합 시 전외측 삽입구는 견봉 전외측각에서 2~3 cm 전외측으로 제작한다. 후외측 삽입구는 견봉 후외측각에서 2~3 cm 외측에 제작한다. 4개의 삽입구(＊)는 균등하게 4등분이 되는 위치에 제작한다. 앵커 삽입용 삽입구는 견봉 전외측각에서 약간 후방에 위치하게 만든다.

b: 견갑하근건 봉합 시와 상완 이두근 장두건 고정 시

질환별 삽입구: HAGL 손상(특수 삽입구)

전하방(5시) 삽입구

HAGL (humeral avulsion of the glenohumeral ligament) 손상에 대해서 복구 시에 앵커 삽입 및 knot tying용으로 사용하는 삽입구이다.

피부 절개는 전방 삽입구에서 2~3 cm 아래쪽에 두고 **7a** , switching stick을 이용한 slalom technique으로 삽입구를 제작 **7b** 하고, blunt trocar로 관통하면서 cannula를 삽입한다.

코멘트 **NEXUS view** /////

Slalom technique

피부 절개 후, rod를 외측으로 향하게 해서 삼각근을 외측으로 제치면서 결합건 외측에 도달한다 **7b①**. 그리고 나서 rod tip을 내측으로 향하게 하면서 결합건을 내측으로 제치고 견갑하근건 이행부에 도달한다 **7b②**. 도달하면 rod tip을 정중앙으로 위치하게 선회한 뒤, 관절막을 관통시켜 관절 내에 도달시킨다 **7b③**.

코멘트 **NEXUS view** /////

전하방(5시) 삽입구를 만들 때는 반드시 끝이 둔탁한 rod를 이용한 slalom technique으로 제작한다. 그렇지 않고 바로 메스를 이용하면 근피신경이나 액와신경이 손상될 위험이 있다.

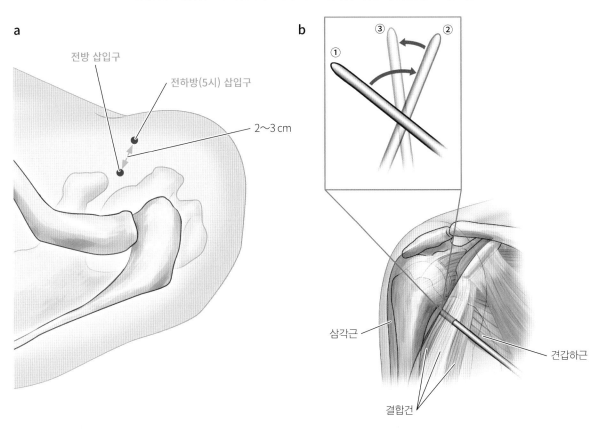

7 HAGL 손상 봉합용 삽입구(특수 삽입구)

a: 전하방(5시) 삽입구의 제작 위치

b: switching stick을 이용하여 slalom technique을 사용해서 제작한다.

(**코멘트** **NEXUS view** ///// 참고)

후하방(7시) 삽입구

HAGL 손상 봉합 시에 앵커 삽입용으로 사용하기도 하지만, 견관절 구축에 대한 관절막 전방 유리술에서 하방 관절막 유리 시 혹은 반복성 탈구에서 때때로 볼 수 있는 연부조직의 경화로 인하여 접근이 어려운 증례에서, 전방 삽입구에서 하방 관절와순에 봉합사가 걸리지 않는 경우에 이 삽입구를 사용하면 쉽게 장착할 수 있다 .

피부 절개는 후방 삽입구의 약 2 cm 외측, 3 cm 미측에 둔다.

질환별 삽입구: SLAP

후상방 관절와순 봉합 시에 통상의 전후방 삽입구와 함께 회전근을 통과하는 견봉외측 삽입구, 이렇게 3가지 삽입구를 사용한다(📷 5a 참조).

질환별 삽입구: 견관절 구축

관절막 전방 주위 유리 시에 통상의 전후방 삽입구와 함께 하방 관절막 유리 시에 필요한 후하방(7시) 삽입구를 작업 삽입구로서 사용한다 📷 7c.

액와신경의 손상을 피하기 위해 후방 삽입구로부터 관절경으로 양호한 시야를 확보하면서, 이 삽입구로부터 조심스럽게 관절막을 절제한다.

코멘트 **NEXUS view**

후하방(7시) 삽입구의 피부 절개를 할 때, 18G spinal needle로 오른쪽 어깨에서 관절와(후방 관절막) 8시 정도를 목표로 수차례 찔러보고 주위를 확인한 후 설개한다.

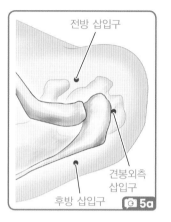

c

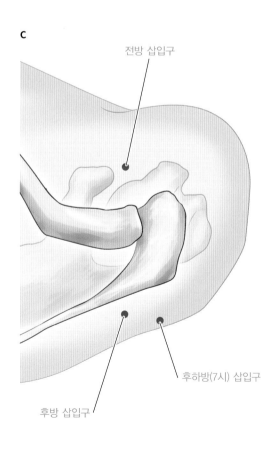

d

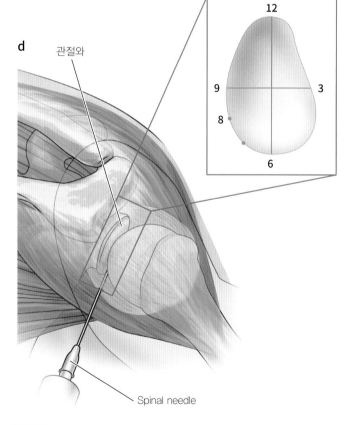

📷 **7** HAGL 손상 봉합용 삽입구(특수 삽입구) (이어서)

c: 후하방(7시) 삽입구 제작 위치
d: 18G spinal needle을 관절와의 8시 위치를 향해서 찔러 넣고, 방향을 확인한 후 11번 메스로 피부 절개를 하여 제작한다.

3 어프로치와 프로빙(좌체위)

반복성 견관절 탈구

우선 후방 삽입구를 제작하고, 후방에서 관절경으로, 관절 내 전체(Bankart 병변, Hill-Sachs 병변, 그리고 관절막 상태)를 관찰한다.

다음으로 전방 삽입구를 제작하고, Bankart 병변이나 관절막을 프로빙한다. 전방에서 관절경으로 Bankart 병변과 관절막 상태를 다시 확인한 후, 재차 후방에서 관절경으로 Bankart 병변의 박리와 mobilization을 실시한다.

전방 관절경으로 병변의 박리 상태를 확인한 후, 후방 관절경으로 앵커 삽입과 봉합을 실시한다 📷 8.[4] 봉합을 마치고 외회전 제한이 없는지 확인한다.

보강 차원에서 회전근 간격의 봉합을 대부분의 증례에서 실시하고, 수술을 종료한다.

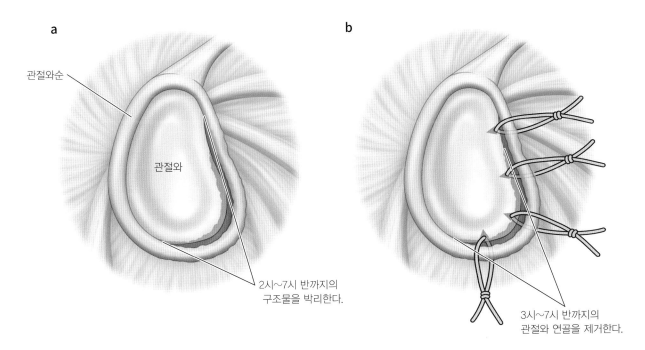

a

관절와순

관절와

2시~7시 반까지의
구조물을 박리한다.

b

3시~7시 반까지의
관절와 연골을 제거한다.

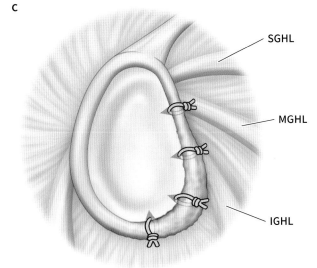

c

SGHL

MGHL

IGHL

📷 8 Bankart 봉합

a: 2시부터 7시 반까지의 구조물을 박리한다. mobilization과 동시에 관절와 경부의 신선화(bed prepararion)를 행한다.

b: 3시~7시 반에서의 관절와 연골을 제거한다.

c: 봉합한 부분으로 구조물이 올라탐으로써, 하관절와상완인대(IGHL)에 충분한 긴상이 가해지게 된다.

◀ Anchor 삽입 위치

회전근개 파열

우선 후방 삽입구를 제작하고, 후방 삽입구에서 관절경을 삽입하여 견관절 내 전체를 관찰해서, 견갑하근건 상태 및 극상근, 극하근의 관절면으로부터 파열 상태나 사이즈를 확인한다.

다음으로 전방 삽입구를 제작하고, 관절내 조직을 프로빙 한다. 후방 삽입구로부터 일단 관절경을 뽑아서, 같은 삽입구 안에서 방향을 바꿔서 견봉하점액낭(subacromial bursa; SAB)에 관절경을 삽입한다. 이때 견봉 전외측각을 향해 삽입하면 SAB에 들어가기 쉽다.

전외측 삽입구를 제작하고, SAB 내부를 정리한 후, 후외측 삽입구를 제작하여 관절경을 삽입하고, 환지를 약간 굴곡, 외회전, 외전위로 하여 다시 SAB 내부를 정리한 후, 회전근개 파열 상태를 확인한다.

필요에 따라 상완 이두근 장두건을 절제 또는 고정한다. 환지를 아래로 떨어뜨린 채, 내-외회전 중간위로 하고, 견봉하 감압을 실시하고, 다시 환지를 약간 굴곡-외회전-외전위에서 회전근의 상태나 운동성을 확인하여 봉합 디자인을 결정한다.

Footprint의 전처치(preparation)를 실시하고, 내측열 앵커를 삽입한다. 봉합사를 파열된 부분에 부착하는데, 이때 Neviaser 삽입구를 제작한다. 극상근건 전상방부는 이 삽입구에서 suture grasper 등을 이용해 봉합사를 걸기 쉽다.

회전근 후방 부분은 후방 삽입구에서 같은 디바이스로 봉합사를 장착한다. 전외측 삽입구에 cannula를 삽입하고, 외측 벽에 bridging 앵커를 삽입해 봉합을 완료한다.

코멘트 **NEXUS view** ///

저자는 봉합사 3개가 달린 앵커를 즐겨 이용하고 있다. 내측열을 봉합하지 않고 bridging을 하고, 마지막 남은 봉합사로 knot tying을 하고 있다 **📷9** .[5]

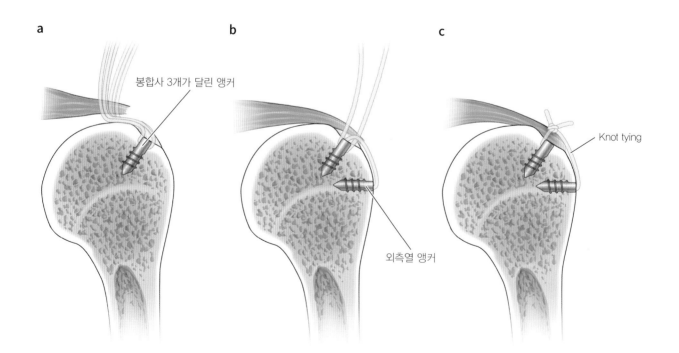

a

b

c

봉합사 3개가 달린 앵커

외측열 앵커

Knot tying

📷9 **저자들의 내측열 봉합을 하지 않는 회전근 봉합술**

내측열에 봉합사 3개가 달린 앵커를 사용한 bridging technique 순서
a: 회전근 파열부위 끝에 봉합사를 장착한다.
b: 외측열 앵커를 삽입하고 briding 실시한다.
c: 세번째 봉합사로 knot tying

참고문헌

1) 菅谷啓之. 肩関節機能のみかたと鏡視下手術の実際. 整形外科. 2006:57(3):323-32.

2) 菅谷啓之. 上肢・肩関節:肩関節鏡のアプローチ. 井樋栄二, 野原　裕, 松末吉隆(編集)整形外科サージカルアプローチ: 体位から到達術野まで. 初版, 東京, メジカルビュー社, 2014:50-60.

3) Sugaya H, Kon Y, Tsuchiya A. Arthroscopic Bankart repair in the beach-chair position:a cannulaless method using intra-articular suture relay technique. Arthroscopy. 2004:20(suppl 2):116-20.

4) 菅谷啓之. V. Bankart病変に対する鏡視下手術　3. 私のアプローチ. 菅谷啓之(編集), 実践　反復性肩関節脱臼　鏡視下バンカート法のABC(第1版). 東京, 金原出版, 2010:p.100-6.

5) Shibayama K, Sugaya H, Matsuki K, et al. Repair integrity and functional outcomes after arthroscopic suture bridge subscapularis tendon repair. Arthroscopy. 2018:34(9):2541-8.

I. 상지

관절경 회전근개 봉합술

아소종합병원 스포츠정형외과 **스즈키 카즈히데**(Kazuhide Suzuki)

Introduction

2017년에 행해진 일본 견관절학회 전국 설문조사에 따르면 회전근개 파열에 대한 수술 11,840례 가운데, 81%가 관절경수술로 시행되었다고 한다. 이와 같이 회전근개 파열에 대한 수술치료는 관혈적 방법에서 관절경을 사용하는 방법으로 이행되어 현재 관절경 봉합술(arthroscopic rotator cuff repair; ARCR)은 회전근개 파열에 대한 표준치료 방법으로 인식되고 있다. ARCR은 견관절외과 의사뿐만 아니라 정형외과 의사로서의 기본적인 술기가 될 것으로 예상되며, 특히 젊은 정형외과 의사에게는 ARCR 술기의 습득은 필수라고 할 수 있다.

수술 전 고려 사항

● 수술 전 영상 진단

수술 전 영상 진단으로서 X선 소견에서 견봉하 혹은 견봉-쇄골관절의 골극의 유무와 견봉과 상완골두간의 간격(acromiohumeral interval; AHI)을 체크한다.

MRI는 필수적으로 시행해야 하며 파열 부위나 크기(길이, 폭) 및 지방 침윤 정도를 반영해서 관절경수술 시 봉합이 가능한 상태(repairable) 여부도 판단해야 한다. 일반적으로는 관상면에서 파열건의 끝부분이 관절와 수준까지 퇴축되고 시상면에서의 Gutallier 분류에서 Grade 3 이상의 지방 침윤이 있으면 1차적으로는 완전 봉합이 불가능한 경우가 많다.

● 수술 체위, 수술도구 수술준비

수술 체위는 좌체위로 하지만, 측와위에서도 시행 가능하다. 상지의 유지에는 Arm-Controller (オオタ 주식회사)나 Spider positioner (Smith & Nephew사)를 사용하고, 견관절 외전, 굴곡위로 하방 견인을 가한다. 관절 관류액은 Arthromatic (Baxter)을 사용해 관류액 펌프로 압력을 가한 상태로 관류하면서 수술을 한다.

● ARCR에서 자주 사용하는 디바이스

RF device (VAPR® system : DePuySynthes, Arthrocare: Arthrex Japan), 쉐이버, ablator, suture retriever, suture grasper (Kingfisher®), suture anchor, suture hook®, suture punch®, Scorpion (Arthrex Japan), suture grasper (DePuy Synthes) 등을 들 수 있다. Knot tying 시에는 knot pusher를, suture를 자를 때에는 knot cutter를 사용한다.

ARCR에서는 기본적으로 suture anchor를 사용하지만, anchor의 suture를 회전근에 통과시키는 술기에는 직접법과 릴레이법이 있으며, 전자에는 Scorpion, suture grasper 등을 이용하는 경우가 많다. 후자는 suture punch나 suture hooks을 이용한다. 그리고, 모노필라멘트의 사용법에 따라 싱글수처법과 루프법이 있다.

수술 진행

1. 삽입구 제작
2. 활액막 및 견봉하 점액낭 절제에 의한 시야 확보와 견봉하 감압술(ASD)
3. 봉합 디자인 및 봉합법 결정
4. Suture Anchor 삽입
5. 회전근개 봉합
   · 심층(DF)의 봉합
   · 천층(SF)의 봉합
6. 수술 후 요법

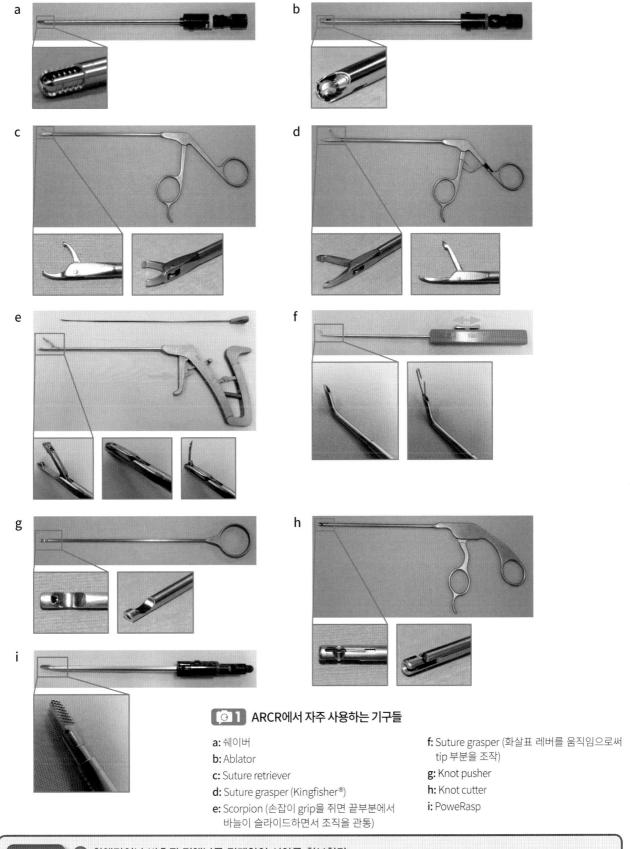

ⓒ1 ARCR에서 자주 사용하는 기구들

a: 쉐이버
b: Ablator
c: Suture retriever
d: Suture grasper (Kingfisher®)
e: Scorpion (손잡이 grip을 쥐면 끝부분에서 바늘이 슬라이드하면서 조직을 관통)

f: Suture grasper (화살표 레버를 움직임으로써 tip 부분을 조작)
g: Knot pusher
h: Knot cutter
i: PoweRasp

① 활액막이나 비후된 점액낭를 절제하여 시야를 확보한다.
② 봉합 디자인을 결정한다.
③ 목표한 위치와 방향에 suture anchor를 삽입한다.

수술 술기

기본적인 ARCR의 술기에는 single row 봉합, double row 봉합, suture bridge 봉합 등이 있는데, 여기에서는 기본 술기로서 극상근 중(中; medium)파열에 대한 double row법에 대해 설명한다.

1 삽입구 제작

기본 삽입구로서 후방(posterior; P) 삽입구, 전방(anterior; A) 삽입구, 전외측(anterolateral; AL) 삽입구, 후외측(posterolateral; PL) 삽입구, 전상방(anterosuperior; AS) 삽입구(anchor 삽입에 이용한다), 총 5개 삽입구를 사용한다 **2**. 경우에 따라서는 Neviaser (N) 삽입구를 사용할 수 있다 **2**.

관찰 삽입구는 관절 내에서 주로 후방(P) 삽입구를, 견봉하 활액막은 후방(P) 삽입구와 후외측(PL) 삽입구, 전외측(AL) 삽입구를 모두 이용할 수 있다.

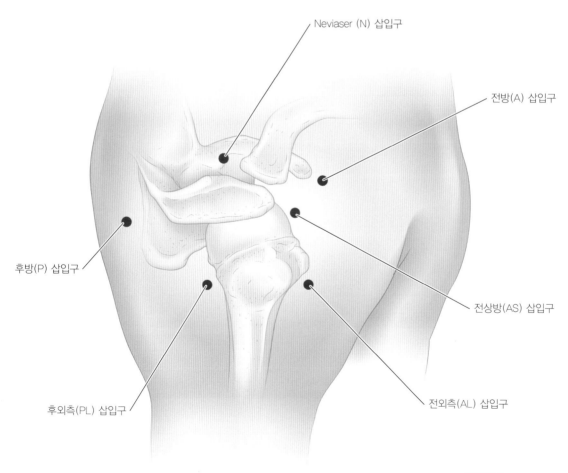

Neviaser (N) 삽입구

전방(A) 삽입구

후방(P) 삽입구

전상방(AS) 삽입구

후외측(PL) 삽입구

전외측(AL) 삽입구

2 삽입구의 제작위치

2 활액막 및 견봉하 점액낭 절제에 의한 시야 확보와 견봉하 감압술(ASD)

후방에서 관절경으로 관찰하며, 관절 내에서 회전근개 파열의 크기와 활액막염을 확인하고, 이를 쉐이버나 RF device를 이용하여 절제한다. 이후에, 후방 삽입구 내에서 방향을 바꿔 증식한 활액막이나 비후한 견봉하 점액낭(subacromial bursa; SAB) 내부를 관절경을 통해 마찬가지로 전외측 삽입구로부터 도구를 삽입하여 박리함으로써 시야를 확보한다.

다음으로는 견봉하 혹은 견봉–쇄골 관절의 골극을 ablator나 Synergy 전용 디바이스인 PoweRasp를 이용해 절제(견봉하 감압술, arthroscopic subacrominal decompression; ASD)를 실시한다. 이때, 견봉하면 (subacromial surface)이 평탄화되도록 전후, 좌우로 움직이면서 조작한다.

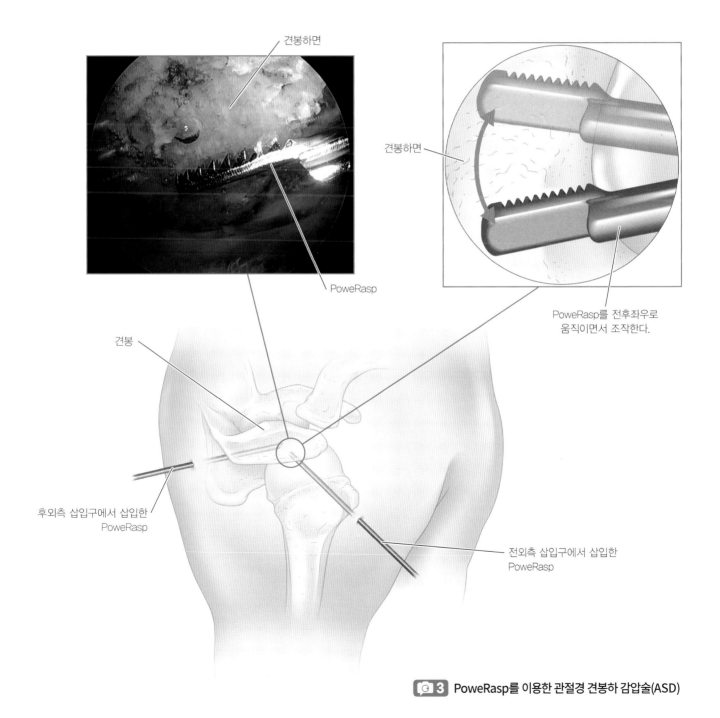

견봉하면

견봉하면

PoweRasp

PoweRasp를 전후좌우로
움직이면서 조작한다.

견봉

후외측 삽입구에서 삽입한
PoweRasp

전외측 삽입구에서 삽입한
PoweRasp

📷3 PoweRasp를 이용한 관절경 견봉하 감압술(ASD)

3 봉합 디자인 및 봉합법 결정

회전근개는 천층(점낭측, superficial flap; SF)과 심층(관절측, deep flap; DF)의 2층 구조로 되어 있으며, 중파열의 경우 대부분은 2층이 분리(delamination)를 일으키고 있기 때문에 봉합 시에 심층이 인입(引入; 안으로 끌려들어옴)되는 것을 간과하지 않도록 주의가 필요하다 4a.

심층이나 천층의 파열된 끝부분을 대결절의 footprint (FP)까지 복구 가능한지 KingFisher®를 이용해 끌어당겨 본다. 어느 방향으로 당기면 봉합이 가능한지, Crescent 타입인지 U자형/L자형 타입인지 4b 를 면밀히 검토하여 봉합술 과정에서의 봉합 디자인과 FP에서의 anchor 삽입부를 결정한다.

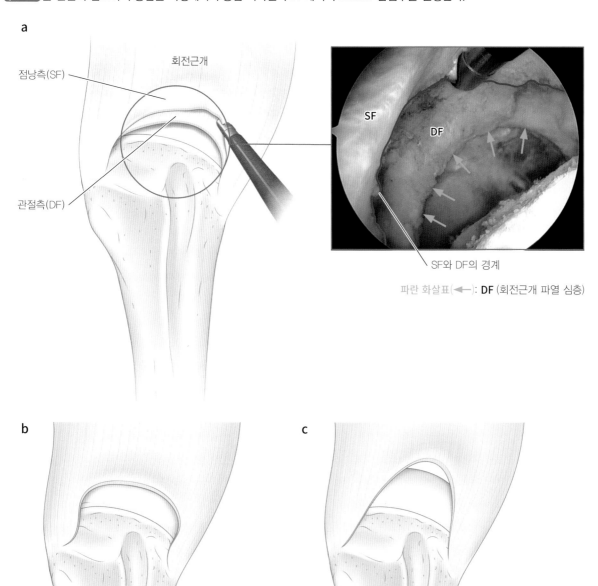

a

점낭측(SF)
회전근개
관절측(DF)

SF
DF
SF와 DF의 경계

파란 화살표(◀—): **DF** (회전근개 파열 심층)

b

c

[📷 4] **회전근개 파열의 2층 분리**

a: 후외측 삽입구에서 보는 2층 분리
b: Crescent 타입
c: U자형 / L자형 타입

4 Suture Anchor 삽입

복원하려는 위치의 대결절 footprint를 쉐이버와 ablator를 이용해 전처치(bed preparation)한다 📷5.

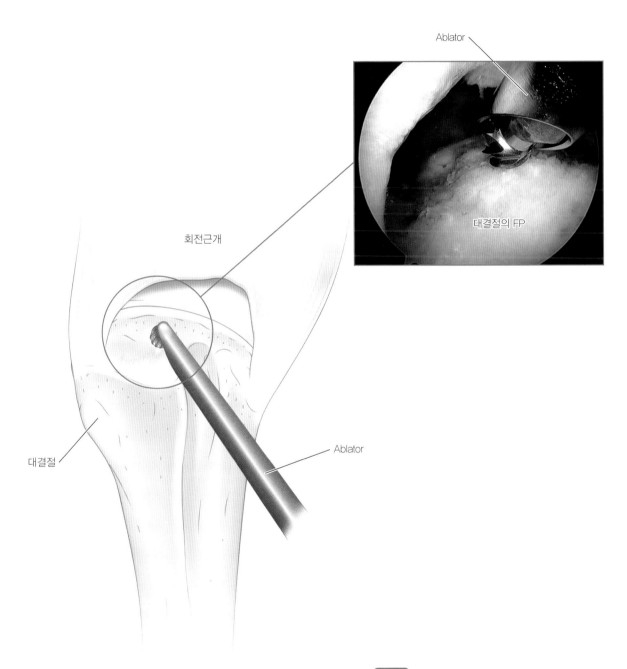

📷5 Ablator를 통한 대결절의 FP 전처치

그 후 FP의 내측을 향해서 전상방 삽입구에서 suture anchor 삽입용 awl을 삽입하고 **📷 6a**, awl로 뚫은 hole에 anchor를 삽입한다(**📷 6b**, **📷 6c**).

코멘트 **NEXUS view** ///

Awl을 삽입할 때, 삽입 방향이 상완골두 중심을 향하도록 견관절을 내전 자세로 하여 내회전시켜서 방향을 조절한다.

젊은 환자 중에서 강한 bone quality로 인해서 단단한 경우에는 탭을 사용하지 않으면 anchor가 파손되는 일이 있다.

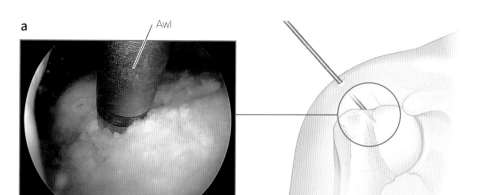

a   Awl

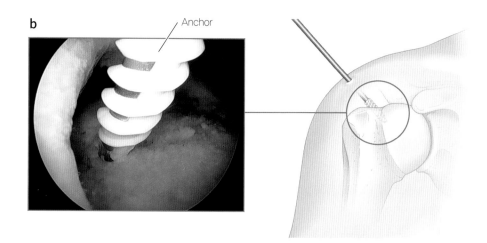

b   Anchor

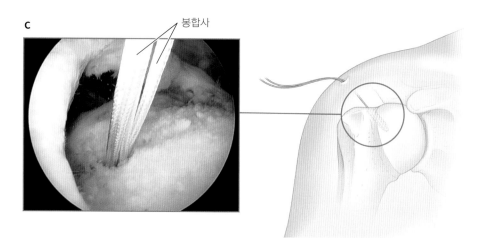

c   봉합사

📷 6 **Suture anchor 삽입**

a: Awl 삽입
b: Anchor 삽입
c: Anchor 삽입 후 봉합사

5 회전근개 봉합

심층(DF)의 봉합

심층의 봉합 시에 시야에 방해가 되는 천층(점낭측)을 전방 삽입구에서부터 grasper 등으로 잡아 들어 올리고, 전외측 삽입구로부터 suture punch `7a` 나 suture hooks `7b` 을 사용해 심층의 파열 끝부분에 봉합사(monofilament)를 통과시킨다 `7c` .

a

전외측 삽입구에서 삽입된
suture punch

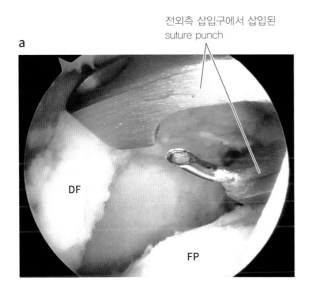

b

전외측 삽입구에서 삽입된
suture hooks

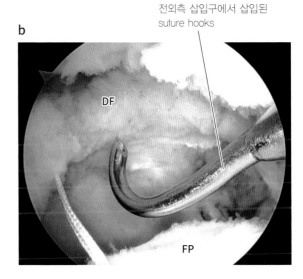

c

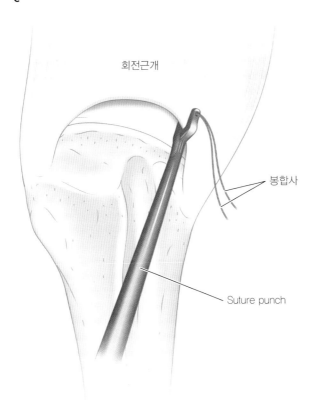

회전근개

봉합사

Suture punch

7 회전근개 심층에 봉합사 통과

a, c: Suture punch를 사용한 봉합사(monofilament) 통과
b: Suture hooks을 사용한 봉합사(monofilament) 통과

봉합사 relay 종류로는 monofilament의 사용법에 따라 loop법 📷8과 single suture법 📷9이 있다. 루프법은 관절 내에서 monofilament의 루프에 봉합사를 통과시켜 릴레이하고, 싱글 수처법은 monofilament와 봉합사를 관절 외부에서 결찰하여 릴레이한다.

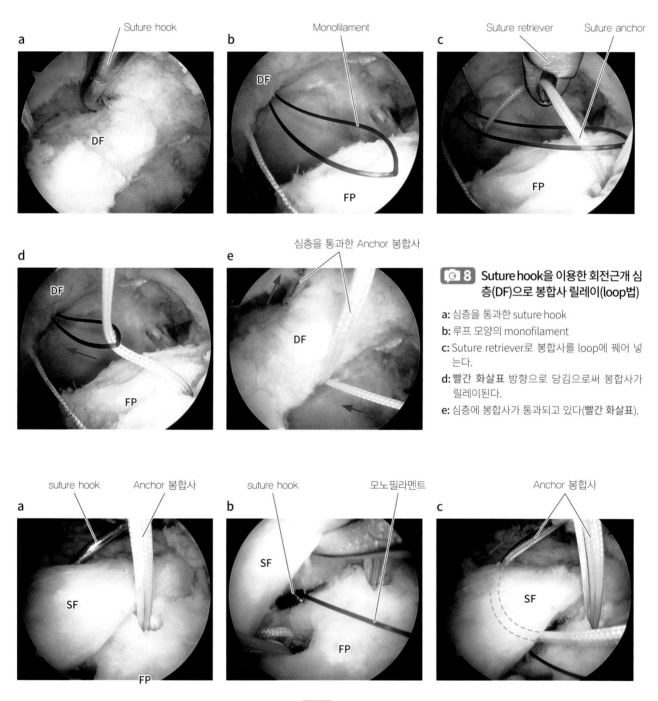

📷8 Suture hook을 이용한 회전근개 심층(DF)으로 봉합사 릴레이(loop법)

a: 심층을 통과한 suture hook
b: 루프 모양의 monofilament
c: Suture retriever로 봉합사를 loop에 꿰어 넣는다.
d: 빨간 화살표 방향으로 당김으로써 봉합사가 릴레이된다.
e: 심층에 봉합사가 통과되고 있다(빨간 화살표).

📷9 Suture hooks을 이용한 회전근개 천층(SF)으로의 봉합사 릴레이 (single suture 법)

a: 천층에 삽입된 suture hook
b: Suture hook 끝에서 나온 monofilament
c: 관절 외부에서 결찰하여 화살표 방향으로 당기면 봉합사가 회전근개를 통과한다.

5 mm 직경의 cannula를 삽입하고 📷 10a, 내측 열의 봉합사를 knot pusher를 이용해 sliding knot로 봉합 📷 10b 한 후, knot cutter로 자른다 📷 10c .

📷 10a 📷 10b 📷 10c

코멘트 ▶ **NEXUS view** ////

Suture punch와 Suture hook

Suture punch는 술자의 손에 확실히 쥐어진 상태에서, 회전하는 각도를 조절하여 바늘 끝 부분을 회전근개에 통과시킨다.

Suture hook은 좌우로 각도가 장착되어(built-in) 있기 때문에 사용시 회전근개를 관통해서 나올 바늘 끝의 방향을 예상해서, 파열 형태에 맞게 적절히 구분해서 사용하는 것이 포인트이다.

주의! ▶ **NEXUS view** ////

슬라이딩 노트를 시도했으나 제대로 슬라이딩하지 않는 경우에는 Revo knot를 사용하여 hand tying을 한다.

a
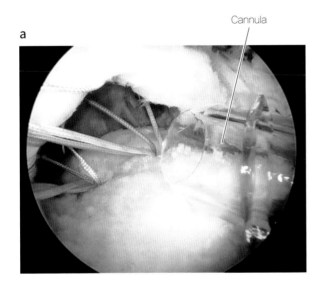
Cannula

b
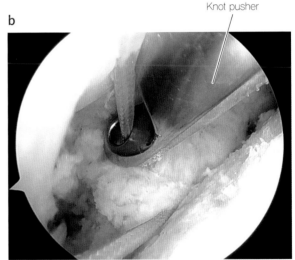
Knot pusher

c
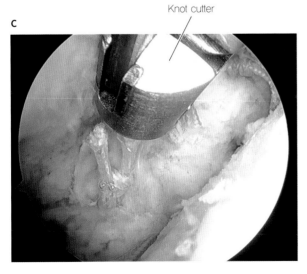
Knot cutter

📷 **10** Knot tying

a: Cannula 삽입
b: Knot pusher를 이용한 knot tying
c: Knot cutter로 봉합사를 절단한다.

천층(SF)의 봉합

천층의 봉합에는 FP의 외측열에 suture anchor를 삽입한다. 회전근개 파열단에 suture anchor를 걸려면 심층과 마찬가지로 suture punch나 suture hooks을 사용하거나 ⓒ 8, 9 , 직접 Scorpion 이나 suture grasper 등을 이용하여 실시한다.

Scorpion은 7 mm 이상 직경의 cannula를 사용하여 관절 밖에서 suture anchor를 장착한 후 봉합사를 통과시키고자 하는 위치의 회전근 파열 부위에서 손잡이에 달린 grip을 쥐면 needle이 회전근을 뚫고 봉합사를 걸 수 있다 ⓒ 11 .

Suture grasper는 60도를 사용하고, 전방 삽입구, 후방 삽입구, 경우에 따라 Neviaser 삽입구로부터 회전근개를 뚫고 직접 suture anchor를 걸어서 릴레이시킨다 ⓒ 12 .

목표로 하는 모든 파열부위에 봉합사가 걸리면 cannula를 사용하여 knot tying을 실시한다.

코멘트 NEXUS view ///

미리 파열부위를 잡아서 들어올리고, needle이 통과할 장소를 예측해 suture anchor를 목표한 위치에 유도하는 것이 중요하다.

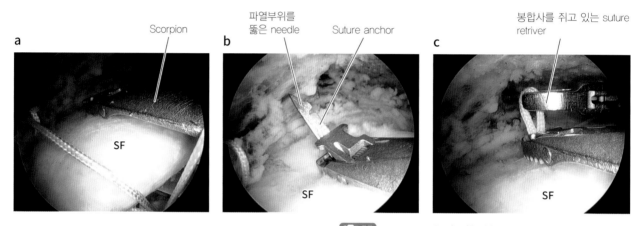

ⓒ 11 Scorpion을 이용한 천층(SF)에 suture anchor 삽입

a: Scorpion으로 SF를 잡는다.
b: 그립을 당겨 바늘과 함께 suture anchor를 관통시킨다.
c: 바늘을 뺀 후 봉합사를 suture retriver로 회수한다.

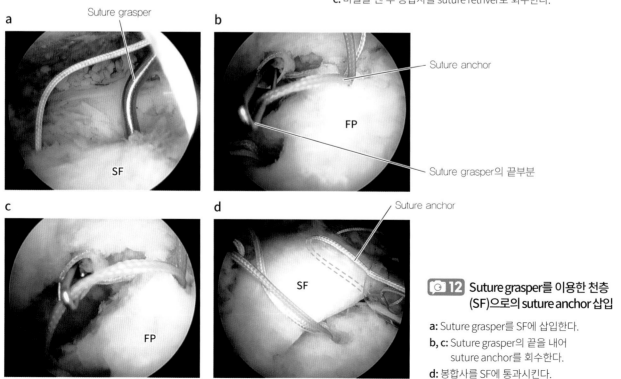

ⓒ 12 Suture grasper를 이용한 천층 (SF)으로의 suture anchor 삽입

a: Suture grasper를 SF에 삽입한다.
b, c: Suture grasper의 끝을 내어 suture anchor를 회수한다.
d: 봉합사를 SF에 통과시킨다.

6 수술 후 요법

수술 후 4주간의 global sling 고정 후 stooping 및 능동 운동을 개시하는데, 고정 기간 중에도 견관절의 수동운동이나 주관절 굴곡—신전, 지관절 능동운동 등은 적극적으로 실시한다.

수술 후 3개월에 MRI를 시행하여 재파열 유무를 확인하고 고무줄이나 세라밴드를 이용한 Cuff 운동을 시작한다. 3개월부터는 ADL에 제한 없이 생활할 수 있다.

수술 후 6개월에 정상적인 ROM 회복과 스포츠 활동을 목표로 재활치료를 진행한다.

참고문헌

1) 鈴木一秀. 腱板断裂に対する鏡視下腱板修復術.整形外科看護. 2007:12(6):529-33.
2) 鈴木一秀, ほか. 腱板損傷に対する鏡視下腱板修復術.関節外科. 2008:27:26-32.
3) 菅谷啓之. Ⅷ腱板障害　鏡視下縫合　肩関節外科の要点と盲点. 高岸憲二編, 東京:文光堂:2008.p.327-9.

I. 상지

견봉—쇄골 관절의 관절경 기구 취급법

일본의과대학 치바호쿠소 병원 정형외과 **하시구치 히로시(Hiroshi Hashiguchi)**
일본의과대학 정형외과 **이와시타 사토시(Satoshi Iwashita)**

Introduction

견봉—쇄골 관절의 장애나 손상은 slip down · 추락 등의 외상이나 스포츠 · 작업 등으로 인한 과부하, 퇴행성 변화 등, 다양한 원인에 의해 발생한다. 주요 질환으로는 견봉—쇄골관절 탈구, 퇴행성 관절염, distal clavicle osteolysis 등을 들 수 있다. 확정 진단은 압통이나 변형 등의 국소적인 이학적 소견과 단순 X선 촬영, MRI 같은 영상진단방법을 통하는 것도 용이하나 견봉—쇄골관절이 동통에 기인하는지 여부를 리도카인 등의 마취제를 관절 내로 주입해서 판단하는, 블록 테스트가 유용하다.

치료는 보존요법이 최우선 선택법이지만, 보존요법에 반응하지 않는 증례에 대해서는 수술의 적응증이 된다.[1] 견봉—쇄골 관절에 대한 수술법으로는 과도한 침습을 피하기 어려운 관혈적 방법보다, 삼각근 박리가 필요 없고 견봉쇄골인대 및 관절막의 보존이 가능하며 미용적으로도 뛰어난 저침습적인 관절경수술이 더 선호된다.

수술 전 고려 사항

● 수술 적응증과 금기증

퇴행성 관절염, distal clavicle osteolysis에 대해서는 관절경하 쇄골 원위단 절제술(arthroscopic distal clavicle resection; ADCR)[2]을, 견봉—쇄골 관절 탈구에 대해서는 인공인대를 이용한 오구쇄골인대 재건술(arthroscopic coracoclavicular ligament reconstruction; ACCLR)이 이루어진다.

ACCLR의 적응은 도수정복 가능한 Rockwood 분류 type III 이상의 급성기이며, 상대적 금기는 도수정복이 불가능한 만성례, 오구돌기 골절 합병례이다.[3]

● 자주 사용하는 기구

기본적인 견관절 관절경 기구 세트로서 30° 관절경, 쉐이버, 관절경용 RF device, 관류 장치, 관절경용 겸자(forceps)를 준비한다.

기본적인 기구에 덧붙여 ADCR에서는 각종 ablator burr를 사용한다. 반면에, ACCLR에서는 오구돌기 하방 관찰용으로 70° 관절경, 견봉—쇄골 관절 임시 고정용 2.4 mm Kirschner 강선(K-wire), 삽입용 파워 드릴, 인공인대 및 인대고정장치(staples, endobutton 등), 루프 와이어, reamer 드릴, 쇄골 및 오구돌기의 터널 가이드를 준비한다.

ADCR에서 사용하는 기구

ADCR에서 사용하는 ablator burr에는 다양한 종류가 있으며, 끝부분 절삭부위가 구형인 round burr **📷1a**, acromionizer, barrel burr **📷1b** 등이 자주 사용된다.

Round burr는 점과 점을 잇는 선형태로 절삭하기 때문에, 작은 골극절제 등 섬세한 조작에 유용하다. Acromionizer, barrel burr 등은 선과 선을 잇는 면 형태로 절삭하기 때문에 견봉이나 쇄골 원위단 절제면을 평탄하게 만드는 데 유용하다.

수술 진행

1. 삽입구 제작
2. 견관절 관찰
3. 가이드 설치 및 터널 제작
4. 견봉하 활액막 관절경 소견
5. 쇄골 원위단 절제
6. 창상봉합, 외고정, 수술 후 요법
   · 창상봉합
   · 외고정
   · 수술 후 요법
   · 증례

ACCLR에서 사용하는 기구

ACCLR에서 사용하는 쇄골 · 오구돌기 터널 가이드로는 견봉쇄골관절 탈구용 드릴 가이드(Yufu Itonaga사), AC 가이드(Arthrex사) 등이 있다 .

각 드릴 가이드의 오구돌기 하방 삽입 측에는 K-wire나 reamer 드릴이 너무 깊게 들어가지 않도록 첨단부를 막아내는 protector가 달려 있다. 또한 가이드를 안정되게 조작할 수 있도록 오구돌기 기저부나 골표면에 고정시킬 수 있는 hook을 가지고 있다.

● **마취와 수술 체위**

수술은 전 사각근 차단술을 병용한 전신마취하에서 실시한다.

ACCLR에서의 체위는 좌체위로 하고, 정복 상태와 가이드, 인대고정장치의 위치를 확인하기 위해 X선 투시장치를 머리 측에 설치한다.

ADCR의 체위는 좌체위, 측와위 모든 곳에서 가능하다.

● **평가와 고정**

견봉쇄골관절의 불안정성의 평가는 상지를 하방으로 견인한 상태에서, 수평하게 내전(adduction)하거나, 또는 쇄골 원위단을 전후 방향으로 움직여보면서 수평 방향에서의 불안정성을 평가한다.

ACCLR에서는 우선 견봉쇄골관절의 임시 고정을 실시한다. 견봉쇄골관절을 도수 정복하고, X선 투시장치로 적절한 정복 상태를 확인한 후, 2.4 mm 직경 K-wire로 고정한다.

코멘트 NEXUS view ////

외상후 관절염에서는 경미한 불안정성이 잠재되어 있는 사례가 있을 수 있다. 이러한 증례에서 쇄골 원위단 절제술만을 시행하면 수술 후에 불안정성이 표면화되어서, 통증이나 기능장애가 수술 후에도 잔존할 가능성이 있으므로 주의가 필요하다.

a

1 Ablator burr

a: Round burr
b: Acromionizer

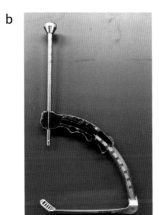

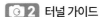 **2 터널 가이드**

a: 견봉쇄골관절 탈구용 드릴 가이드
(Yufu Itonaga사)
b: AC 가이드(Arthrex사)

 Fast Check

① 수술 전 견봉쇄골관절의 불안정성을 이학적 검사 및 스트레스 단순 X선 촬영을 통해서 충분히 평가한다.
② 관절경하 오구쇄골인대 재건술로 수직 방향(상하) 불안정성을 조절하고, 견봉쇄골인대 봉합·재건술로 수평 방향(전후) 불안정성을 조절한다.
③ 확실한 쇄골 원위단 절제를 위해 다양한 방향에서 관절경으로 확인하는 것이 중요하다.

수술 술기

1 삽입구 제작

제작해야 하는 각종 삽입구와 그 삽입구에서 이루어지는 조작을 기술한다 📷3.

후방 삽입구: 견관절 내에서 오구돌기 하방 및 견봉하 활액막 내부를 관찰한다.

전측방 삽입구와 전방 작업 삽입구: 오구돌기 하방의 처치, 터널 가이드 삽입, 인공인대 유도 및 골절제를 실시한다.

견봉쇄골관절 다이렉트 삽입구: 쇄골 원위단을 절제한다.

쇄골 위에서의 인공인대 고정은 견봉쇄골관절보다 근위로 약 3~4 cm 쇄골원추양인대결절(conoid tubercle) 바로 위에 약 2 cm 정도의 피부 절개를 한다 📷3.

코멘트 NEXUS view

ACCLR에 이용하는 전방 삽입구는 통상보다 하내측으로 이동시켜, 오구돌기 외측에 위치하게 해서 신경·혈관을 손상하지 않도록 blunt trocar로 신중하게 연부조직을 박리한 후에 cannula를 설치한다. 터널 가이드 삽입과 인공인대 유도를 위해 soft cannula를 이용하면 조작이 용이하다.

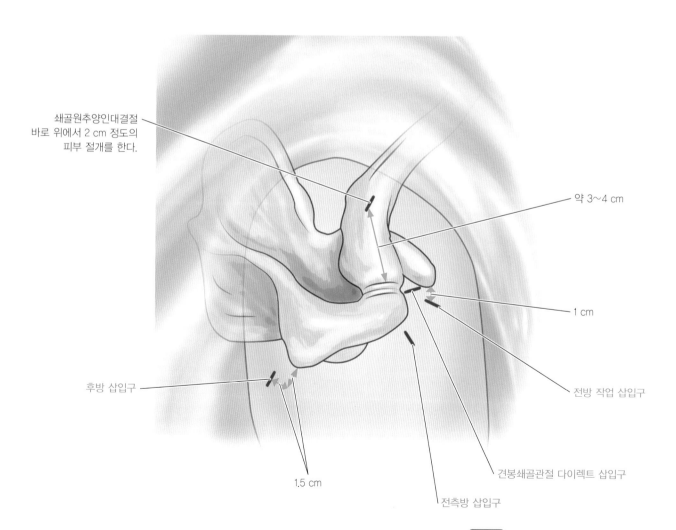

쇄골원추양인대결절 바로 위에서 2 cm 정도의 피부 절개를 한다.

약 3~4 cm

1 cm

전방 작업 삽입구

후방 삽입구

1.5 cm

견봉쇄골관절 다이렉트 삽입구

전측방 삽입구

📷3 삽입구의 제작 위치 및 피부 절개

2 견관절 관찰

ACCLR에서는 후방 삽입구에서 관절경을 삽입하고, 견관절 내부 관찰부터 개시한다. 회전근개의 관절막면, 관절연골, 상완이두근 장두건 등 동반되기 쉬운 조직손상의 유무를 평가한다. 견봉쇄골관절 탈구나 퇴행성 관절염에서는 관절와순 손상이 비교적 잘 동반된다.[2] 필요에 따라서 손상부위의 변연절제술이나 봉합을 실시한다.

전측방 또는 전방 삽입구로부터 RF device, 쉐이버를 삽입해서 회전근 간격를 박리하고, 오구돌기 하방의 연부조직을 제거하여 하방 골면을 노출시킨다 **④**.

코멘트 **NEXUS view** ///

회전근 간격, 오구돌기 기저부의 연부조직은 혈관이 풍부하므로 절제할 때는 RF device가 유용하다.
오구돌기 하방을 관찰하기 위해서는 30°보다 70° 관절경이 양호한 시야 확보가 가능하다.

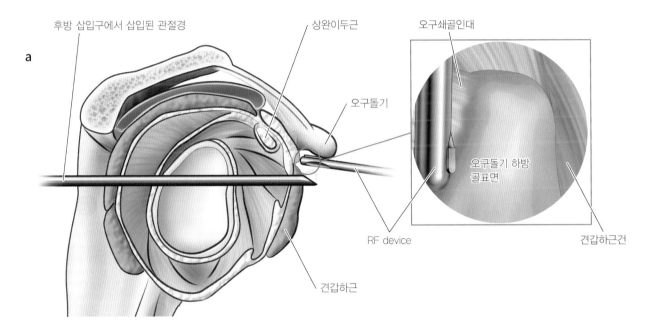

a
후방 삽입구에서 삽입된 관절경 · 상완이두근 · 오구쇄골인대 · 오구돌기 · 오구돌기 하방 골표면 · RF device · 견갑하근건 · 견갑하근

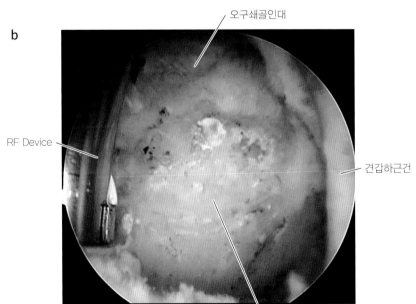

b
오구쇄골인대 · RF Device · 견갑하근건 · 오구돌기 하방 골표면

④ 오구돌기 하방 골표면의 관절경 소견
(후방 삽입구에서 관찰)

a: 쉐이버로 오구돌기 하방 골표면의 연부조직을 제거한다.
b: 제거 후 오구돌기 하방 골표면이 노출되고 있다.

3 가이드 설치 및 터널 제작

터널 가이드의 첨단부위는 전측방 삽입구에서 삽입한 경우에는 오구견봉인대의 방향에 따라서, 전방 삽입구로부터 실시하는 경우는 결합건이 손상되지 않도록 오구돌기 하방 골표면 기저부에 설치한다 📷5. 드릴 가이드를 쇄골 상면에 설치한다. 가이드를 따라 reamer 드릴로 쇄골 및 오구돌기에 터널을 만들어 인공인대의 유도 및 고정을 실시하고 오구쇄골인대를 재건한다.[4]

코멘트 **NEXUS view** /////

여러 번의 드릴 삽입에 의한 수술 중·수술 후 골절을 피하기 위해서, 터널 가이드의 설치 위치, reamer 드릴의 방향·깊이를 X선 투시 장치에서 확인하는 것이 중요하다.

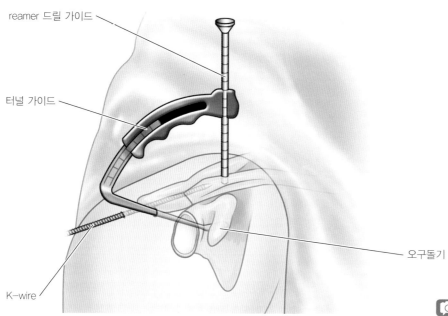

reamer 드릴 가이드

터널 가이드

오구돌기

K-wire

📷5 터널 가이드 위치

4 견봉하 활액막 관절경 소견

ADCR에서는 후방 삽입구에서 관절경을 삽입하고, 견봉하 활액막 내부를 관절경으로 확인한다. 시야의 방해가 되는 활액막을 절제한 후에 회전근개 활액면에서의 손상 유무를 평가한다. 뚜렷한 균열이 있는 경우에는 회전근개 봉합술을 동시에 시행한다.

전방 또는 전측방 삽입구로부터 RF device, 쉐이버를 삽입하고, 견봉하면(inferior surface), 견봉쇄골관절 주위의 연부조직을 제거하여 골면을 노출하고, 골극 등의 골형태를 평가한다. 필요에 따라서 견봉쇄골 관절에서 견봉측의 골극절제, 견봉하 감압술을 실시한다.

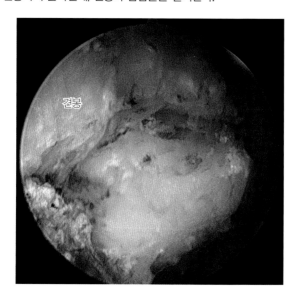

견봉

📷6 견봉하 활액막 내의 관절경 소견
(후방 삽입구에서 관찰)

연부조직을 제거한 후, 골면이 노출되어 있다.

5 쇄골 원위단 절제

전방 또는 전측방 삽입구로부터 ablator burr를 삽입하고, 쇄골 원위 전하방의 피질골 절제를 개시한다. 쇄골 전하방 가장자리의 피질골을 약 1 cm 절제해서 절제하려는 폭을 결정한다 📷7.

a

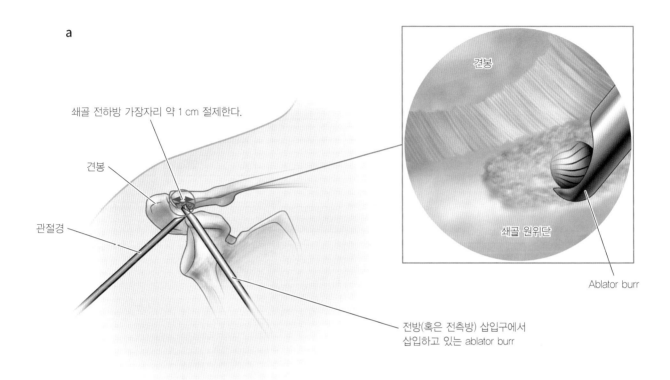

쇄골 전하방 가장자리 약 1 cm 절제한다.

견봉

관절경

견봉

쇄골 원위단

Ablator burr

전방(혹은 전측방) 삽입구에서 삽입하고 있는 ablator burr

b

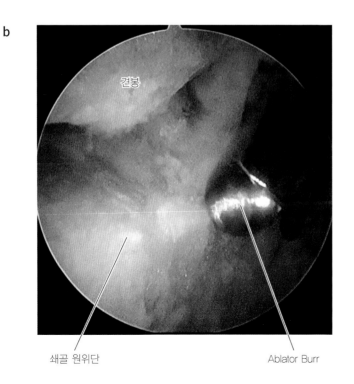

견봉

쇄골 원위단

Ablator Burr

📷7 **쇄골 원위단의 전하측 가장자리 절제**

쇄골 전하측 가장자리의 피질골을 약 1 cm 폭으로 절제한다.

다음으로 견봉쇄골관절 다이렉트 삽입구로부터 ablator burr를 삽입하고, 원위단에서 1 cm 절제한 폭으로 쇄골 원위단 관절면과 평행하게 자동차 와이퍼처럼 ablator burr를 조작해서 아래쪽에서 위쪽으로, 전방에서 후방으로 골절제를 실시한다 📷8. 쇄골 원위단 상부에 위치한 견봉쇄골인대 부착부가 손상되지 않도록 상방 변연의 피질골 절제는 ablator burr의 sheath를 인대 측을 향하게 해서 손상을 최소화시키도록 한다. 또, 절제면이 평탄하게, 변연부가 예각이 되지 않도록 피질골 경계를 둔하게(blunt) 절삭한다 📷9. 미저 다 깎지 못한 부분이 있는지 프로브로 확인한다.

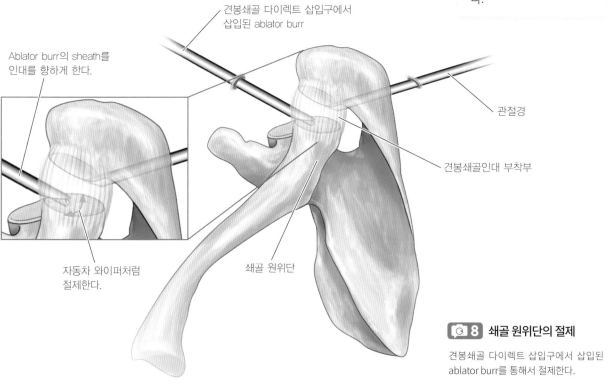

견봉쇄골 다이렉트 삽입구에서 삽입된 ablator burr

Ablator burr의 sheath를 인대를 향하게 한다.

관절경

견봉쇄골인대 부착부

자동차 와이퍼처럼 절제한다.

쇄골 원위단

📷8 **쇄골 원위단의 절제**

견봉쇄골 다이렉트 삽입구에서 삽입된 ablator burr를 통해서 절제한다.

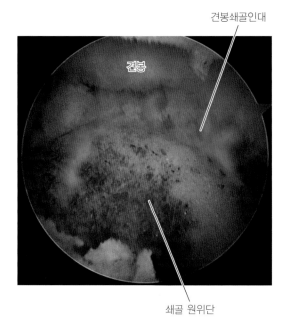

견봉쇄골인대

견봉

쇄골 원위단

Blunt하게 절삭된 피질골 경계

견봉

견봉쇄골인대

쇄골 원위단

📷9 **쇄골 원위단 절제의 관절경 소견**

6 창상봉합, 외고정, 수술 후 요법

창상봉합

관절 안정성 및 가동범위를 확인하고, 창상을 봉합한다.

외고정

ACCLR에서는 견봉쇄골관절을 임시 고정한 강선(K-wire 등)을 피하에 매몰시키고, shoulder brace에 의한 외고정을 4주간 실시한다.

수술 후 요법

재활훈련은 수술 후 1주째부터 견관절 수동 가동범위 훈련부터 시작, 수술 후 3주에 체간밴드 제거, K-wire 제거, 능동 보조적(active assistive) 운동, 수술 후 4주에 슬링을 제거하고 능동운동을 개시한다.[5]

ADCR 단독인 경우에는 삼각건 고정만 하고, 재활시술을 수술 다음날부터 수동 및 능동 관절가동범위 훈련을 시작한다.

회전근개 파열 등 합병손상을 봉합했을 경우의 외고정 및 재활은 해당 질환에 대한 수술 후 재활에 준해서 실시한다.

증례 ⓒ10

46세 남성, 전기 기술자, 우측 퇴행성 견봉쇄골관절증.

특별한 원인 없이 오른쪽 어깨 관절통이 발생하여 본원에 내원하였다. 우측 견봉쇄골 관절부의 압통과 골성 돌출을 보이고 수평내전 검사 양성, 단순 X선 촬영 ⓒ10a 및 MRI ⓒ10b 를 통해서 퇴행성 견봉쇄골관절증으로 진단되었고, 수술 적응증으로 판단했다.

관절경 쇄골 원위단 절제술 후 4개월의 단순 X선 촬영 ⓒ10c 에서 절제부의 간극은 유지되고 골증식도 보이지 않는다. 통증이나 기능장애도 없고 경과도 양호하다.

a

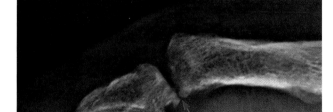

c

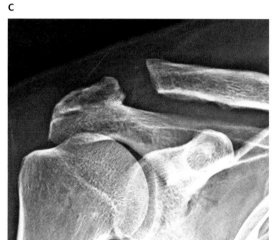

b

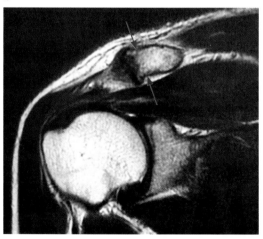

ⓒ10 **퇴행성 견봉쇄골관절증(46세, 남성)**

a: 초진 시 단순 X선상
관절 간격 협소화, 관절면의 불규칙 변화가 확인된다(➡).
b: MRI
T2 강조상에서 관절면 불규칙(➡), 관절 부종·종창을 보인다.
c: 수술 후 4개월 단순 X선상

참고문헌

1）橋口　宏, 岩下　哲, ほか. 肩鎖関節脱臼に対する積極的保存療法による早期スポーツ復帰. 東日本整災会誌. 2011;23:277-80.
2）岩下　哲, 橋口　宏, ほか. 変形性肩鎖関節症に対する鏡視下鎖骨遠位端切除術の治療成績. JOSKAS. 2013;38:499-503.
3）橋口　宏. 肩鎖関節脱臼に対する鏡視下烏口鎖骨靱帯再建術. 関節外科 2012;31:1474-80.
4）橋口　宏. 肩鎖関節脱臼に対する鏡視下烏口鎖骨靭帯再建術 -スポーツ復帰のための手術　肩・肘. OS NEXUS 11. 東京:メジカルビュー社:2017.p.26-33.
5）橋口　宏. 各疾患に対する理学療法　肩鎖関節脱臼. スポーツ外傷・障害の理学診断・理学療法ガイド. 東京:文光堂:2015.p.215-9.

하지 **II**

II. 하지
고관절 관절경수술의 기본 술기

기타사토 대학 의학부 정형외과학 **후쿠시마 켄스케(Kensuke Fukushima)**

Introduction

최근 고관절 비구순(labrum) 손상이나 대퇴-비구충돌증후군(femoroacetabular impingement; FAI) 질환에 대한 개념이 널리 보급되면서 진단되는 환자가 증가하고, 그에 따라 관절경수술에 적응되는 질환이 확대됨과 동시에 고관절 관절경수술에 특화된 수술기구의 발전으로 인해 일본에서도 고관절 관절경수술 건수는 증가 추세에 있다.

관절 주변이 두꺼운 연부조직으로 덮인 고관절에서는 저침습적인 접근법을 통해서, 관찰과 진단 및 처치까지 가능해지는 고관절 관절경수술이 매우 유용한 수술 술기이다. 그러나 해부학적으로 working space가 좁고 삽입구에서 작용 부위까지의 거리(working range)도 길기 때문에 술기적으로는 결코 쉽지 않다. 의인성(iatrogenic) 연골손상을 비롯한 다양한 합병증의 보고도 여러 차례 발표되어 있으므로,[1, 2] 적절한 수술 적응증에 대한 판단과 더불어 충분한 세팅과 수술 술기에 대한 이해를 가지고 이루어져야 한다.

수술 전 고려 사항

• 수술 적응증

관절내 유리체, 비구순 손상, FAI, 활막성 질환, 원형인대(round ligament) 손상, 화농성 고관절염, 원인불명의 고관절통에 대한 진단 등 기본적으로 관절내 병변으로 판단된다면 거의 모든 질환에 고관절 관절경은 적용될 수 있다.

그러나 고관절 관절경수술 후 관절 불안정성의 증가가 우려되기 때문에, 명백한 비구 형성부전이 확진된 증례에서는 원칙적으로 적응되지 못하며, 또한 관절이완(joint laxity)을 가진 증례 역시 주의를 요한다.

수술 전의 퇴행성 고관절증(osteoarthritis; OA) 및 중증 연골손상이 있는 경우는 수술 후 임상 성적의 불량인자로서 보고되며[3] 상대적 금기로 여겨진다.

추가로, 저자들은 원칙적으로 X선 투시하 혹은 초음파하에서 고관절 내 자일로카인(xylocaine) 블록 테스트를 실시하여 효과가 확인된 증례를 수술 적응증으로 하고 있다.

• 관절경의 종류와 특징

관절경은 무릎 관절경을 그대로 사용하는 것도 가능하지만 체격에 따라서 도달하기에 기구의 길이가 부족한 경우가 발생하는 점, 관절경이나 기구의 출입 시 삽입구를 확보하기 어려운 점 등을 이유로, 무릎 관절경보다 약간 길이가 긴 고관절경과 고관절경 전용 cannula 세트 〔◎1〕의 사용이 권장된다.

30°와 70° 관절경이 주로 이용되는데, 70° 관절경은 좁은 working space 안에서도 넓은 범위의 관절경 관찰이 가능해서 유용하다.

• 마취

적절한 관절의 견인을 얻기 위해 근육이완제를 병용할 수 있는 전신마취가 권장된다. 수술 후 진통을 조절하기 위해 경막외 마취를 병용하는 사례도 있다.

기본 술기

1. 세팅
2. 견인
3. 삽입구 제작
   · Anterolateral (AL) portal
   · Posterolateral (PL) portal
   · Anterior portal (AP)
   · Mid - anterior portal (MAP)
   · Distal anterolateral accessory (DALA) portal
4. 관절막 절개
5. 활액막 절제
6. 관절내 평가

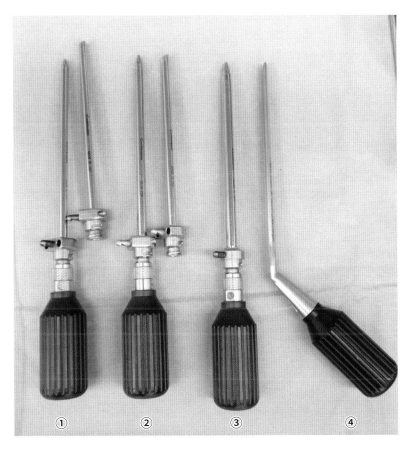

📷1 고관절 관절경용 cannulas 세트
(Smith & Nephew사)

① 4.5 mm 직경 cannula
② 5.0 mm 직경 cannula
③ 5.5 mm 직경 cannula
④ Slotted cannula
(단면이 반구형으로 이루어져 기구들을 관절 내
로 삽입하기 위해 사용)

 ❶ 고관절 관절경수술은 그 해부학적 특성 때문에 술기가 결코 쉽지 않으며, 기타 관절경수술과 비교해서 독자적인 술기와 전용 기구가 발달했다는 것을 숙지해야 한다.
❷ 술기와 기구의 이해를 먼저 충분히 하고, 시뮬레이션 모델 혹은 사체를 이용하여 충분한 훈련을 거친 후에 시작해야 할 술기이다.

기본 술기

1 세팅

유럽에서는 측와위에서의 술기도 많이 이용되고 있지만, 여기에서는 견인대를 이용한 앙와위에서의 술기에 대해 기술한다.

현재 고관절 관절경수술에 특화된 견인 수술대도 이용 가능하지만 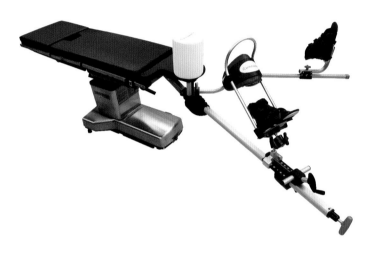**2a**, 일반적인 골절수술 등에 이용하는 fracture table로도 충분히 대응이 가능하다. 그러나 골절수술에 비해 높은 견인력과 압박력이 필요하다는 것에 유의하고, 신경장애, 피부 손상을 예방하기 위해서 견인대의 회음부 기둥과 족부 고정장치에는 두꺼운 패드 등을 사용하여 충분하게 보호한다.

수술 중, X선 투시장치의 사용이 가능한지 미리 확인하고, 수술기구가 수술 중간에 떨어져서 곤란해지는 일이 없도록 기구의 배치에 유의한다 **3**.

2 고관절 관절경수술에 특화된 견인 수술대(Smith&Nephew사)

수술 중 시술자가 쉽게 견인이나 고관절 위치를 조절할 수 있다.

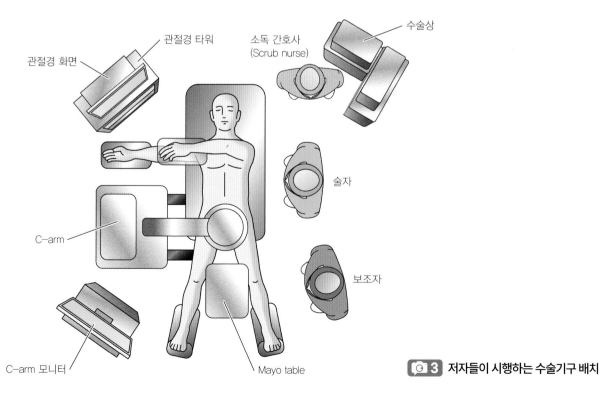

관절경 타워

관절경 화면

소독 간호사 (Scrub nurse)

수술상

술자

C-arm

보조자

C-arm 모니터

Mayo table

3 저자들이 시행하는 수술기구 배치

2 견인

Ball and socket 형태의 고관절에서는 애초에 관절 내 간격이 좁기 때문에, 관절 내를 관찰하기 위해서는 고관절 견인이 필수적이다 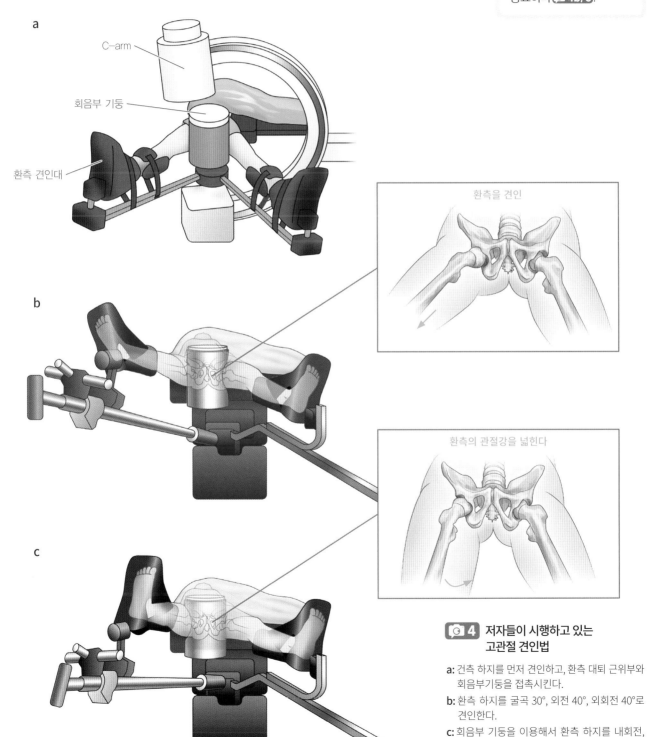4a .

안전한 고관절 관절경수술을 실시하기 위해서는 통상 8~12 mm의 관절강의 확대를 필요로 한다.[3] 관절강이 충분히 확대되지 않으면 의인성 연골손상의 위험이 높으며, 관절경 관찰 범위도 한정되어 수술하는 의미가 없어진다고 해도 과언이 아니다. 한편, 고관절 관절경의 수술 중 합병증 대부분이 이러한 견인 시에 생기는 것도 잊어서는 안 된다.

코멘트 **NEXUS view**////

신경장애, 피부 손상을 예방하기 위해서 충분한 보호를 하는 동시에, 되도록 회음부에 부하가 걸리지 않는 견인 술기를 사용하는 것이 합병증 예방에 중요하다 4b, c.

a

C-arm

회음부 기둥

환측 견인대

환측을 견인

환측의 관절강을 넓힌다

b

c

4 저자들이 시행하고 있는 고관절 견인법

a: 건측 하지를 먼저 견인하고, 환측 대퇴 근위부와 회음부기둥을 접촉시킨다.

b: 환측 하지를 굴곡 30°, 외전 40°, 외회전 40°로 견인한다.

c: 회음부 기둥을 이용해서 환측 하지를 내회전, 내전, 신전시키면서 역견인(counter traction)하여 관절강을 확대시킨다.

3 삽입구 제작

삽입구의 명칭에 대해서는 일본과 유럽이나 북미 사이에 관절경 발전의 역사적인 배경부터 통일이 되어 있지 않아 혼란이 발생하고 있기 때문에, 향후 명칭을 통일하는 것이 바람직하다고 생각한다.

여기에서는 유럽/북미에서 고관절 관절경수술에 관한 가장 표준적인 교과서로서 이용되고 있는 'Operative hip arthroscopy'[4]의 기술방식을 따른다.

Anterolateral portal (전외측 삽입구; AL portal)

대전자의 tip에서 1 cm 근위, 1 cm 전방에 위치하고 @5①, 대퇴근막장근, 중둔근을 뚫고 외측 관절막에 이르는, 해부학적으로 신경혈관 손상이 적은 가장 안전한 삽입구이다.

C-arm 투시 하에 첫 삽입구로서 제작하는 경우가 많아, 관찰(viewing) 삽입구로 사용한다.

비구순, 대퇴골두 연골손상의 위험을 피하기 위해서는, 관절강을 충분히 확대해두고 공기조영(air-arthrogram)을 통해 비구순의 실루엣을 확인하여 위치를 파악해둬야 한다.

Posterolateral portal (후외측 삽입구; PL portal)

대전자의 tip에서 1 cm 근위, 1 cm 후방에 위치하고 @5②, 대둔근, 중둔근, 소둔근을 관통하여 외측 후방의 관절막에 이른다.

해부학적으로 좌골신경 손상의 위험이 있으므로 삽입하는 각도에 주의가 필요하다.

저자는 C-arm 투시 하에 두 번째 삽입구로서 제작하고, 주로 관절액의 배액을 위해 사용하며, 비구의 후외측을 관찰 혹은 처치가 필요한 경우에는 cannula를 삽입하여 사용하고 있다.

Anterior portal (전방삽입구; AP)

전외측 삽입구로부터의 수평선과 전상장골극(ASIS)으로부터의 수직선의 교점에 위치한다 @5③. Cannula는 45° 두 측(cranial)으로, 30° 내측을 향해 삽입한다. 소둔근과 대퇴직근을 관통하여 전방관절막에 이른다.

관절의 전방 혹은 내측의 처치를 할 때, 작업 삽입구로서 주로 이용하며, 혹은 관절 외측, 후방에 처치를 할 때의 관찰(viewing) 삽입구로서 유용하다.

본 삽입구 제작에서는 외측 대퇴피부신경(LFCN), 대퇴신경, 외측대퇴회선동맥(lateral femoral circumflex artery) 손상의 위험성이 있으므로, 피부 절개를 시행한 후에 Pean forcep 등으로 충분히 연부조직을 박리하는 것이 권장된다.

Mid-anterior portal (MAP)

전외측 삽입구와 Anterior 삽입구를 연결하는 선을 밑변으로 하는 정삼각형을 그려보면, 원위측의 삼각형의 정점을 MAP @5④, 근위측의 정점을 proximal mid-anterior portal (PMAP) @5⑤ 이라고 부른다.

Anterior 삽입구와 비교하여 신경-혈관과의 거리가 멀어지기 때문에 손상의 위험이 적고, 대퇴골두 전방에서 대퇴골 경부로의 접근이 쉬운 특징이 있다.

코멘트 NEXUS view

Philippon 등[5]은 보다 대퇴골 경부에 접근하기 쉽도록 전외측 삽입구에서 직선거리로 약 7 cm의 원위에 MAP를 제작한다고 하였는데, 저자는 일본인의 체격을 고려하여 그것보다는 다소 근위에 제작하는 경우가 많다.

MAP는 특히 대퇴골 경부 처치를 요하는 FAI에 대해서 수술을 하는 경우에 유용한 삽입구라고 생각하는데, 매우 넓은 워킹 스페이스를 확보할 수 있기 때문에 현재 저자는 FAI 증례에 한정하지 않고 거의 모든 고관절 관절경 증례에 대하여 전외측 삽입구와 MAP 2개 삽입구를 주로 사용하고 있다.

Distal anterolateral accessory (DALA) portal

전외측 삽입구의 원위 약 4 cm, 전방 1 cm의 위치에 제작한다 ⓖ5ⓖ. 비구 가장자리에 보다 더 큰 각도로 접근이 가능하다. 특히 비구순 성형술시 앵커가 관절 내로 삽입되는 것을 예방하는데 유용한 삽입구이다.

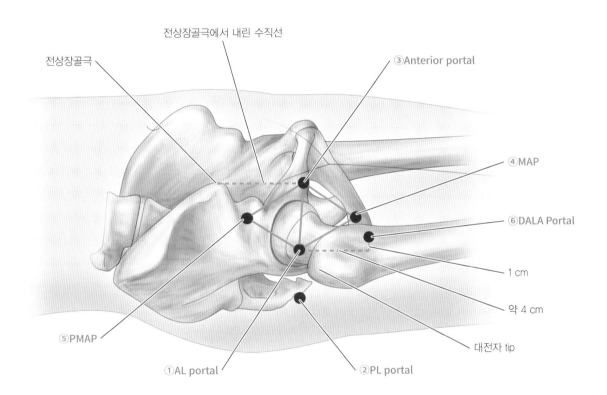

ⓖ5 **사용하는 각 삽입구의 제작 위치**

① Anterolateral (AL) portal: 대전자 tip의 1 cm 근위, 1 cm 전방에 위치한다.

② Posterolateral (PL) portal: 대전자 tip의 1 cm근위, 1 cm 후방에 위치한다.

③ Anterior portal (AP): 전외측 삽입구에서의 수평선과 전상장골극으로부터의 수직선의 교점에 위치한다.

④ Mid-anterior portal (MAP) : 전외측 삽입구와 AP를 연결하는 선을 밑변으로 하는 정삼각형의 원위측 정점에 위치한다.

⑤ Proximal mid-anterior portal (PMAP): 전외측 삽입구와 AP를 연결하는 선을 밑변으로 하는 정삼각형의 근위측 정점에 위치한다.

⑥ Distal anterolateral accessory (DALA) portal: 전외측 삽입구의 전방 1 cm, 원위 약 4 cm에 위치한다.

4 관절막 절개

다양한 논의가 있으나 저자는 관절내 병변의 확실한 관찰 및 처치를 하기 위해서는 어느 정도는 관절막 절개를 해야한다고 생각한다. 다만, 관절막 및 관절막 인대의 절개에 의해서 관절 불안정성이 발생함에 충분히 유의하고 절개폭과 처치 후의 repair 등을 고려할 필요가 있다.

통상적으로 전내측 삽입구와 MAP를 연결하는 모양으로 관절막 절개를 실시한다 6. 이때 관절연골 및 비구순이 손상되지 않도록 하는 것이 중요하다.

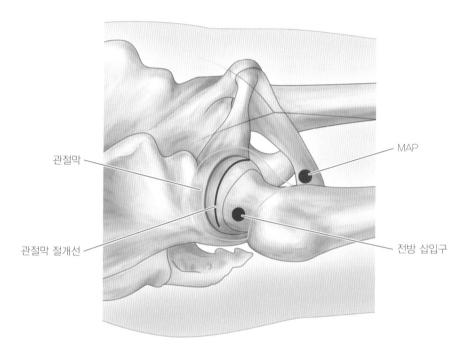

관절막

MAP

관절막 절개선

전방 삽입구

6 관절막 절개

전외측 삽입구와 MAP를 연결하는 형태로 절개한다.

5 활액막 절제

수술 대상 증례의 대부분은 충혈성 활액막 증식을 보인다. 출혈로 이어지기 쉽고, 수술 시야 장애의 주된 원인이 되기 때문에 저자는 상세한 관절내 병변의 평가, 처치를 위해서 활액막 절제를 실시하고 있다.

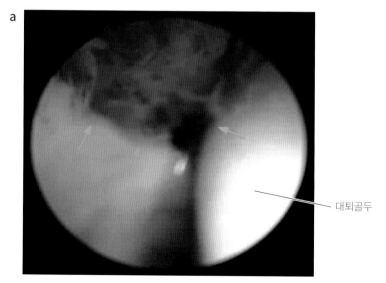

a

대퇴골두

7 활액막 절제

a: 충혈성 활액막 증식(파란 화살표)

고주파(RF) 기기와 쉐이버를 적절히 구분하여 사용하면서 관절 연골 및 비구순을 손상하지 않도록 처치한다  7b . 각각 고관절 관절경에 특화된 디바이스가 개발되어 있어 유용하게 사용할 수 있다.

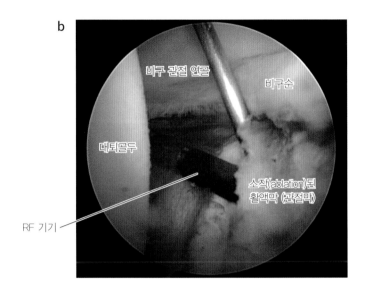

b

비구 관절 연골

비구순

대퇴골두

소작(ablation)된
활액막 (관절막)

RF 기기

7 활액막 절제(이어서)

b: RF 기기에 의한 관절 연골 및
비구순 부분 절제

6 관절내 평가

전외측 삽입구 및 MAP로부터의 관절경을 통해서 관절 주위 전체를 평가하는 것이 가능하다. 대퇴골 경부 주위에 관해서도 적절히 견인을 느슨하게 해서 하지를 움직이게 해보면 광범위한 관찰이 가능해진다.

코멘트 **NEXUS view**

① 비구순 평가

② 비구측 연골 평가

③ 비구와(acetabular fossa) 및
원형인대 평가

저자의 관찰·평가 순서

① 비구순 상태의 전체적
관찰 및 불안정성 평가

② 비구 측 연골 평가

③ 비구와 및 원형인대 평가

④ 대퇴골두측 연골 평가

⑤ 대퇴골 경부의 평가

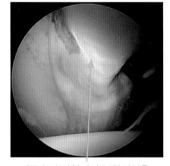

비구순이 파열되어 불안정성을
나타내고 있다.

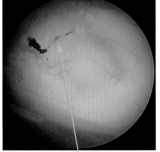

관절 연골에 미란(erosion)이
보인다.

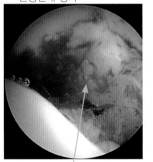

원형인대 주위에 염증성 활막의
증식이 보인다.

참고문헌

1) Clarke MT, Arora A, Villar RN. Hip arthroscopy:complications in 1054 cases Clin Orthop Relat Res. 2003;406:84-8.

2) Griffin DR. Complications of arthroscopy of the hip. J Bone Joint Surg Br. 1999;81:604-6.

3) Vaugbn ZD, Safran MR. Supine approach to hip arthroscopy. Sekiya JK, Safran MR, Ranawat AS, Leunig M. Techniques in hip arthroscopy and joint preservation surgery. 1st ed. Philadelphia:Elsevier:2011.

4) Barbera OF, Navarro IS. Portal anatomy. Byrd JWT. Operative hip arthroscopy 3rd ed. New York:Springer:2013.

5) Philippon MJ, Schenker ML. Arthroscopy for the treatment of femoroacetabular impingement in the athlete. Clin Sports Med. 2006;25:299-308.

II. 하지

관절경 비구순 봉합술 및 골연골성형술(osteochondralplasty)

도쿄의과대학 정형외과 **산도 타카시**(Takashi Sando)

Introduction

수술 전 고려 사항

● 주로 사용하는 기구

고관절 관절경수술에서는 많은 경우 70° 관절경  을 이용하여 이루어진다. 고관절 관절경의 발전이 무릎이나 어깨보다도 늦어진 이유이기도 하지만, 고관절 관절경수술은 시야가 좁으면서, 기구의 조작성은 다른 관절경수술에 비해 매우 난이도가 높다. 이를 극복하기 위한 목적으로 광범위한 시야 획득이 가능한 70° 관절경이 유리하기 때문이다.

수술 진행

1. Anterolateral (AL) 삽입구 제작
2. Mid - anterior portal (MAP)에서의 관절내 처치
3. 고관절 비구순 손상에 대한 비구순 봉합술
   · Footprint 제작을 위한 전처치
   · 손상된 비구순의 봉합
4. Cam type FAI에 대한 골연골성형술
   · 골연골성형술

a

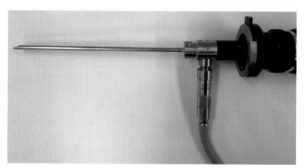

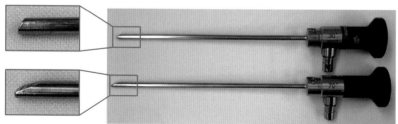

📷1 자주 사용되는 기구

a: 70 ° 관절경. 광범위한 시야를 획득할 수 있다.

Fast Check

1. 전외측 삽입구를 12시에 제작해 올바른 기본 관절경 시야를 확보한다.
2. 70° 관절경에서 확인할 수 있는 시야와 해부학적 부위를 일치시킨다.
3. 삽입구에는 반드시 관절경이나 디바이스를 거치시켜 두고 비어있는 상태의 삽입구로 기구 등을 재삽입하는 것을 피한다.

고관절 관절경수술에서는 tip 부분에서 가동성이 있는 flexion device나, 뼈를 절삭할 수 있는 round type burr (abrader burr)가 자주 사용된다. 저자는 knot가 관절 내에 남지 않는 knotless 앵커를 사용하고 있다(BIORAPTOR Knotless).

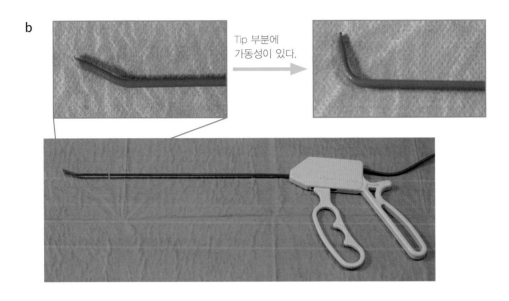

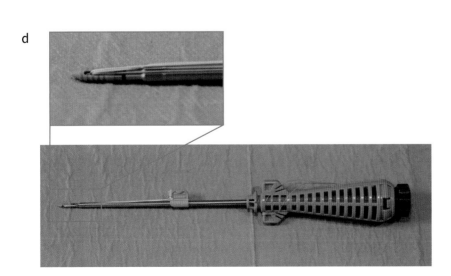

[📷1] 자주 사용되는 기구(이어서)

b: Tip에 가동성이 있는 flexion device
c: Round burr (Ablator)
d: BIORAPTOR®Knotless

기본 술기

이번 챕터에서는 비구순 손상이 대표적인 central compartment 질환에 대한 처치나 대퇴-비구충돌(femoroacetabular impingement;FAI)에 대한 peripheral compartment에서의 골연골성형술에 사용하는 수술도구를 중심으로 관절경수술을 설명한다.[1]

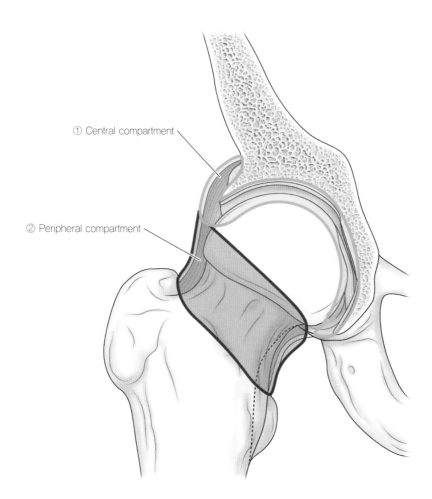

① Central compartment

② Peripheral compartment

◎2 Central compartment와 peripheral compartment

Centarl compartment: 견인 시에 발생하는 관절 간격(joint space)을 중심으로 하는 대퇴골두와 비구 사이 공간

Peripheral compartment: 대퇴골두-경부 이행부를 중심으로 하는 관절막 내에서 central compartment 이외의 부위

1 Anterolateral (AL) 삽입구 제작

전외측 삽입구는 고관절 관절경을 통한 관절내 관찰의 기본이 되기 때문에, 가장 중요한 삽입구이다. 저자는 비구를 시계방향 표시에 근거해서, 관절 내 12시 위치에 전외측 삽입구를 정확하게 제작하는 것을 목표로 하고 있다 (그 3). 최초로 제작하는 삽입구이므로 관절경으로 확인하면서 제작할 수가 없기 때문에 의인성(iatrogenic) 연골손상이나 비구순 손상이 발생하기 쉽다는 것을 감안하여, C-arm 투시를 병용하면서 안전하게 삽입구를 제작하는 것이 무엇보다 중요하다 (그 4).

C-arm 연속 투시하면서 전외측 삽입구 제작을 위한 주사바늘을 관절 내에 찔러 넣는다. 주사바늘을 통해서 가이드와이어를 비구저까지 깊게 찔러 넣고, 올바른 위치에 전외측 삽입구가 제작되어 있는 것을 확인한다 (그 4).

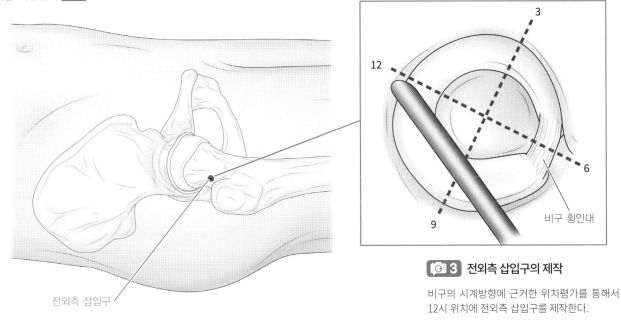

전외측 삽입구

비구 횡인대

그 3 전외측 삽입구의 제작

비구의 시계방향에 근거한 위치평가를 통해서 12시 위치에 전외측 삽입구를 제작한다.

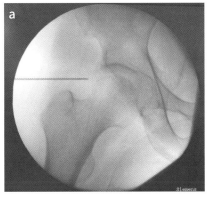

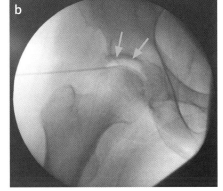

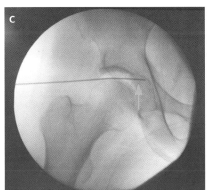

저자는 전외측 삽입구에서 관절경을 삽입하는 단계에서는 배액을 할 수 있는 삽입구가 없기 때문에 관절 내에 관류하지 않는 dry-scope 상태에서 관절내 관찰을 실시하고 있다.

그 4 전외측 삽입구의 제작 시 C-arm 소견

a: 주사바늘로 관절막의 위치를 확인한다.
b: 관절 내로 공기를 주입하여, 관절강의 확대를 확인한다(➡).
c: 가이드와이어가 비구저 근처까지 깊게 박혀 있는지 확인한다(➡).

NEXUS view ///

주사바늘을 관절 내로 찔러넣을 때 주사바늘 끝부분의 경사진 개구부를 아래로 향하게 함으로써 의인성 연골손상 발생 위험을 감소시킬 수 있다 ⓒ5 .[5] 고관절 관절경수술은 수술의 장점과 함께 수술의 위험 역시 큰 수술이기 때문에 가능한 의인성 손상을 줄이려는 노력이 필요하다.

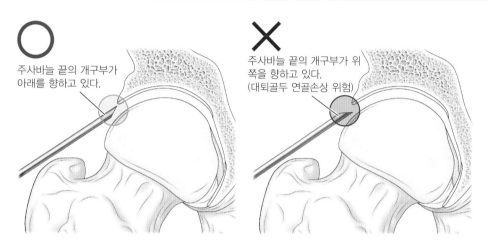

주사바늘 끝의 개구부가 아래를 향하고 있다.

주사바늘 끝의 개구부가 위쪽을 향하고 있다.
(대퇴골두 연골손상 위험)

ⓒ5 바늘을 찔러 넣었을 때 주의점

2 Mid-anterior portal (MAP)에서의 관절내 처치

전외측 삽입구에서 확보된 기본 시야에서 mid-anterior portal (MAP)을 제작한다 ⓒ6 .

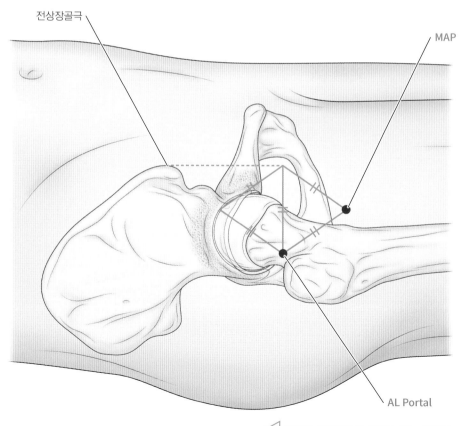

전상장골극

MAP

AL Portal

◁ 비구과 대퇴골두를 경계로 하는 삼각형

ⓒ6 MAP 제작 위치

전외측 삽입구를 12시에 제작하는데, 최적의 위치에서의 삽입구를 확보했다면 관절경 시야에서 비구순과 대퇴골두를 좌–우변으로 하는 삼각형을 그릴 수 있다 📷6 . 이러한 삼각형을 'anterior triangle'이라고 호칭하고 있다 📷7a .[5]

시계방향으로 12시 위치가 이상적인 전외측 삽입구의 위치이다. 이상적인 위치에 전외측 삽입구를 제작되었을 경우에 오리엔테이션의 기본이 되는 anterior triangle을 그려낼 수 있는 관절경의 위치인지 확인하고 나서는 렌즈의 방향을 아래로 바꾸는 것만으로 posterior triangle을 그려낼 수 있다 📷7b .

70° 관절경에서는 시술자의 감각과 화면에서 얻을 수 있는 정보가 혼동되는 경우가 있기 때문에 유사시에는 기본 삼각형(anterior triangle)의 시야로 돌아갈 수 있는 능력을 갖추는 것이 중요하다.

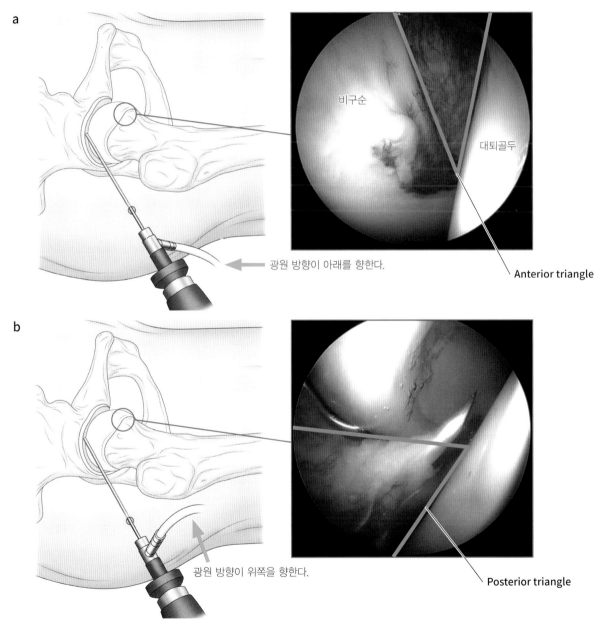

a

비구순

대퇴골두

← 광원 방향이 아래를 향한다.

Anterior triangle

b

광원 방향이 위쪽을 향한다. →

Posterior triangle

📷7 70°관절경으로 그려지는 anterior triangle과 posterior triangle

a: 관절경의 광원 위치 그대로인 상태에서 anterior triangle이 그려진다. 근위하방에 비구순, 원위하방에 대퇴골두를 변연으로 하는 삼각형(anterior triangle)이 그려진다. 70° 관절경으로 상방으로 렌즈를 향함으로써 이러한 시야가 얻어지면 해당 시야를 기본으로 하여 전, 외측의 비구순을 처치하게 된다.

b: 관절경의 광원 위치만 바꾸면 posterior triangle이 그려진다. 렌즈를 아래쪽으로 향하면 고관절 후방의 골두, 비구순을 그려낼 수 있으며, 같은 모양의 삼각형(posterior triangle)을 확인할 수 있다.

코멘트 **NEXUS view** ///

MAP는 기본적으로 anterior triangle 중앙에서 주사바늘 끝이 나오는 위치에 만드는 것이 이상적이다. MAP가 정확하게 제작될 수 있으면 2개의 삽입구에서 관찰 및 처치가 가능하며, MAP로부터 전외측 삽입구의 위치를 확인·수정할 수도 있다.

코멘트 **NEXUS view** ///

Flexion device

어느 방향으로 flexion device의 tip이 구부러지는지를 파악함으로써 자신의 감각과 얻고자 하는 수술 시야 사이의 갭을 메울 수 있다. Flexion device가 구부러지는 방법을 숙지해 두면 관절내 처치가 쉬워진다 📷 8 .

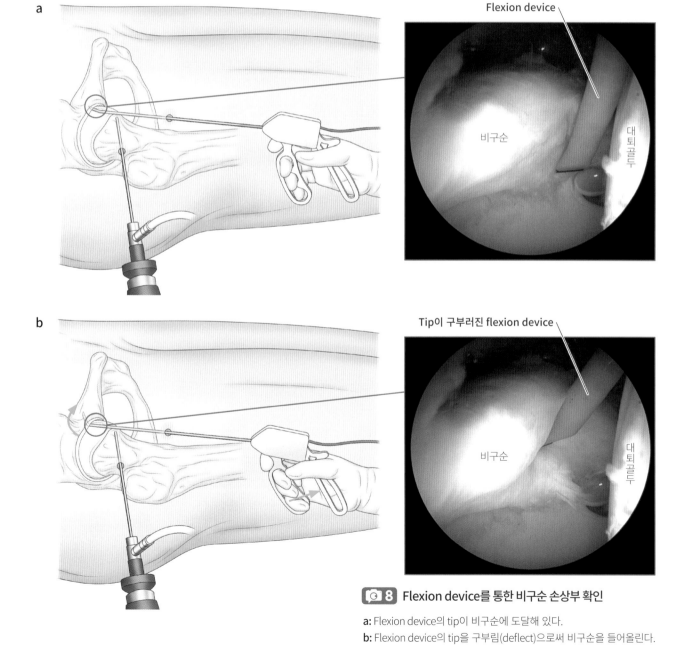

📷 8 **Flexion device를 통한 비구순 손상부 확인**

a: Flexion device의 tip이 비구순에 도달해 있다.
b: Flexion device의 tip을 구부림(deflect)으로써 비구순을 들어올린다.

3 고관절 비구순 손상에 대한 비구순 봉합술

Footprint 제작을 위한 절삭

비구순 손상의 대부분은 전·외측에 발생하므로 임상적으로도 전방 및 외측의 손상이 고관절 굴곡 시 통증의 원인이 되는 경우가 많다.[2] 전외측 비구순 봉합술을 할 경우에는 비구순의 비구 부착부를 상방으로 노출시키고, 봉합용 앵커를 박기 위한 footprint를 제작한다 📷9.

Pincer type의 FAI 경우나 전하장골극 충돌 증후군을 일으킬 정도의 전하장골극의 돌출이 있는 경우에는 round burr를 이용해서 돌출부를 절삭할 필요가 있다 📷10.[3] 앵커 삽입부의 전개가 불충 분하면 연골하골에 앵커를 삽입되는 등의 위험성이 있다.

코멘트 NEXUS view ////

앵커를 이용한 비구순의 봉합법은 비구순의 손상 형태나 상태(quality)에 따라서도 다르지만, 의인성 손상을 최소한으로 하고 손상된 비구순을 강하게 고정하고 해부학적으로 정상에 가까운 상태로 비구에 고정하는 것이 중요하다.

이를 위해서는 recess 절삭 시에 앵커 삽입부의 골면이 제대로 노출할 때까지 충분히 절삭한다.

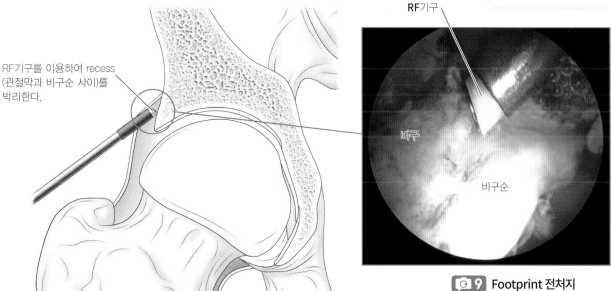

RF기구를 이용하여 recess (관절막과 비구순 사이)를 박리한다.

RF기구

비구

비구순

📷9 Footprint 전처지

복구 앵커용 footprint 제작을 위해 비구 측의 recess (관절막과 비구순 사이)를 박리한다.

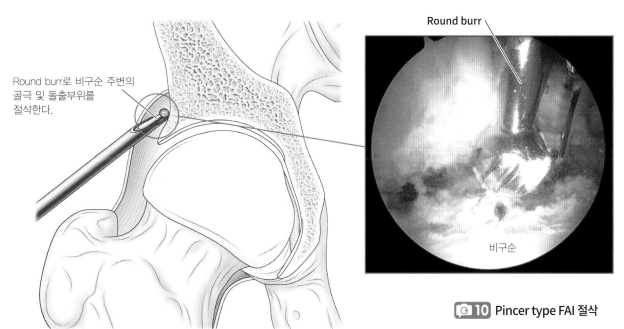

Round burr로 비구순 주변의 골극 및 돌출부위를 절삭한다.

Round burr

비구순

📷10 Pincer type FAI 절삭

손상 비구순 봉합

손상 비구순을 Mattress 혹은 simple looped technique를 이용하여 봉합한다 [📷11].

앵커의 선택이나 봉합법은 다양하나 저자는 봉합사 조작에는 ARTHRO-PIERCE를 사용하고, 관절 내에 앵커의 봉합사가 남지 않는 Knotless 앵커를 이용한 봉합을 자주 사용하고 있다 [📷13].

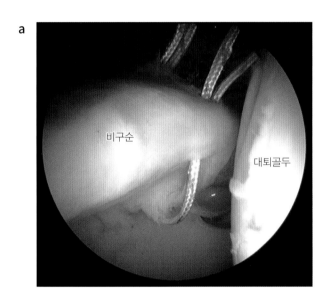

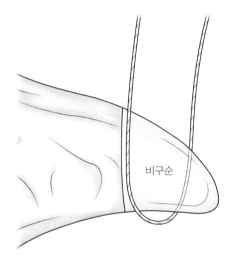

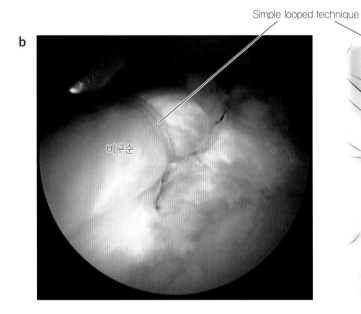

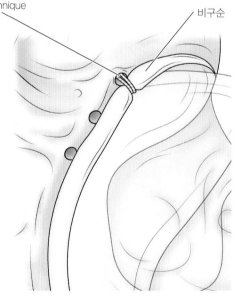

[📷11] **비구순 봉합**

a: Mattress
b: Simple looped technique

코멘트 **NEXUS view**

비구순 봉합법에서 비구순을 이른바 '동여매는' 형태로 봉합사를 꿰는 simple looped suture 12b와 비구순 변연의 형태를 보존하는 vertical mattress suture 12a가 많이 사용된다.

비구순의 suction/sealing 작용을 보존하려면 vertical mattress suture에 의해 관절순의 형태를 유지하는 것이 이상적이지만 손상된 비구순의 질이 나쁜 경우에는 기술적으로 어려워진다. 보다 견고하게 고정하는 의미에서는 simple looped technique이 효과적일 수 있다. 임상성적에는 차이가 없다는 보고도 있지만,[6] 두 가지 봉합법은 반드시 습득해 두어야 할 기술이다.

a

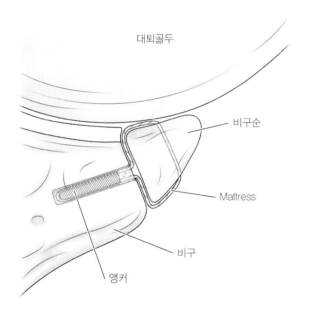

b

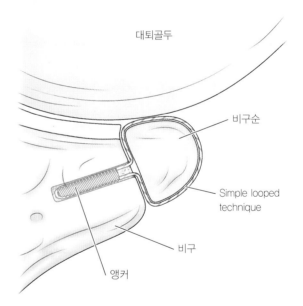

[12] 앵커를 통한 비구순 봉합

a: Mattress봉합. 비구순 변연의 형태가 유지되고 있으므로 비구순의 고관절에 대한 기능의 보존을 기대할 수 있다.

b: Simple looped technique봉합. 비구순을 감싸듯이 봉합사를 루프모양으로 봉합한다. 비구순의 본연의 해부적인 형태가 유지되지 않는다.

NEXUS view ///

'Cutting through' 현상 발생!

비구순이 갖는 고관절에서의 suction/sealing 기능을 보존하기 위해 Mattress봉합이 권장되지만, 질이 나쁜 비구순에서는 Mattress봉합에 의한 'Cutting through' 현상 등의 의인성 손상의 발생도 우려된다. 비구순의 질(quality)에 따라 simple looped technique를 이용해야 하는 사례도 많다.

코멘트 **NEXUS view** ///

ARTHRO-PIERCE

저자는 관절막의 periportal-capsulotomy를 잘 시행하지 않으므로, 조작이 어려운 관절내 처치에서는 Curved ARTHRO-PIERCE를 사용했다. 디바이스의 회전만으로 tip의 방향을 바꿀 수 있으므로 봉합사 조작에 유리하다 ⓒ13.

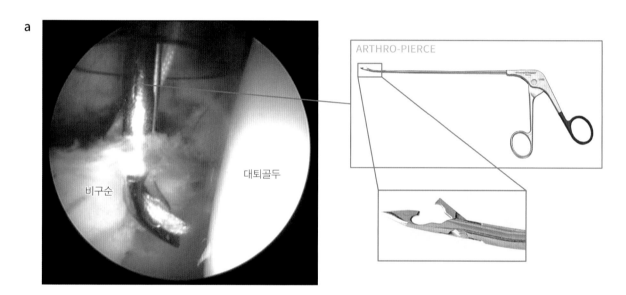

a

대퇴골두

비구순

ARTHRO-PIERCE

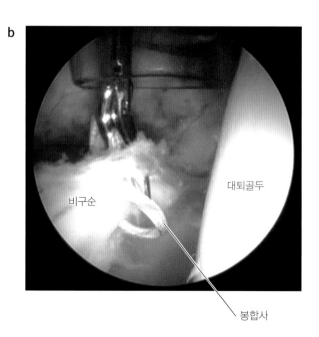

b

대퇴골두

비구순

봉합사

ⓒ13 ARTHRO-PIERCE에 의한 비구순 봉합 관절경 소견

a: 비구순 손상부위에서 봉합사와 함께 ARTHRO-PIERCE를 비구순의 원위, 하방으로 삽입한다.

b: ARTHRO-PIERCE의 방향을 관절 내에서 바꾸어서, 남겨진 봉합사를 상방에서 잡으면서 봉합한다.

4. Cam type FAI에 대한 골연골성형술(Osteochondral Plasty)

Cam type FAI은 대퇴골 경부 이행부에 융기된 돌출부를 갖는데, peripheral compartment에서 절삭 및 골연골의 형태를 복구한다.

대퇴와 비구의 충돌을 없애기 위해서 수술 전 계획에 따라 적절한 골연골성형술을 실시한다. 비구순 봉합 시와는 다른 시야에서 처치를 하기 때문에 전외측 삽입구·MAP 어느 쪽에 관절경을 두더라도, 오리엔테이션을 올바르게 유지할 수 있는, 단순 비구순 봉합술 이상의 경험이 필요하다. Cam 변형의 잔존은 충돌이 수술 후에도 해결되지 않았다는 의미이므로 수술 후 임상성적 저하로 이어진다고 여러 연구에서 보고된다. 그러므로, 철저한 골연골성형술이 필요하다.

골연골성형술

골연골성형술에는 round burr를 이용한다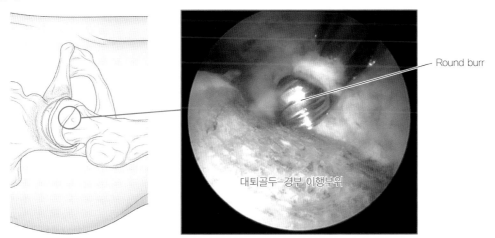. 골경화(sclerosis of bone)가 있는 부위에서는 round burr를 제대로 조작할 필요가 있기 때문에 저자는 조수에게 관절경을 맡기고 양손으로 round burr를 잡고, 골연골을 절삭하기도 한다. Peripheral compartment의 처치는 절삭 부위에 따라서 관절경의 삽입구를 바꾸는 것이 필요하다. 새롭게 proximal MAP📷15를 제작하면 골연골성형술이 쉬워진다.

Round burr

대퇴골두-경부 이행부위

📷14 Round Burr를 이용한 절삭 시의 관절경 소견

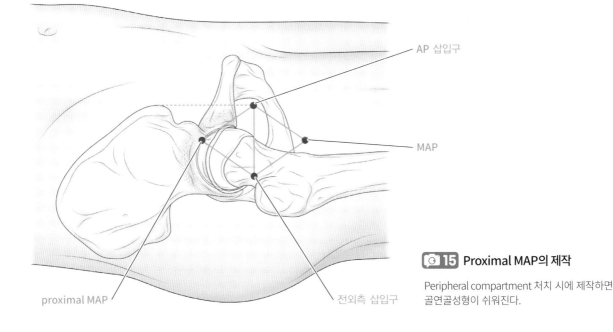

AP 삽입구

MAP

proximal MAP

전외측 삽입구

📷15 Proximal MAP의 제작

Peripheral compartment 처치 시에 제작하면 골연골성형이 쉬워진다.

대퇴골두 외측 및 후방 처치는 견인하에서 MAP에서 관절경으로 확인하면서 전외측 삽입구에 round burr를 이용해 처치한다 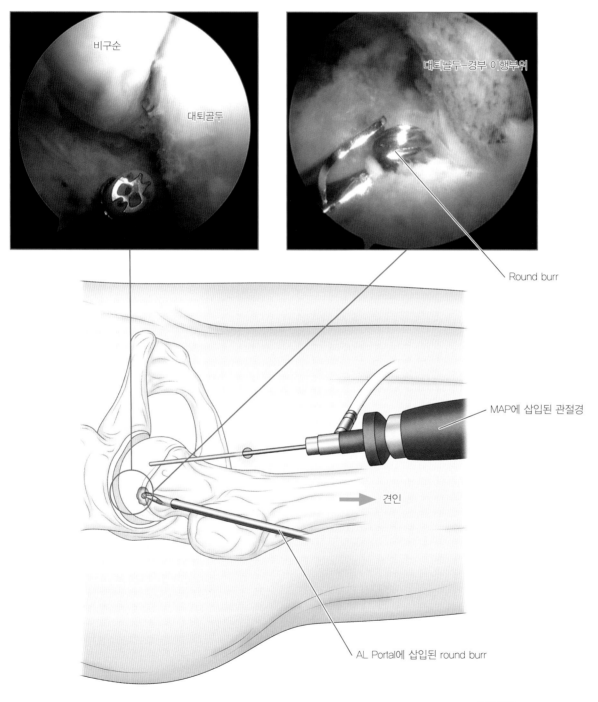16.

관절막 절제(periportal capsulotomy)나 장대퇴인대(iliofemoral ligament) 절개를 골연골성형술 이전에 시행한 경우에는 관절막 및 절개된 인대의 봉합·수복을 실시한다.

비구순

대퇴골두

대퇴골두-경부 이행부위

Round burr

MAP에 삽입된 관절경

견인

AL Portal에 삽입된 round burr

16 대퇴골두 외측의 처치

대퇴골을 견인하면서 절삭한다.

코멘트 **NEXUS view** ///

절삭 부위 및 깊이의 확인에는 C-arm 투시상을 이용한다. 피폭량을 최소화하기 위해서 투시 시간은 가급적 짧게 해야 하나, 절삭이 부족하면 충돌이 잔존하게 되어, 수술 후의 통증 잔존의 위험요소가 되기 때문에 수술 전 계획대로 형태 복구가 되었는지의 여부에 대한 확인이 중요하다 📷17 .

a
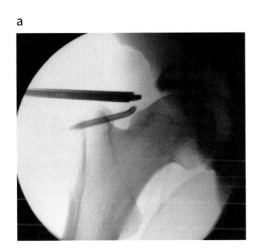

b
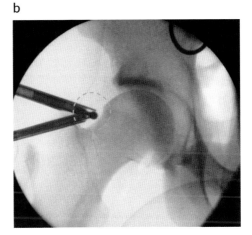

📷17 **절삭 종료 후 투시 영상**

a: 절삭 전
b: 절삭 후. 형태가 복원되었다(——➤).

참고문헌

1) Ganz R, Parvizi J, Beck M, et al. Femoroacetabular impingement:a cause for osteoarthritis of the hip. Clin Orthop Relat Res. 2003;417;112-20.

2) Haviv B, O'Donnell J. Arthroscopic treatment for acetabular labral tears of the hip without bony dysmorphism. Am J Sports Med. 2011;39 Suppl;79S-84S.

3) 山藤 崇.【FAI(大腿骨寬骨臼インピンジメント)の最新知見】FAIと鑑別すべき鼡径部痛Groin pain in athletes. 関節外科. 2017;36(2);135-41.

4) Larson CM, Giveans MR, Samuelson KM,et al. Arthroscopic Hip Revision Surgery for Residual Femoroacetabular Impingement (FAI):Surgical Outcomes Compared With a Matched Cohort After Primary Arthroscopic FAI Correction. Am J Sports Med. 2014;42;1785-90.

5) Aoki SK, Beckmann JT, Wylie JD. Hip arthroscopy and the anterolateral portal:avoiding labral penetration and femoral articular injuries. Arthrosc Tech. 2012;1;e155-60.

6) Jackson TJ, Hammarstedt JE, Vemula SP, et al. Acetabular Labral Base Repair Versus Circumferential Suture Repair:A Matched-Paired Comparison of Clinical Outcomes. Arthroscopy. 2015;31;1716-21.

II. 하지
슬관절 관절경의 기본 술기

히로시마대학병원 정형외과 **나카마에 아쓰오**(Atsuo Nakamae)
히로시마대학 대학원 의과학연구과 정형외과학 **아다치 노부오**(Nobuo Adachi)

Introduction

수술 전 고려 사항

● 관절경수술에 필요한 주변 해부학

수술에 앞서, 슬관절 90도 굴곡위에서 체표면에서 확인할 수 있는 랜드마크인 슬개골, 슬개건의 내·외측연, 대퇴골 내·외측과, 경골 고평부(plateau) 내·외측 상연, 비골두를 마킹할 필요가 있으므로, 이들 구성체를 체표에서 만져 확인하도록 한다(📷3 참조). 특히 경골 고평부 내·외측 상연의 위치를 정확하게 그리지 못하게 되면 삽입구 제작 시에 반월판이 손상되거나 관절 연골을 손상시킬 위험이 있으므로 가급적 주의해야 한다.

● 수술 적응증

보존요법으로는 기능이나 상태의 회복을 기대하기 어려운 전방십자인대(anterior cruciate ligament; ACL) 손상, 후방십자인대(posterior cruciate ligament; PCL) 손상, 반월판 손상, 박리성 골연골염을 포함한 관절 연골손상 등이 수술 적응증이다.

증상에 따라서는 관절내 활막염이나 유리체, 추벽증후군, 관절 내부 손상을 원인으로 유발된 '슬관절 구축' 등 관절 내부에 증상의 원인이 되는 경우로 판단되면 수술 적응증이 될 수 있다.

● 관절경의 종류와 특징

관절경의 특성은 주로 직경과 렌즈의 경사각에 의해 결정된다. 수술 시야는 직경이 큰 관절경에서 넓어지기 때문에, 슬관절에서는 주로 4.0 mm 직경의 관절경이 사용된다.

렌즈의 경사각이란 관절경의 축과 렌즈 표면이 이루는 각도로, 이 각도가 클수록 관절경을 축을 따라 회전시킴으로써 광범위하게 관절 내부를 관찰할 수 있지만, 너무 경사각이 크면 관절경축의 연장선상에 존재하는 위치(정면)가 보이지 않으며, 오리엔테이션에 적응하기 어려워서, 슬관절에서는 30° 관절경을 주로 사용한다.

30° 외에도 0°(직시경), 45°, 70° 등이 있다. ACL 재건술의 경우, 30°에서도 물론 가능하지만 45°에서 터널 제작 시야가 보다 더 좋아진다.

기본 술기

1. 세팅
2. 삽입구 제작
   · 전외측 삽입구
   · 전내측 삽입구
   · ACL 재건술 시 사용하는 삽입구
   · 기타 삽입구
3. 진단적 관절경
   · 내측 구획 접근
   · 외측 구획 접근
   · 슬개대퇴관절과 슬개상 맹낭 접근
4. 관절내 관찰
   · 반월판 손상에 대한 탐색
   · ACL 손상에 대한 탐색

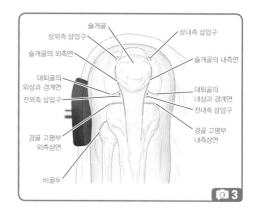
📷3

a

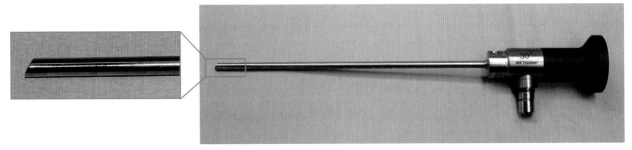

b

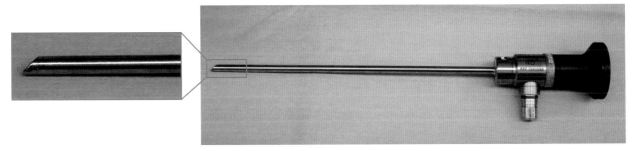

📷1 자주 사용하는 관절경의 종류

a: 30° 관절경
b: 45° 관절경

Fast **C**heck

❶ 관절경수술은 관절 내의 병변을 관찰하는 것이다. 그렇기 때문에 수술 전 이학적 검사나 영상검사 등으로 관절 내 뿐만 아니라 관절 외에 증상의 원인이 있는지 여부를 면밀히 관찰해 둘 필요가 있다.

❷ 술기에 따라서 제작하는 삽입구의 위치를 적절히 변화시킬 필요가 있다.

❸ 관절 내의 관찰하고 싶은 부위에 따라서 슬관절에 외반 스트레스를 가하거나 'figure of four' 등 자세를 변경할 필요가 있다. 수술 전 마취하에 이러한 자세들이 충분히 가능한지를 미리 확인해 둔다.

기본 술기

1 세팅

주로 일반적인 앙와위에서 수술하는 경우와 leg-holder를 사용하여 하지를 늘어뜨린 하수위, 두 가지가 있다.

저자들은 앙와위로 하고 있으며, 이 방법에서는 lateral bar를 족부와 대퇴 외측에 설치하여 슬관절을 90° 굴곡위가 가능하게 하고 있다 📷2a .

하수위는 환지를 수술대에서 아래로 늘어뜨려 실시하는 방법이다 📷2b .

지혈대는 대퇴부 중앙부위에 장착해두되 필요할 때만 이용한다.

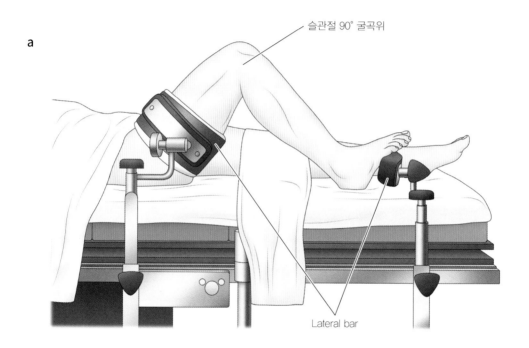

a

슬관절 90° 굴곡위

Lateral bar

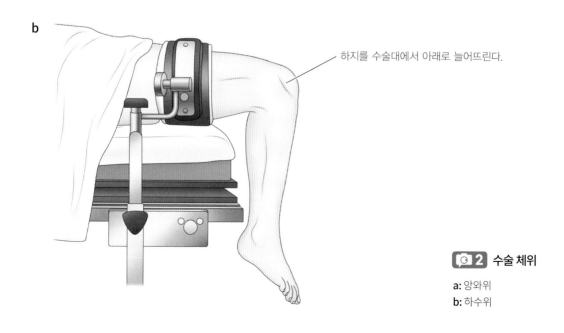

b

하지를 수술대에서 아래로 늘어뜨린다.

📷2 수술 체위

a: 앙와위
b: 하수위

2 삽입구 제작

기본적인 슬관절 관절경 삽입구는 전외측 삽입구와 전내측 삽입구이다.

우선, 슬관절 신전위에서 생리식염수를 슬관절강 내에 50~80 mL 주입하여 관절막을 부풀린다. 너무 많이 넣으면 슬개건 등의 구조물을 체표에서 촉지할 수 없게 되므로, 슬관절의 부풀어 오르는 정도를 보면서 주입량을 조절한다.

이어서 슬관절을 90° 굴곡위로 하고, 체표로부터 촉지되는 랜드마크인 슬개골, 슬개건의 내·외측연, 대퇴골 내·외상과, 경골 고평부 내·외측상연, 비골두를 마킹한다 📷3.

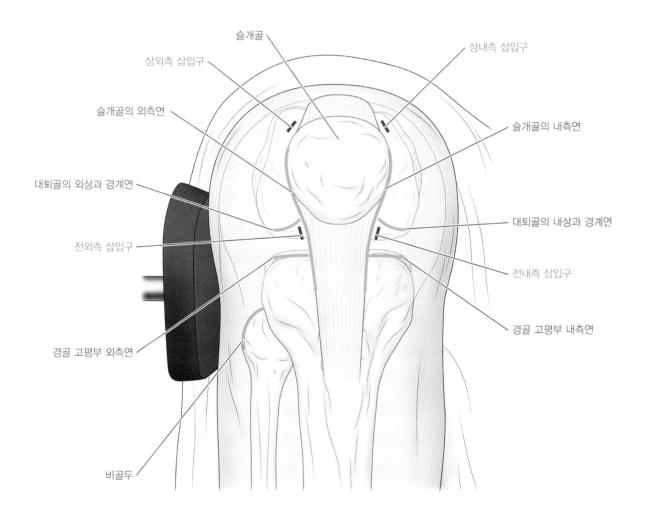

📷3 체표에서 만져지는 랜드마크

특히 경골 고평부 내·외측 상연의 위치에 주의한다.

전외측 삽입구

최초로 제작하게 되는 전외측 삽입구는 슬개건의 외측연, 대퇴골 외상과, 경골 고평부 외상연에 둘러싸인 공간의 중앙에 제작한다 📷 4 .

피부 절개는 가로 혹은 세로 모두 가능하지만, 저자들은 메스의 blade를 상방으로 향하게 하여 📷 4① , 약 1 cm의 세로 피부 절개를 과간절흔(intercondylar notch)을 향해 관절막까지 진입하여 삽입구를 만들고 있다.

전내측 삽입구

이어서 전내측 삽입구 제작으로 넘어간다. 전외측 삽입구에 blunt trocar를 넣은 sheath을 관절 내에 삽입하고 trocar를 뽑아서 관절 내의 생리식염수가 유출되는 것을 확인하고 관절경을 삽입한다.

관절경을 회전시켜보면서 내측 반월판 전각이 보이는 위치를 확인한다. 관절경으로 관찰하면서 슬개건 내측연, 대퇴골 내상과, 경골 고평부 내측상연에 둘러싸인 공간의 중앙에서 spinal needle을 과간절흔을 향해 삽입한다 📷 4② . 이때 관절경으로 needle이 내측 반월판의 상연보다 약간 근위에서 찔러 넣게 되도록 바늘의 위치를 조정한다. 이 바늘의 위치·방향을 참고하여 메스를 이용해서 세로로 피부 절개를 하고, 관절경으로 확인하면서 관절막까지 충분히 절개한다.

코멘트 **NEXUS view** ////

전외측 삽입구를 경골 고평부 외측상연으로부터 약 1 cm 이내로 위치를 정하게 되면 메스로 외측 반월판 전각을 손상할 위험성이 높아지므로 주의를 요한다.

삽입구 제작 예정 부위가 불안하면 피부 절개 전에 Spinal needle을 과간절흔으로 향하여 찔러 넣으면서, 반월판이나 관절 연골에 바늘이 닿지 않도록 위치나 방향을 확인한다.

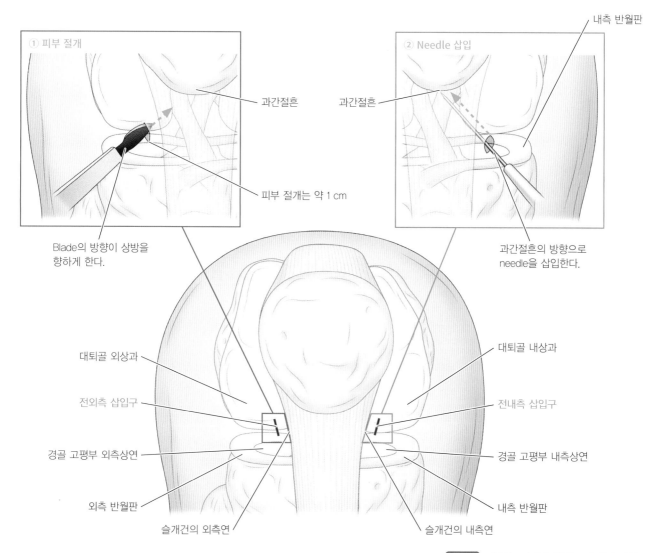

① 피부 절개

과간절흔

피부 절개는 약 1 cm

Blade의 방향이 상방을 향하게 한다.

② Needle 삽입

내측 반월판

과간절흔

과간절흔의 방향으로 needle을 삽입한다.

대퇴골 외상과

전외측 삽입구

경골 고평부 외측상연

외측 반월판

슬개건의 외측연

대퇴골 내상과

전내측 삽입구

경골 고평부 내측상연

내측 반월판

슬개건의 내측연

📷 4 **전외측, 전내측 삽입구의 제작 위치**

ACL 재건술 시의 삽입구

ACL 재건술의 경우에는 삽입구의 위치를 약간 수정할 필요가 있다.

전외측 삽입구를 일반적인 전외측 삽입구보다 슬개건 외측연에 가급적 가까이 붙여서 제작한다.

그 다음으로는 전외측 삽입구에 관절경을 삽입한 상태로 화면으로 관찰하면서 전내측 삽입구 외에 대퇴골터널 제작 시에 사용하는 far anteromedial 삽입구를 제작한다. Far anteromedial 삽입구는 슬개건 내측연에서 2~2.5 cm 내측에 위치하고, 내측 반월판 전각의 바로 위에 제작한다 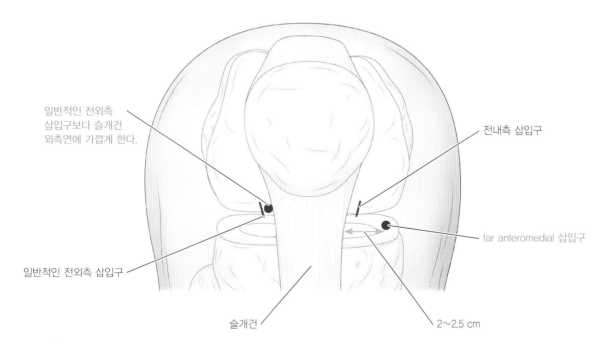5.

> **주의!** **NEXUS view** ////
>
> **전외측 삽입구 제작 위치에 주의!**
>
> ACL 재건술의 경우, 전외측 삽입구를 일반적인 경우처럼 슬개건 외측연에서 거리가 먼 위치에서 제작하게 되면 전외측 삽입구에서 ACL 대퇴골 부착부를 관찰하는 것이 어려워진다.

일반적인 전외측 삽입구보다 슬개건 외측연에 가깝게 한다.

전내측 삽입구

일반적인 전외측 삽입구

far anteromedial 삽입구

슬개건

2~2.5 cm

5 Far anteromedial (ACL 재건술 시 사용하는) 삽입구의 제작 위치

기타 삽입구

그 외, 필요에 따라서 후내측 삽입구(슬관절 굴곡위에서 대퇴골 내상과 후연, 내측광근 하연, 봉공근 상연으로 둘러싸인 공간)나 후외측 삽입구(슬관절 굴곡위에서 대퇴골 외상과 후연, 장경인대 하연, 대퇴이두근 상연으로 둘러싸인 공간), 슬개상 맹낭 부근의 상내측, 상외측 삽입구도 제작하기도 한다.

후내측 삽입구는 PCL 재건술 시에 사용하는 것 외에도 내측 반월판 후각 변연부의 처치 등에도 사용하는 경우가 있다. 후내측 삽입구는 관절경을 PCL과 과간절흔 내측벽 사이에 삽입하여 후내측 구획을 관절경으로 직시하고 있는 상태에서 spinal needle을 슬관절 후내측에서 경피적으로 후내측 구획에 찔러 넣어 📷 6b 관절 내의 바늘 위치를 참고하면서 제작한다.

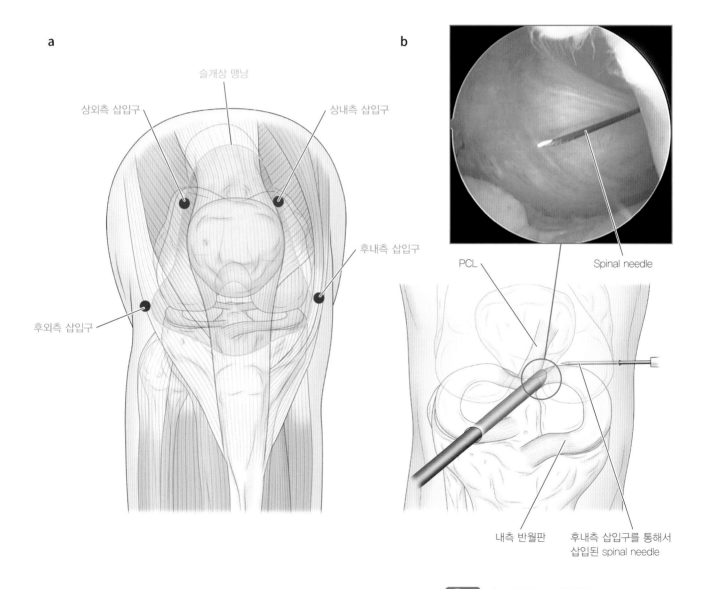

a

슬개상 맹낭
상외측 삽입구
상내측 삽입구
후내측 삽입구
후외측 삽입구

b

Spinal needle
PCL
내측 반월판
후내측 삽입구를 통해서 삽입된 spinal needle

📷 6 **기타 삽입구의 제작 위치**

a: 상외측, 상내측 삽입구의 제작 위치
b: 후내측 삽입구의 제작 위치. 슬관절 후내측에서 후내측 구획으로 spinal needle을 찔러 넣는다.

3　진단적 관절경

전외측 삽입구와 전내측 삽입구를 제작한 후, 먼저 전외측 삽입구에 관절경을 삽입하여 슬관절 후방으로 향하게 하여 90° 굴곡위로 한 상태로 과간절흔을 관찰한다.

프로브를 이용해서 ACL과 PCL의 관찰을 실시하는데, 이들 인대손상이 의심되는 예에서는 무릎 신전위나 내반위 등 체위를 바꿔가면서 손상 인대의 상태를 확인한다.

내측 구획 접근

내측 구획으로의 접근에서는 무릎을 20~30° 굴곡위로 한 상태에서 외반 스트레스를 가해서, 내측 구획을 확대한다. 이때 대퇴부의 지혈대를 장착한 부위에 설치된 lateral bar를 카운터로 이용하면 편하다.

외반 스트레스를 유지하기 위해서는 보조자가 하거나, 시술자 자신의 허리와 대퇴부를 사용하여 실시한다. 시술자가 해야 하는 경우, 수술장 바닥에 발판을 놓고, 발판에 시술자의 한쪽 발을 올려놓으면 시술자는 양손을 자유롭게 사용하면서 시술자의 허리와 대퇴부를 통해서 외반 스트레스 유지가 가능하다 **7**.

코멘트 **NEXUS view** ////

체위를 바꿀 때, 중요한 것은 관절경 화면이 회전하여 기울어지거나 하지 않고 화면에서의 상하가 올바른 상태로 있도록 오리엔테이션을 유지하는 것이다.

화면상에서 슬관절을 수평으로 유지하는 지표로는 경골 내·외측 고평부나 대퇴골 활차 등이 있다.

코멘트 **NEXUS view** ////

내측 반월판 처치 시에는 외반 스트레스를 가하면서 무릎의 굴곡 각도를 미세하게 조정해가면서, 내측 구획이 가장 많이 열리는 포지션을 찾아내야 한다.

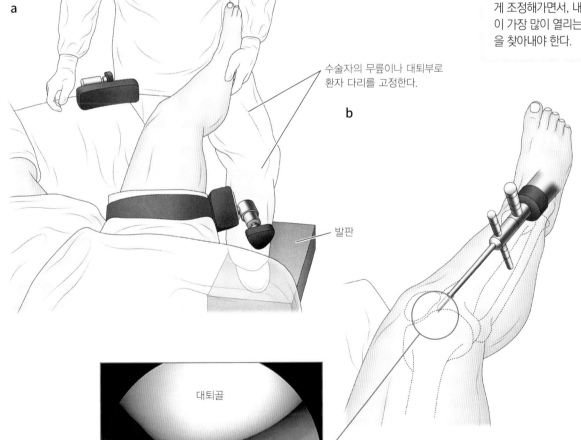

a

수술자의 무릎이나 대퇴부로 환자 다리를 고정한다.

b

발판

대퇴골

경골

7 슬관절 내측 구획을 관찰하기 위한 자세와 관절경 소견

a: 환자 자세. 시술자가 허리와 대퇴부를 이용해서 환지에 외반 스트레스를 유지하면, 두 손을 쓸 수 있는 상태가 된다.

b: 관절경 소견. 내측 반월판의 후각에 종(vertical)파열을 보인다 (→).

외측 구획 접근

외측 구획에 접근하는 방법으로는 무릎을 90° 굴곡위로 한 상태에서 내반 스트레스를 가해, 외측 구획을 확대한다. 즉, 책상다리라고 불리는 자세로, 양하지로 '4자'를 만들기 때문에 'figure-of-four position'이라고도 불린다 8.

코멘트 **NEXUS view**

특히 외측 반월판이 주요 치료 대상이 되는 수술에서는 대퇴부 근처에 설치한 lateral bar를 책상다리 자세를 취하는 데 방해가 되지 않는 위치에 두어야 한다.

a

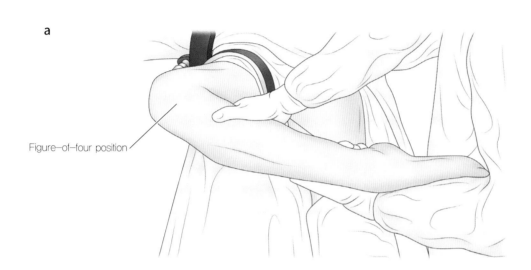

Figure-of-four position

b

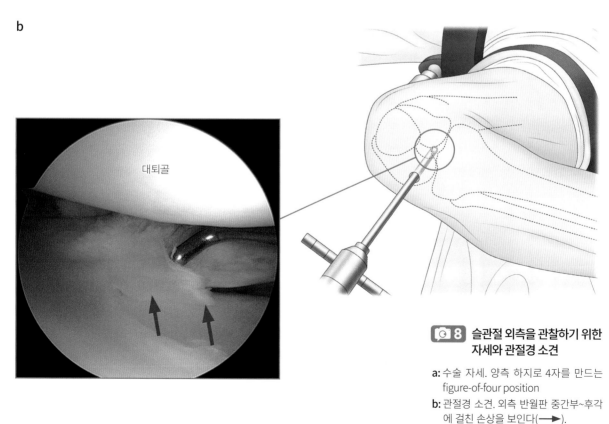

대퇴골

8 슬관절 외측을 관찰하기 위한 자세와 관절경 소견

a: 수술 자세. 양측 하지로 4자를 만드는 figure-of-four position
b: 관절경 소견. 외측 반월판 중간부~후각 에 걸친 손상을 보인다(➝).

슬개대퇴관절과 슬개상 맹낭 접근

슬개대퇴관절이나 슬개상 맹낭으로의 접근에서는 무릎을 신전위로 하여 관절경을 삽입하여 관찰한다. 관절경을 돌려가면서 전체 관절 범위를 관찰한다 📷 9 . 내·외측 구(gutter) 관찰도 무릎 신전위에서 실시한다.

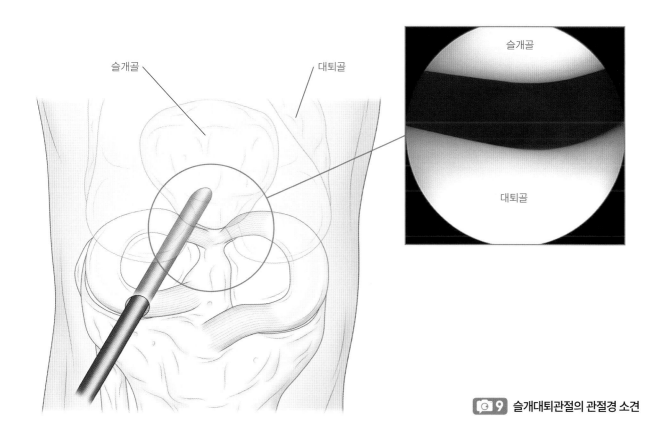

슬개골

대퇴골

슬개골

대퇴골

📷 9 슬개대퇴관절의 관절경 소견

4 관절내 관찰

코멘트 NEXUS view ///

탐색자(프로브)

관절내 조직에 대하여 손 대신 촉진 역할을 하는 것이 탐색자(probe)이다. 언뜻 정상으로 보여도 탐색자에 의해 손상이 판명되는 예도 적지 않기 때문에 탐색자는 관절경수술에서 매우 중요하다.

관절 내의 조직을 제쳐보거나 움직여봐서 손상의 유무를 확인할 수 있는 것 외에도 탐색자를 병변에 접촉해보는 것만으로도 조직의 상태 @ 10a 나 불안정성 @ 10b 을 확인하거나 손상부위의 크기를 측정할 수 있고, 전위된 조직을 원위치로 되돌릴 수 있다 @ 11 .

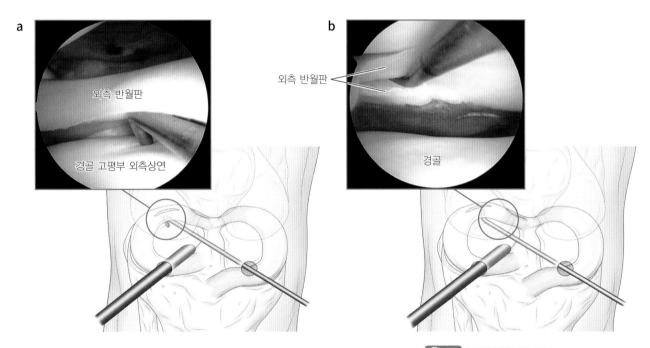

a 외측 반월판

경골 고평부 외측상연

b 외측 반월판

경골

📷 **10 탐색자에 따른 평가**

a: 경골 고평부 외측상연의 연골의 상태를 평가한다.
b: 외측 반월판 후각 손상부의 불안정성을 평가한다.

내측 반월판의 양동이 손잡이형(bucket–handle) 파열

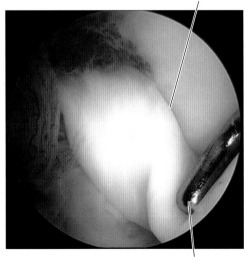

탐색자로 파열부를 눌러 정복한다.

📷 **11 탐색자를 통한 조직의 정복**

외반 스트레스를 주면서 내측 반월판의 양동이 손잡이형 파열 부분을 탐색자로 눌러서 정복한다.

반월판 손상에 대한 탐색

반월판 손상에 대해서는 프로브의 역할이 특히 크다고 할 수 있다. 관절경만으로는 보이지 않는 반월판 손상도 탐색자에 의해 판명되는 경우가 흔하며, 반월판 손상부의 불안정성 정도를 탐색자를 통해 확인하고, 봉합이 필요한지 rasping만으로 치료가 가능한지 여부 등을 판정할 수 있다.

ACL 손상에 대한 탐색

ACL 손상에 대한 프로브의 역할도 중요하다. ACL 파열 후의 잔여(remnant) ACL은 증례에 따라 다양한 형태로 나타난다. 이때 프로브로 조직의 긴장도와 볼륨을 확인한다. 책상다리(figure-of-four position)를 비롯해 환자 하지의 자세를 바꿈으로써 손상 ACL의 평가는 보다 정확해진다.

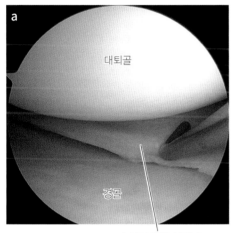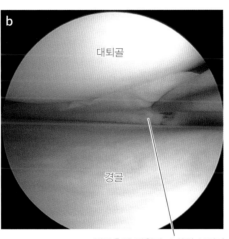

대퇴골

경골

대퇴골

경골

손상이 없어 보인다.

경골측에 반월판 손상이 보인다.

📷 12 반월판 손상에 따른 탐색자의 역할

a: 반월판 손상이 언뜻 보기에는 없어 보인다.
b: 반월판 경골측에 손상을 찾아낼 수 있다.

대퇴골 부착부에서 파열된 ACL

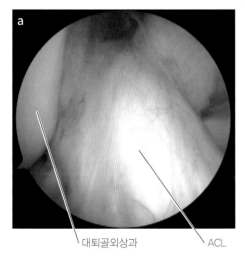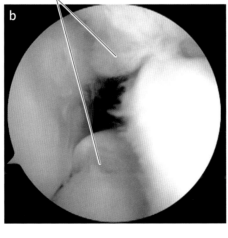

대퇴골외상과

ACL

📷 13 ACL 손상에 따른 탐색자의 역할

a: ACL 손상이 언뜻 보기에 없어 보인다.
b: ACL을 탐색자로 제쳐보면 대퇴골측에서의 연속성이 거의 없음을 알 수 있다.

코멘트 NEXUS view ////

슬개대퇴관절연골 평가법
슬개대퇴관절에는 무릎을 신전위로 해서 관절경을 삽입하지만, 관절면을 평가할 때는 무릎의 굴곡 각도를 조금씩 바꾸거나 관절경의 방향을 바꿔가면서 확인하면 넓은 범위의 관절연골을 관찰하거나 탐색할 수 있다.

참고문헌

1) 中前敦雄, 越智光夫, 安達伸生. 遺残組織を温存したACL再建術. OS NEXUS 5 スポーツ復帰のための手術 膝. 東京: メジカルビュー社;2016. p.36-45.

II. 하지

전방십자인대 재건술

히로사키대학 대학원 의학연구과 정형외과학 **이이오 코헤이(Kohei Iio)**
히로사키대학 대학원 의학연구과 정형외과학 **키무라 유카(Yuka Kimura)**
히로사키대학 대학원 의학연구과 정형외과학 **이시바시 야스유키(Yasuyuki Ishibashi)**

Introduction

전방십자인대(anterior cruciate ligament; ACL) 재건술은 ACL 손상에 대한 치료로서 기본이 되는 수술이다. 일본에서는 자가 슬건(hamstring)을 이용한 이중다발재건술과, 골편이 부착된 슬개건을 이용한 해부학적 직사각형 터널(anatomic rectangular tunnel)을 이용한 재건술이 이루어지는 경우가 많으며, 양쪽 수술법 모두 터널 위치 및 섬유 배열을 해부학적으로 재현되므로, 비슷한 임상 성적을 얻을 수 있는 것으로 여겨진다.[1] 최근 수술 술기의 발달과 기구의 개선이 이루어지기도 하여 수술 술식은 더욱 세련되어졌다.

수술 전 고려 사항

● 이식건 선택

이식건 선택과 관련하여 저자들은 비교적 조기 수상의 경우나, MRI에서 remnant가 잔존할 것으로 예상되는 사례, 그리고 골단선이 잔존하는 사례에는 자가 슬건을 사용하고, 만성 사례에서 remnant가 잔존하지 않는 사례나 고도의 불안정성을 보이는 증례에서는 슬개건을 이용하는 경우가 많다. 그 외로는 환자가 주로 행하는 스포츠의 특성이나 근력, 건의 길이, 환자의 희망 등을 고려하여 결정한다.

● 터널 제작법

대퇴골터널은 전내측 도달법(transportal) 또는 Outside-In법 중 하나로 제작하고 있다.

Transportal법으로 시행할 경우에는 대퇴골 후벽이 손상되지 않도록 무릎을 최대 굴곡시킬 필요가 있다.

Outside-In법은 근육 등의 연부조직의 상태 때문에 고도 굴곡(deep flexion)이 곤란한 증례나 골단선 보존이 필요한 소아, 이미 재건술을 과거에 시행하여 이전의 터널과 다른 방향으로 터널을 제작하고자 하는 재수술 증례에 유용하다.

● ACL 재건술에서 자주 사용되는 기구

자가 슬건을 이용한 이중다발 재건에 이용하는 기구 **◎1**와 슬개건을 이용한 직사각형 터널 재건에 이용하는 기구 **◎2**를 나타낸다.

수술 진행

자가 슬건을 이용한 이중다발 재건

1 자가 슬건의 채취 및 제작
　· 자가 슬건 채취
　· 이식건 제작

2 터널 제작
　· 대퇴골터널 제작
　· 경골터널 제작

3 이식건의 유도 및 고정

자가 슬개건을 이용한 직사각형 터널 재건술

1 슬개건 채취

2 이식건 제작

3 터널 제작
　· 대퇴골터널 제작
　· 경골터널 제작

4 이식건의 유도 및 고정

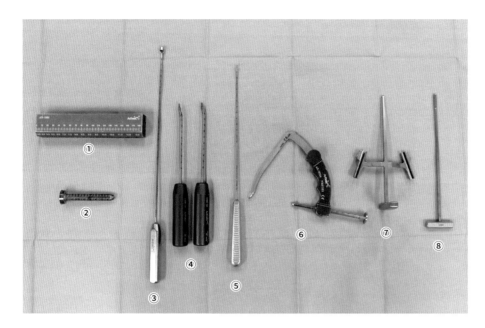

그림 1 자가 슬건을 이용한
이중다발 재건술에서
자주 사용하는 기구들

① Graft sizing block
② Graft tube (Arthrex사)
③ Tendon stripper
④ Offset guide
⑤ Depth gauge
⑥ Tibia tunnel guide
⑦ PL divergence guide (Arthrex사)
⑧ Dilator

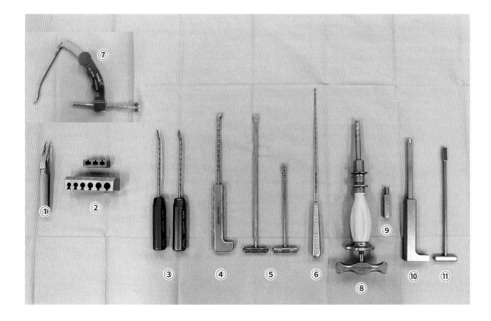

그림 2 슬개건을 이용한 해부학적
직사각형 터널 재건술에서
자주 사용하는 기구들

① Parallel knife
② Graft sizing block
③ 오프셋 가이드
④ Rectangular femoral dilator®
   (Smith & Nephew Endoscopy)
⑤ 원형 Dilator
   구멍이 없는 Dilator (long)로 직사
   각형의 소켓을 제작한 후, 구멍이 있
   는 Dilator (short)를 삽입하고, 소켓
   의 중앙에 endobutton 드릴용 가
   이드 핀을 삽입한다.
⑥ Depth guide
⑦ Tibia tunnel guide
⑧ Coring reamer
   (Smith & Nephew Endoscopy)
⑨ Tibial off set pin guide®
   (Smith & Nephew Endoscopy)
⑩ Rectangular tibial dilator®
   (Smith & Nephew Endoscopy)
⑪ 원기둥 모양의 Dilator (10 mm)

Fast **C**heck

❶ 자가 슬건이나 슬개건을 이용한 재건술 모두, ACL의 해부학적 부착부위에 터널을 제작하고, 인대의 섬유 배열을
   해부학적으로 재현하는 것이 목표이다.
❷ ACL 재건술 후의 인대 재손상이 일어나는 비율이 비교적 높기 때문에 다양한 수술 술기와 기구에 숙달될 필요가
   있다.
❸ 수술 중에는 되도록 같은 피부 절개를 이용하기 위해서 자가 슬건, 슬개건을 채취할 때는 세로로 피부 절개를 실시한다.

수술 술기

자가 슬건을 이용한 이중다발 재건술

1 자가 슬건의 채취 및 제작

자가 슬건 채취

기위발건 위에서 2~3 cm의 세로 피부 설개를 한다 3a.

봉공근의 섬유 방향을 따라서 근막을 절개한 후, 반건양건과 박건의 경계를 확인하고, 혈관겸자(hemostat)를 이용해서 반건양건을 잡는다. 반건양건 부착부와 보조건(accessory tendon)을 metzenbaum 혹은 손가락을 이용해서 떼어 내고, 끝부분을 tendon stripper에 통과시켜 이식건을 채취한다 3b.

채취한 반건양건의 길이 또는 굵기가 충분하지 않은 경우에는 박건을 추가로 채취한다.

코멘트 NEXUS view

Tendon stripper

Tendon stripper는 반건양건 채취 시, 근육의 주행에 따라서 삽입한다. 그렇기 때문에 반건양건의 보조건을 모두 찾아내서 미리 잘라 두는 것이 중요하며, 도중에 남아 있을 경우에는 무리하게 진행하지 않고, 남아있는 보조건이 있는지 확인한다.

a

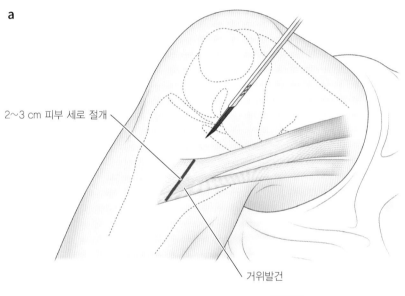

2~3 cm 피부 세로 절개

거위발건

b

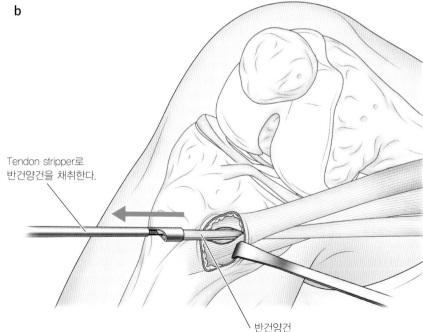

Tendon stripper로
반건양건을 채취한다.

반건양건

3 **반건양건의 채취**

a: 피부 절개
b: 반건양건의 채취

이식건 제작

채취한 반건양건의 원위측을 전내측다발(antero-medial bundle; AM다발), 근위측을 후외측다발 (postero-lateral bundle; PL다발)로서 이용하고, 전내측다발을 후외측 다발보다 전체 길이를 약간 더 길게 하고, 이등분한다 **3c**.

각각의 이식건을 한번 접어서 루프 부분을 TightRope RT® (Arthrex사)에 통과시키고, 끝부분을 #2 FiberWire® (Arthrex사)로 봉합한다. Graft sizing block으로 이식건의 직경을 계측하고, Graft tube®에 이식건을 통과해서 pre-tensioning한다 **3d**.

> **코멘트** ▐ **NEXUS view** ////
>
> 채취한 반건양건은 원위쪽이 역학적 강도가 높기 때문에 전내측다발로 한다. 이식건, 특히 PL다발 이식건의 제작 시에는 실이 확실히 끝부분에 걸리도록 봉합하도록 하고, 봉합 후에 당겨보면서 봉합사가 뽑히지 않는지 확인한다.
>
> Graft tube를 사용하여 이식건을 압축해서 지름을 일정하게 정돈함으로써 경골터널에서 대퇴골터널로의 유도를 원활하게 할 수 있다.

c

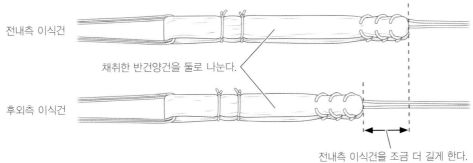

전내측 이식건

채취한 반건양건을 둘로 나눈다.

후외측 이식건

전내측 이식건을 조금 더 길게 한다.

d

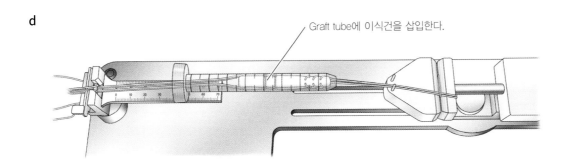

Graft tube에 이식건을 삽입한다.

3 반건양건의 채취(이어서)

c: 이식선의 제작 1
d: 이식건의 제작 2
전내측 이식건, 후외측 이식건을 Graft tube®에
삽입하여 pre-tensioning을 한다.

2 터널 제작

대퇴골터널 제작

경골측 잔여 조직은 가급적 보존하고, 대퇴골측 잔여 조직은 쉐이버 등으로 제거하여 부착부를 충분히 확인할 수 있도록 한다.[2]

전외측 삽입구로부터 관절경으로 관찰하면서, 전내측 삽입구에 오프셋 가이드를 삽입해서 전내측 터널을 제작한다 📷4a. 가이드핀 삽입 시에는 무릎을 최대 굴곡위로 한다. 전내측 이식건 직경과 같은 사이즈의 드릴을 이용하여 약 15 mm 길이의 소켓을 제작한 후, 드릴을 4 mm 직경 드릴로 바꿔서 드릴링을 하여, 대퇴골 피질을 관통시킨다.

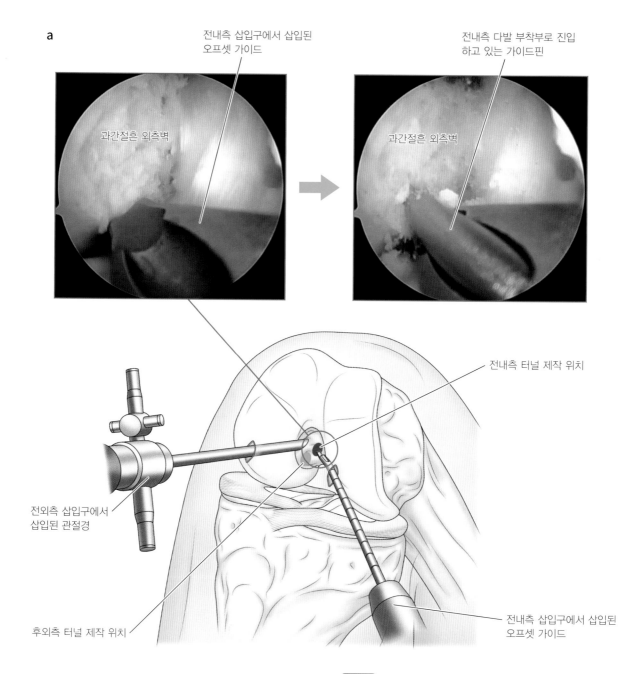

a

전내측 삽입구에서 삽입된 오프셋 가이드

전내측 다발 부착부로 진입하고 있는 가이드핀

과간절흔 외측벽

과간절흔 외측벽

전내측 터널 제작 위치

전외측 삽입구에서 삽입된 관절경

후외측 터널 제작 위치

전내측 삽입구에서 삽입된 오프셋 가이드

📷4 대퇴골터널 제작

a: 전내측 터널의 제작. 전내측 삽입구에 오프셋 가이드를 삽입하고, 전내측 다발 부착부에 가이드 핀을 삽입한다.

전내측 터널을 완성한 뒤에는, far anteromedial portal을 제작하고 무릎을 최대 굴곡위로 하여, 후외측 터널 위치에 가이드핀을 꽂는다 📷4b . 전내측 터널과 마찬가지 방법으로 이식건의 직경과 같은 사이즈로 약 15 mm의 소켓을 제작하고 나서는, 4 mm 직경의 드릴로 대퇴 피질골을 관통시킨다. 각각의 터널 길이를 depth gauge로 계측한다. 제작된 전내측 터널과 후외측 터널을 📷4c 에 나타낸다.

코멘트 NEXUS view

Far anteromedial portal의 제작

전내측 삽입구에서 원위 및 약간 내측의 위치에 spinal needle을 찔러 넣어 바늘 끝을 전내측 · 후외측 터널 제작 위치에 맞춘다. 이때 spinal needle과 대퇴골 내과 연골면과의 거리가 충분한지를 확인한다. 거리가 충분하지 않으면 대퇴골터널 드릴링 시에 연골손상의 위험이 있게 되므로, 다른 위치에 spinal needle을 찔러 넣어 위치를 수정한다.

Spinal needle은 내측 반월판의 바로 위를 지나가도록 찔러 넣고, 삽입구 제작 시에 반월판이 손상되지 않도록 주의한다.

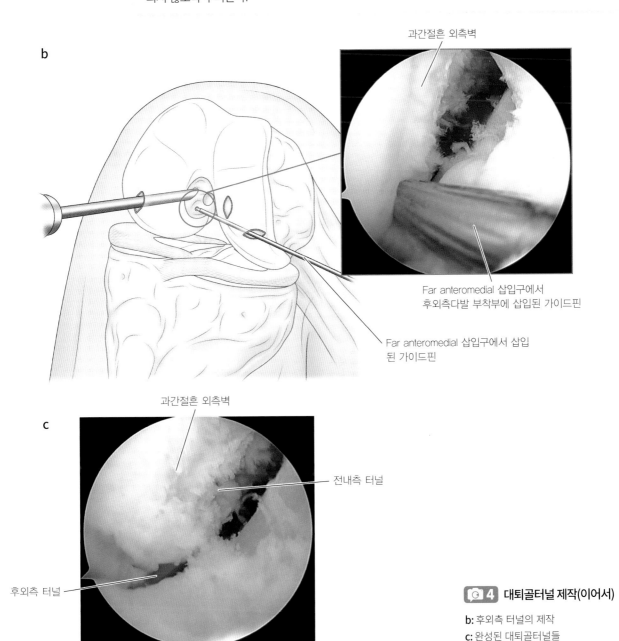

b

과간절흔 외측벽

Far anteromedial 삽입구에서
후외측다발 부착부에 삽입된 가이드핀

Far anteromedial 삽입구에서 삽입
된 가이드핀

c

과간절흔 외측벽

전내측 터널

후외측 터널

📷4 대퇴골터널 제작(이어서)

b: 후외측 터널의 제작
c: 완성된 대퇴골터널들

경골터널 제작

경골측은 anterior ridge의 직후방에 경골 가이드를 이용해서 전내측 터널의 가이드핀을 꽂는다 📷 **5a**. 전내측 이식건 직경과 같은 사이즈로 드릴링을 실시한다.

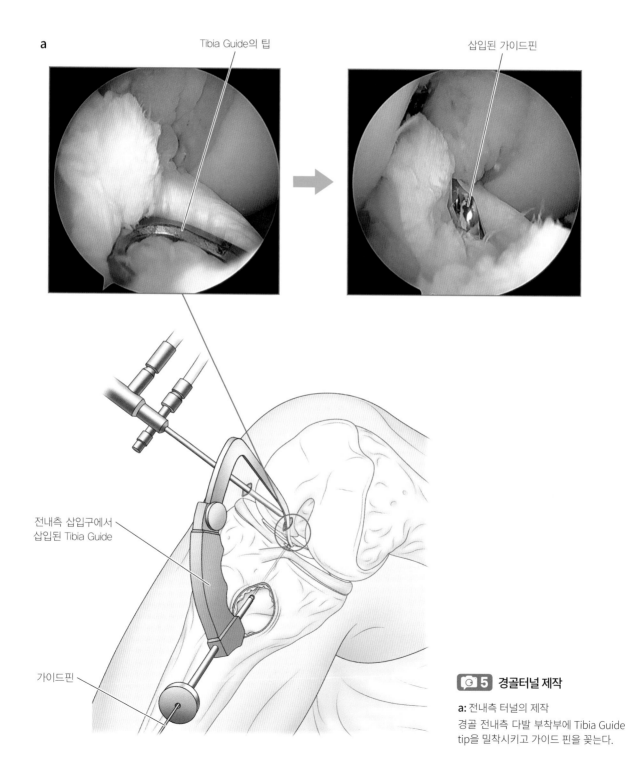

a

Tibia Guide의 팁

삽입된 가이드핀

전내측 삽입구에서
삽입된 Tibia Guide

가이드핀

📷 **5** 경골터널 제작

a: 전내측 터널의 제작
경골 전내측 다발 부착부에 Tibia Guide
tip을 밀착시키고 가이드 핀을 꽂는다.

만들어진 전내측 터널에 PL divergence guide®를 삽입하고 🄲 5b , 가이드 핀을 꽂는다 🄲 5c .
마찬가지로 후외측 이식건 직경과 같은 사이즈로 드릴링을 실시하고, 후외측 터널을 제작한다.

코멘트 NEXUS view

대퇴골 전내측 터널, 후외측 터널을 제작할 때는 그때마다 전내측 삽입구로부터 관절경 관찰을 실시해 각각의 터널의 방향과 위치 관계를 확인한다. 대퇴골터널의 벽에 손상을 일으키지 않도록 무릎의 굴곡 각도와 가이드핀을 삽입하는 방향에 주의한다.

코멘트 NEXUS view

PL divergence guide®

경골터널 위치가 후방이 되면 슬관절의 안정성을 얻을 수 없고, 또 부착부에 제대로 터널이 제작되지 않으면 의인성 반월판 손상을 일으킬 수 있다.[3] 경골측의 잔여 조직을 보존했을 경우에, 특히 후외측 터널 위치의 확인이 곤란해진다. 후외측 divergence guide를 이용하는 것으로 전내측 터널 후연에서 5 mm 후방에 후외측 가이드 핀을 설치할 수 있어 전내측 터널, 후외측 터널의 위치 관계를 유지할 수 있게 된다.

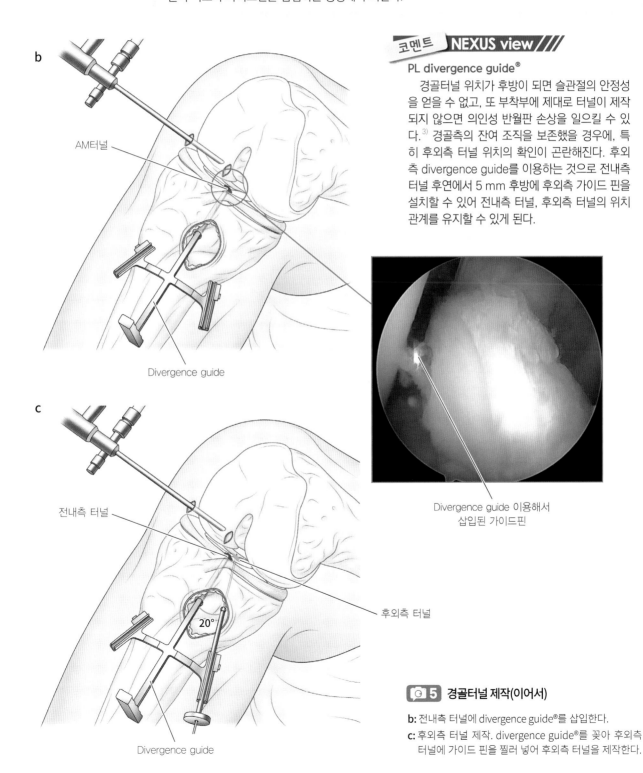

b

AM터널

Divergence guide

c

전내측 터널

20°

후외측 터널

Divergence guide

Divergence guide 이용해서
삽입된 가이드핀

🄲 5 **경골터널 제작(이어서)**

b: 전내측 터널에 divergence guide®를 삽입한다.
c: 후외측 터널 제작. divergence guide®를 꽂아 후외측
 터널에 가이드 핀을 찔러 넣어 후외측 터널을 제작한다.

3 이식건의 유도 및 고정

대퇴골터널에서 경골터널로 유도사를 통해 후외측, 전내측 순으로 이식건을 유도한다. 무릎관절 15~20° 굴곡위 상태로 하고, 경골측에 suture mini disc (B. Braun Aesculap)로 고정한다 📷6.

코멘트 | NEXUS view ////

대퇴골측 버튼이 터널을 따라서 종으로 올라가도록 리딩실로 견인하고, 통과를 하고 나면, 플립을 실시한다. 미리 이식건의 플립 포인트(역자주; 이식건이 걸린 suspensory 장치가 대퇴터널을 지나서 플립이 가능한 위치까지 이동하였을 때 화면에서 이식건이 보이는 위치)에 마킹을 해두면 알기 쉽다.

후외측 이식건의 유도 후에 전내측 이식건을 유도할 때, 후외측 이식건이 끌려 들어가지 않도록 경골 쪽의 봉합사에 긴장을 가해둔다.

주의! | NEXUS view ////

Tight Rope RT®나 ENDOBUTTON CL™ (Smith & Nephew사) 등의 suspension system은 간편 하지만 대퇴골측 버튼의 고정이 블라인드(blind) 조작이기 때문에 제대로 플립되지 않은 경우에는 X선 이나 투시장치를 이용해 버튼의 위치나 방향을 확인해야 한다.

코멘트 | NEXUS view ////

Tight Rope RT®사용 시에는 플립(flip)이 확인되면, 흰색 텐셔닝실을 약 5 mm씩 교대로 당겨서 루프 부분의 길이를 조절하게 되는데, 이식건이 소켓 근처에 도달할 때까지 삽입한다. 이때 경골 쪽 봉합사에는 장력을 걸지 않는다.

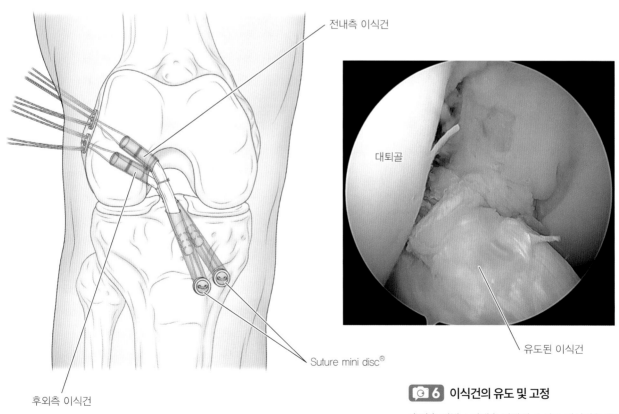

전내측 이식건

대퇴골

후외측 이식건

Suture mini disc®

유도된 이식건

📷6 **이식건의 유도 및 고정**

후외측 다발→전내측 다발의 순서로 이식건을 유도 하고, 경골측은 suture mini disc로 고정한다.

자가 슬개건을 이용한 직사각형 터널 재건술

1 슬개건 채취

슬개골 하연 및 경골조면부에 약 3 cm의 세로 피부 절개를 원위와 근위, 2군데에 가한다 .

복재신경 하슬개분지 손상 방지를 위해 deep retinacular layer와 peritenon을 횡으로 절개해서 박리하여, 그 아랫면으로 피하 터널을 제작해 슬개건에 접근한다.[4] 10 mm 폭의 parallel graft knife (Arthrex Japan)로 슬개건 중앙을 근위에서 원위로 절개한다 **7b** . 경골의 슬개건 부착부는 폭 10 mm, 길이 20 mm, 두께 10 mm의 직방체가 되도록 microsaggital saw를 이용하여 골편을 채취한다. 슬개골 측은 폭 10 mm, 길이 15 mm, 두께 7~8 mm가 되도록 채취한다(**8a** 참조).

코멘트 NEXUS view ////

Kneeling 시의 슬관절 전방부위 통증을 예방하기 위해 경골측 골편을 너무 크게 떼어내지 않도록 한다.

슬개골 골절을 피하기 위해서 슬개골 골편은 너무 두껍게 떼어내지 않도록 한다.

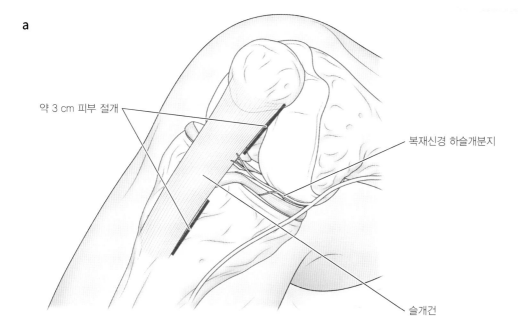

a

약 3 cm 피부 절개

복재신경 하슬개분지

슬개건

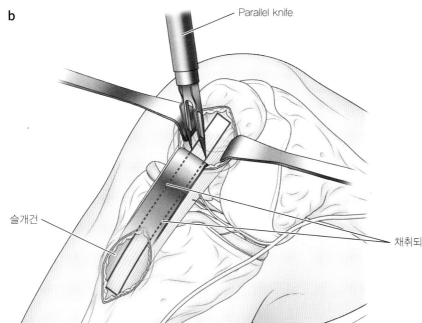

b

Parallel knife

슬개건

채취되는 슬개건 중앙 1/3 부분

코멘트 NEXUS view ////

피하 터널에서는 블라인드(blind)로 진행해야 하므로 섬유 방향을 따라서 절개되도록 주행 방향을 인지하고 있어야 한다.

7 슬개건의 채취

a: 피부 절개
b: Parallel knife를 이용하여 슬개건의 중앙 1/3을 절개한다.

2 이식건 제작

저자들은 슬개골 골편을 대퇴골 측에, 경골 골편을 경골측에 삽입하고 있다. 지방조직 등을 제거하고, 대퇴골 측은 graft sizing block을 이용해 6×10 mm의 직사각형으로 제작하며, 경골측은 지름 10 mm의 원기둥으로 제작한다 .

대퇴골측 골편은 삽입하기 쉽도록 끝을 tapered (끝이 약간 가늘어지게) 모양으로 하여서 골편에 수직으로 터널을 낸다. 경골측 골편에는 K-wire로 2개의 구멍을 뚫어 각각의 bone hole에 견인용 실을 꿰어 둔다. 골건 이행부에 표시를 하여 골편과 건실질부의 길이를 계측한다 8b.

코멘트 NEXUS view

대퇴골 골편은 관절 내로 유도하기 쉽도록 끝을 tapered로 하여 장축의 중앙에 bone hole을 제작한다.

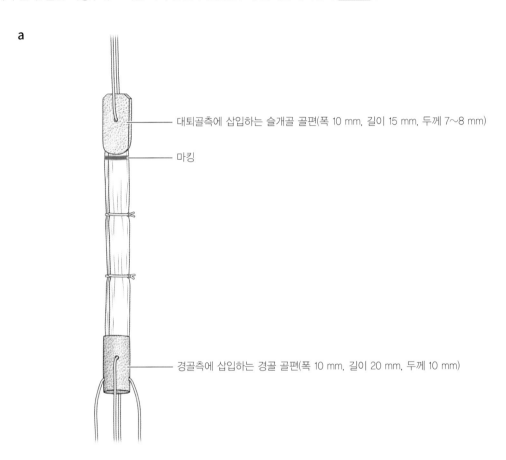

대퇴골측에 삽입하는 슬개골 골편(폭 10 mm, 길이 15 mm, 두께 7~8 mm)

마킹

경골측에 삽입하는 경골 골편(폭 10 mm, 길이 20 mm, 두께 10 mm)

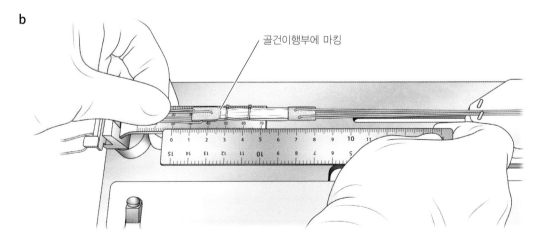

골건이행부에 마킹

📷 8 이식건의 제작

a: 채취한 이식건
b: 골편과 건실질부의 길이를 계측한다.

3 터널 제작

대퇴골터널 제작

전외측 삽입구에 관절경을 두고 전내측 삽입구에서 offset guide를 삽입하고 📷9a . 무릎을 최대 굴곡해서 대퇴측 전내측 다발 부착부 중앙에 가이드 핀을 삽입한다(전내측 가이드핀). 이때 가이드 핀을 대퇴골 피질(far cortex)까지 관통시켜서, 관절 내에는 5 mm 정도만 남게 한다 📷9b .

Rectangular femoral dilator (역자주; dilator 끝부분에는 전내측과 후내측 핀의 위치를 설정할 수 있도록 hole이 2개가 있다.)의 끝부분을 관절 내에 삽입하여, 한쪽 hole을 전내측 핀이 지나가게 함과 동시에, 다른 hole이 후외측 다발 부착부 중앙에 오도록 위치를 조정한다 📷9c .

후외측 다발의 중앙에 위치한 비어있는 hole에 후외측 다발의 가이드 핀을 삽입하고, 전내측 가이드 핀과 마찬가지로 관절 내에 5 mm 정도만 남게 뽑아낸다 📷9d .

각각의 가이드핀에 대해서 5.5 mm의 드릴로 20 mm 정도 깊이까지 오버 드릴해서 2개의 원형 터널을 제작하고, rectangular femoral dilator를 이용해 최종적으로 단일 6×10 mm의 소켓을 제작한다. 그러기 위해서는 rectangular femoral dilator를 사용하여 깊이 20 mm까지 확장을 실시하고 📷9e , Dilator를 제거한 뒤 남아있는 가이드 핀을 이용하여 직경 4.5 mm 드릴로 대퇴골 피질을 관통시켜 직사각형 터널을 제작한다 📷9f . Depth gauge를 이용하여 대퇴골터널 길이를 계측하는 것으로 마무리한다.

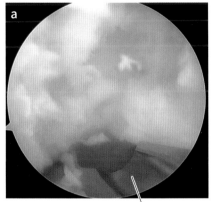

Offset guide

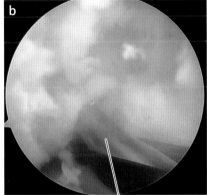

전내측다발 부착부에 삽입된 가이드 핀

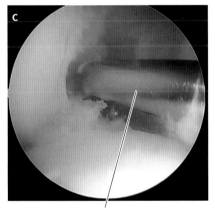

Rectangular femoral dilator®

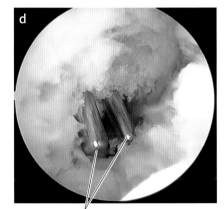

관절 내에 5 mm 정도만 남겨둔 가이드 핀들

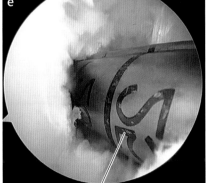

Rectrangular femoral dilator로 소켓 만들고 있는 모습

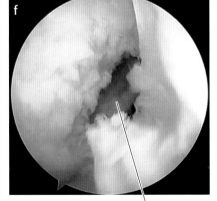

완성된 rectangular socket

📷9 **대퇴골터널 제작에 대한 관절경 소견**

a: 전내측 삽입구에서 오프셋 가이드를 삽입한다.
b: 전내측다발 부착부에 가이드핀을 꽂는다.
c: Rectangular femoral dilator를 이용해 한쪽 구멍을 기존의 전내측 핀에 삽입하고, 다른 한쪽 구멍이 후외측 다발 부착부 중앙에 오도록 위치를 조정한다.

d: 전내측 핀과 후외측 핀은 관절 내에 5 mm 정도 남아 있도록 한다.
e: Rectangular femoral dilator를 이용해 6×10 mm의 소켓을 깊이 20 mm로 제작한다.
f: Rectangular socket의 완성

경골터널 제작

Tibia Guide를 이용해서 ACL 경골 부착부의 중앙에 가이드 핀(reference central pin, 1st pin)을 삽입하고, 이에 따라 코어 헌터®를 이용해서 지름 10 mm, 길이 20 mm의 원기둥 모양의 골편을 채취한다.

첫 번째 pin을 가이드로 삼아 tibial off set pin guide를 이용하여 두 번째 pin (전내측 핀), 세 번째 pin (후외측 핀)을 삽입한 후에 1st pin을 제거하고, 전내측 핀과 후외측 핀을 5.5 mm의 드릴로 오버드릴하여 터널을 하나로 연결시킨다.

Rectangular tibial dilator를 관절 내까지 삽입하고 관절내 개구부(opening)는 직사각형이지만 원위는 원통형이 되도록 경골터널을 제작한다.

코멘트 NEXUS view ///

채취한 슬개건의 길이에 따라 경골터널의 각도를 결정한다. 골편이 관절 내로 돌출되는 것을 막기 위해 슬개건 길이가 긴 경우에는 경골터널의 경사를 크게 하여 터널 길이가 길어지도록 조정한다.

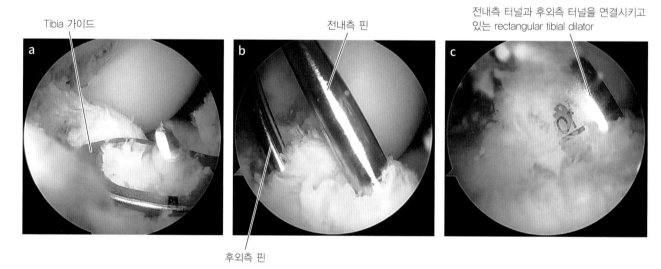

🔟 경골터널 제작 시의 관절경 소견

a: 경골측 부착부 중앙에 Tibia Guide의 hook을 부착시킨다.
b: 전내측 핀, 후외측 핀
c: Rectangular tibial dilator를 이용하여 전내측 터널과 후외측 터널을 연결한다.

4 이식건의 유도 및 고정

제작된 터널에 슬개골 골편이 선두에 오도록 하고, 터널 방향으로 일치시키도록 이식건을 유도한다 📷11a~c .

대퇴골 측은 ENDOBUTTON CL™ 혹은 interference screw를 삽입하여 고정하고, 경골측은 골편 후방에서 interference screw를 삽입하여 고정한다. 코어 헌터로 얻은 골주는 수술 후 무릎 전면 통증 예방을 위해 골편 채취부에 이식한다.

> **코멘트 | NEXUS view ////**
>
> 해당 술식에서 슬개건을 터널로 유도하는 것은 자가 슬건과 달리 쉽지 않다. 경골터널은 쉐이버를 삽입하여 연부조직 등이 끼지 않도록 해둔다. 유도 시에는 리트리버나 둔봉을 이용해 골편의 방향과 터널의 개구부의 방향을 일치시켜 끌어당긴다.

> **주의! | NEXUS view ////**
>
> 대퇴골의 후방벽이 얇은 경우에는 스크류 고정 시에 터널이 파괴되면서 고정이 불량해질 가능성이 있다. 대퇴골터널 제작 후에 후벽의 두께를 관절경으로 확인하고, 얇은 경우에는 ENDOBUTTON CL™ 를 사용하는 등 고정 방법의 변경을 고려한다.

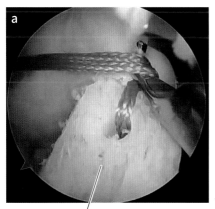
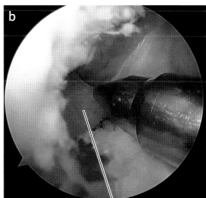
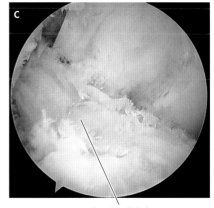

유도된 슬개골 골편(대퇴골측)　　슬개골 골편(대퇴골측)　　　유도된 이식건

📷11 **이식건의 유도 및 고정**

a: 대퇴골측 골편을 관절 내로 유도한다.
b: 관절경의 둔봉 등을 이용하여 골편 삽입 방향을 미세 조정하여 골편을 대퇴골터널로 유도한다.
c: 이식건 유도 후의 모습

참고문헌

1) Sasaki S, Tsuda E, Hiraga Y , et al. Prospective Randomized Study of Objective and Subjective Clinical Results Between Double-Bundle and Single-Bundle Anterior Cruciate Ligament Reconstruction. Am J Sports Med. 2016;44:855-64.

2) Naraoka T, Kimura Y, Tsuda E , et al. Is Remnant Preservation Truly Beneficial to Anterior Cruciate Ligament Reconstruction Healing? Clinical and Magnetic Resonance Imaging Evaluations of Remnant-Preserved Reconstruction. Am J Sports Med. 2017;45:1049-58.

3) Oishi K, Sasaki E, Naraoka T , et al. Anatomical relationship between insertion sites, tunnel placement, and lateral meniscus anterior horn injury during single and double bundle anterior cruciate ligament reconstructions:A comparative macroscopic and histopathological evaluation in cadavers. J Orthop Sci. 2019;24:494-500.

4) Tsuda E, Okamura Y, Ishibashi Y, et al. Techniques for reducing anterior knee symptoms after anterior cruciate ligament reconstruction using a bone-patellar tendon-bone autograft. Am J Sports Med. 2001;29:450-6.

II. 하지

반월판 봉합술

도쿄의과치과대학 대학원 의치학종합연구과 운동기외과학 **코가 히데유키(Hideyuki Koga)**

Introduction

수술 전 고려 사항

• 수술 적응증

반월판 손상은 그 파열 형태에 따라 다르지만, 잠김(locking)이나 걸림(catching) 등과 같은 관절가동범위 제한이나, 기계적 증상(mechanical symptoms)을 환자가 호소하지 않는 경우에는 원칙적으로 물리치료, 약물, 관절내 주사 등의 보존요법을 우선 사용한다. 하지만 보존요법이 효과가 없거나, 혹은 기계적 증상의 정도와 이학적 소견, 영상소견 등이 분명한 경우에는 기능 회복을 목표로 가급적 조기 수술을 시행한다.

전방십자인대 손상에 합병되는 반월판 손상

전방십자인대(anterior cruciate ligament; ACL) 손상에 동반되는 반월판 손상이 있는 경우에서의 봉합술은 수술 결과가 반월판 단독손상에 대한 봉합술과 비교해서 우수한 편이므로 인대 재건술과 동시에 반월판 봉합술을 행하는 것을 기본으로 하고 있다.

ACL 손상에 따른 반월판 걸림 등의 기계적 증상이 있는 경우에서 환자가 인대 재건술을 원하지 않는 증례나 방치된 지 장시간 경과하여 만성적 변성이 강한 증례 등에서는 높은 재손상 가능성을 고려하여 처음부터 절제술을 선택할 수도 있다.

반월판 단독손상

반월판 단독손상에 대해서는 내측과 외측에서 그 치료방침이 다르다.

내측 반월판(medial meniscus;MM)의 단독손상은 내측에서는 단위 면적당 반월판의 하중 분담 정도가 상대적으로 적다는 점과 높은 재손상 가능성도 고려해야 하고, 특히 변성을 기반으로 한 손상에서는 부분 절제술에 적응되는 경우도 많다. 한편 최근에는 후각 근(posterior root) 손상에 대해서 적극적인 봉합술이 이루어지고 있다.

외측 반월판(lateral meniscus; LM)의 단독손상에서는 절제에 의한 하중 분산 기능의 상실로 급격한 연골손상이나 조기 퇴행성 관절증을 초래할 수 있다. 따라서 LM 손상은 원칙적으로 가능한 봉합술을 실시하고, 또한 절제 후에 많이 나타나는 반월판 돌출과 그에 따른 연골손상에 대해서도 최근에는 centralization법을 실시하는 것으로, 적극적인 기능 보존을 시도하게 되고 있다.[1-3]

주로 사용되는 봉합술기

1. 진단적 관절경
2. Outside-In법을 이용한 봉합술
   - 원판상 반월판의 전각부 봉합
3. Inside-Out법을 이용한 봉합술
   - MM 중간부 – 후각에 걸친 양동이 손잡이형 파열에 대한 봉합
4. All-Inside법을 이용한 봉합술
   - 앵커 타입의 All-Inside 디바이스
   - 관절내 봉합 장치
5. 돌출 반월판에 대한 Centralization법
   - LM에 대한 centralization법

● **자주 사용하는 기구**

대표적인 반월판 봉합 술기로서 ① Outside-In법(전각), ② Inside-Out법(중간부-후각), ③ All-Inside법(후각), ④ Pull-Out 봉합법(후근), ⑤ Centralization법(돌출 반월판)이 있어, 증례에 따라 수술기구들을 적절히 구분하여 사용한다.

① Outside-In 법

주로 Meniscus Mender II disposable set (Smith & Nephew사) 혹은 Micro Suture Lasso Small Curve with Nitinol Wire Loop™ (Arthrex사)를 사용하고 있다. 전자는 전각의 단독 손상, 후자는 전각 손상에 대한 봉합과 돌출된 반월판에 대한 centralization법을 병용해야 하는 증례 시에 이용하고 있다.

② Inside-Out 법

Meniscal suture kit (Stryker사)나 Zone-specific cannula (Zimmer-Biomet사)가 주로 사용된다. 중간부-후각 봉합에 적합하다.

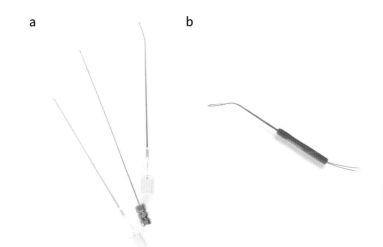

📷1 Outside-In법에서 자주 사용하는 기구

a: Meniscus Mender II disposable set (Smith & Nephew사)
b: Micro Suture Lasso Micro Small Curve with Nitinol Wire Loop™ (Arthrex사)

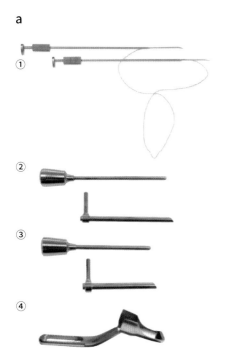

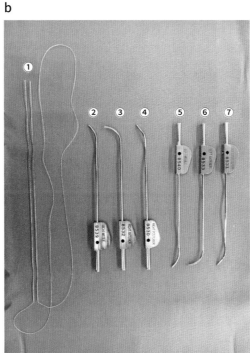

📷2 Inside-Out법에 사용되는 기구

a: Meniscal suture kit (Stryker사)
① double-arm needles. ②~④ cannula 2종류와 popliteal retract set. Cannula는 보통 길고 가는 쪽을 이용한다(②). 굵고 짧은 쪽은 fibrin clot을 병용할 경우에 사용한다(③).

b: Zone - specific cannula (Zimmer - Biomet사)
① double arm needles, ②~⑦ cannula에는 좌측과 우측용으로 각각, 전각(③, ⑥), 중간부(②, ⑤), 후각(④, ⑦)용이 따로 있다.

③ All-Inside 법

주로 앵커 타입의 All-Inside device가 자주 사용되며 후각-후근부의 봉합에 적당하다. 대표적인 것으로 FAST-FIX™ (Smith & Nephew사), AIR⁺ (Stryker사), JuggerStitch™ (Zimmer-Biomet사) 등이 있다(그 3).

FAST-FIX™는 가장 먼저 나온 제품이며, 가장 많이 보급되어 있다.

AIR⁺은 low profile하고 바늘 끝을 구부릴 수 있어 MM 후각의 관절막 진입 시에 접근하기 쉽다.

Jugger Stitch™는 소프트 앵커를 쓰고 있어 앵커의 관절내 탈출 시의 합병증을 최소한으로 억제할 수 있다.

각각의 특징에 따라 상황에 맞추어서 사용하도록 한다. 최근에는 관절 내에서 봉합을 마무리 할 수 있는 여러 가지 디바이스가 나와 있으며, 저자들은 Knee Scorpion™ (Arthrex사, 그 3d)을 자주 사용하고 있다. 특히 LM 슬와건 근처에서의 파열이나 후각·후근 손상의 봉합에 적합하다.

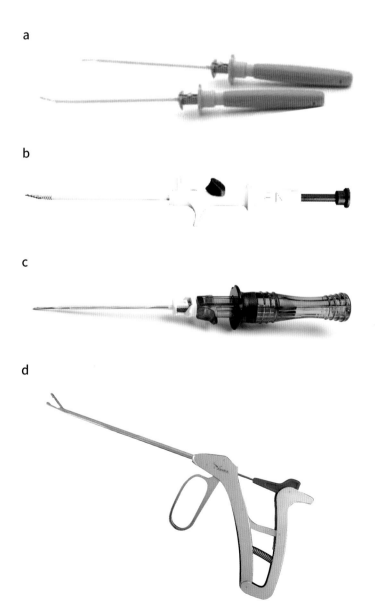

a

b

c

d

그 3 **All-Inside에서 자주 사용하는 기구**

a~c: 앵커 타입의 All-Inside 디바이스 각종
 a) FAST - FIX™ (Smith & Nephew사)
 b) AIR⁺ (Stryker사)
 c) Jugge Stitch™ (Zimmer-Biomet사) 등이 있다.
d: Knee Jugger Stitch™ (Arthrex사)

④ Centralization법

돌출된 반월판을 정복하여 내측으로 이동시키는 방법으로서 centralization법이 있으며, 이는 suture anchor를 이용하여 관절막을 경골 변연에 봉합하는 것이다. 사용되는 suture 앵커는 JuggerKnot™ (Zimmer - Biomet사), Q–FIX™ (Smith & Nephew사), FiberTak® (Arthrex사) 등이 있다.

Jugger Knot™은 가장 low profile하다. Q–FIX™ 는 다소 디바이스가 크지만 견고한 고정을 얻을 수 있다. FiberTak®은 봉합사에 suture tape를 이용하고 있어, 봉합부의 응력을 줄이는 것을 기대할 수 있다. 각각의 특징에 따라 구분하여 사용하고 있다.

봉합 시 suture 패싱할 때는 Micro Suture Lasso Micro Small Curve with Nitinol Wire Loop™을 주로 사용한다.

● 마취 · 수술 체위

요추마취 중 어느 쪽에서도 수술이 가능하다. 앙와위에서 일반 관절경용 수술포(drape)를 이용하여 실시한다. 외측 구획의 조작 시에는 환지를 수술대에 올려놓고 figure of four로 하는 자세로 수술대를 높게 하고, 약간 환측으로 수술대를 기울이면 조작하기 쉽다. 지혈대는 수술 중 구혈할 수 있도록 미리 준비한다.

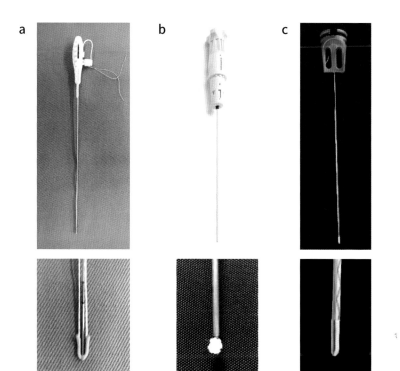

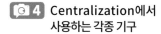 Centralization에서
사용하는 각종 기구

a: JuggerKnot™ (Zimmer-Biomet사)
b: Q-FIX™ (Smith & Nephew사)
c: FiberTak™ (Arthrex사) 등이 있다.

 Fast **C**heck
❶ 관절경으로 파열 형태, 파열 부위를 충분히 파악하고, 적절한 술기를 선택한다.
❷ 각 봉합 술기에 따라서 적절하게 다양한 기구를 이용하므로, 각각의 기구에 대해 그 특징과 발생할 수 있는 위험성에 대해서 인지하고, 익숙해지도록 노력한다.

주로 사용하는 봉합 술기

1 진단적 관절경

관절경에 의한 관절 내의 평가를 일반적인 전내측 삽입구 및 전외측 삽입구를 이용해 실시한다.

관절경 하에 반월판 손상의 형태, 정도를 평가하고, 봉합이 가능한지 여부, 또 봉합할 경우에는 어떤 술기를 사용할지를 판단한다. 아울러 합병된 인대손상, 연골손상 등에 대해서도 평가하고, 병태에 따라 적절한 조치를 실시한다.

코멘트 NEXUS view

일반적으로 MM의 처치에서는 전내측 삽입구를 낮게 만들고(반월판의 바로 근위), 전외측 삽입구를 평상시보다 높게 제작하며, LM의 처치에서는 반대로 전외측 삽입구를 낮추고, 전내측 삽입구를 높게 제작하는 것이 조작하기 쉽다 ⓒ 5a.

특히 MM 후방의 처치가 필요한 경우에는 전외측에서 관절경으로 보면서 spinal needle을 이용해서 전내측 삽입구를 적절한 위치에 제작한다 ⓒ 5b.

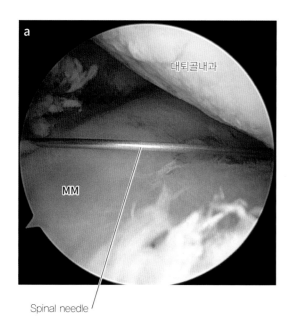
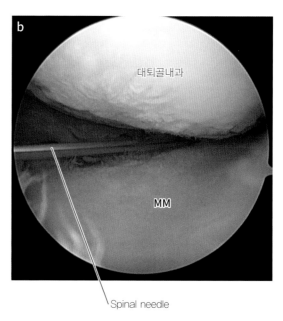

대퇴골내과

MM

Spinal needle

대퇴골내과

MM

Spinal needle

ⓒ 5 MM의 후방 처치 시, 전내측 삽입구의 제작

a: 전외측에서 관절경으로 보면서, Spinal needle을 사용해서 전내측 삽입구를 MM 상연의 바로 근위에 제작한다.
b: Spinal needle이 MM 후방으로 원활하게 도달할 수 있는지를 확인한다.

(문헌5, p.173에서 참고함)

2 Outside-In법을 사용하는 봉합술

전각 손상은 LM에 많고 📷6a , 원판형 반월판 성형술 후에 전각부에 파열이 발견되는 경우가 많다.

원판상 반월판의 전각부 봉합

전내측 삽입구에서 관절경으로 보면서, spinal needle로 위치를 확인한 후, 전외측 삽입구의 약 1 cm 원위, 관절 간격의 레벨로 약 2 cm의 가로 피부 절개를 가하고 관절막까지 피하를 박리한다.

관절 간격보다 원위에서 meniscus mender curved suture passer를 관절 내측의 fragment 에 통과시키고 📷6b , 바늘 끝을 파열부를 넘어서 내측연으로 향하게 한다. 계속해서 수직으로 봉합이 될 수 있도록 반월판 상연에 걸쳐지도록 관절막 근위에서 straight suture passer를 삽입하고 📷6c , suture circle을 straight suture passer에서 통과시켜 curved suture passer의 끝에 걸고 📷6d , curved suture passer로부터 보낸 2-0 Fiber wire를 straight passer 쪽으로 뽑는다 📷6e . 뽑아낸 Fiber wire를 피하의 관절막 위에서 결찰한다 📷6f . 같은 술기를 3~5 mm 간격으로 실시한다.

코멘트 **NEXUS view** /////

원위로부터의 삽입은 반월판의 하연보다 한층 더 원위에서 시도하면 비교적 부드럽게 삽입이 가능하다.

단, 원판형 반월판 등 전각의 변성이 강한 경우에는 원위에서의 바늘 삽입을 원위에서는 반월판 원위의 관절막에 걸치게, 근위는 반월판 근위의 관절막에 걸치게 해서, simple loop 타입으로 봉합한다.

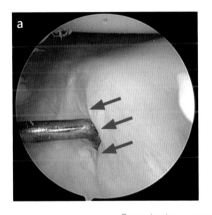
Curved suture passer

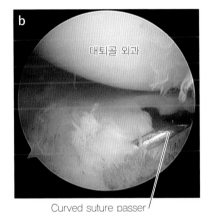
대퇴골 외과
Curved suture passer

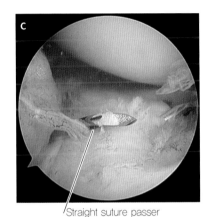
Straight suture passer

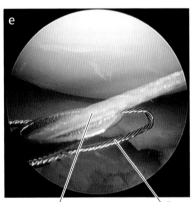
Suture circle
2-0 fiber wire

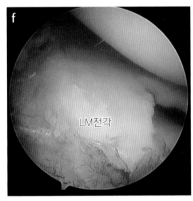
Suture circle

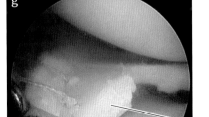
LM 전각부

LM전각

📷6 원판형 반월판의 전각파열에 대한 봉합술

a: 전각부에 종파열이 확인된다(➡).

b: 반월판의 관절 내를 향하고 있는 fragment에 meniscus mender curved suture passer를 삽입하고 바늘 끝을 파열 부위를 넘어서 내측으로 보낸다.

c: 관절막측에서 straight suture passer를 삽입한다.

d: Suture circle을 straight suture passer에서 통과시켜, curved suture passer의 끝에 건다.

e: Curved suture passer로 보낸 2-0 fiber wire를 suture circle 로 잡고 빼낸다.

f: 관절막 위에서 fiber wire를 묶는다.

g: 같은 술기를 3 mm 간격으로 실시해, 합계 6 바늘 봉합했다.

(문헌5, p.156-7에서 참고함)

3 Inside-Out법을 이용한 봉합술

중간부–후각 봉합에 적합하며, 저자들은 meniscal suture kit (Stryker사)를 이용하고 있다. MM에서는 중간부에서 진입 가능한 후각까지, LM에서는 슬와 열공에서 중간부의 전방부까지 봉합할 수 있다.

MM 중간부–후각에 걸친 양동이 손잡이형 파열에 대한 봉합

관절 외부에서 파열부위의 중앙을 목표로 Spinal needle을 삽입하고, 이곳을 피부 절개의 기준으로 한다 [7b]. 피부 절개부위를 중심으로 관절 간격보다 약 1 cm 원위에 3~4 cm의 가로 피부 절개를 가한다. 복재 신경을 손상하지 않도록 피하를 박리하고, MCL 후연으로 지대(retinaculum)를 세로 방향으로 절개하여 관절막을 노출한다. 관절막상에서 관절 간격을 따라 후방에 blunt하게 박리하고 리트랙터를 삽입한다 [7c].

코멘트 NEXUS view ////

후방의 전개는 지대 표면이 아니라 반드시 관절막 표면에서 전개한다.

바늘이 원위 방향으로 나온다는 점, 무릎에 외반을 가하면 리트랙터가 근위 방향으로 밀리기 쉽기 때문에 관절 간격보다 원위 부분으로 확실히 박리해, 원위 쪽으로 리트랙터를 삽입할 수 있게 한다.

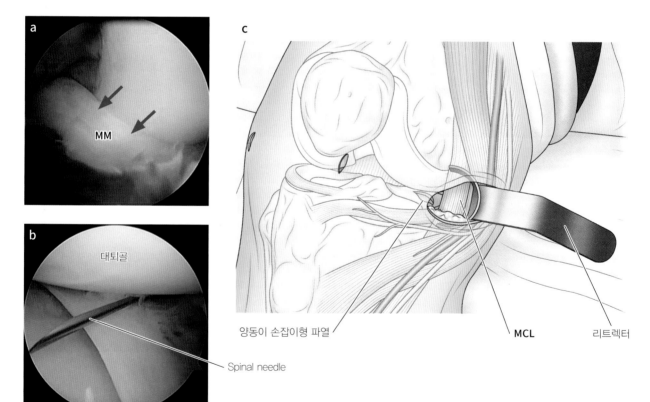

양동이 손잡이형 파열

Spinal needle

MCL

리트렉터

대퇴골

[7] ACL 손상이 합병된, MM 양동이 손잡이형 파열에 대한 봉합

a: MM이 걸리고(locking) 있다(➡).
b: 파열 부위를 정복한 후, 관절 외부에서 spinal needle 을 삽입하여 피부 절개 위치의 기준으로 한다.
c: MCL 후연에서 지대를 절개하면서 관절막 표면을 박리 하여 리트랙터를 삽입한다.

봉합은 전방의 파열부위부터 차례로 대퇴골, 경골측으로 vertical mattress봉합을 가한다.

Double arm needle이 달린 봉합사 중 하나는 파열부위로부터 내측 fragment에 충분히 거리를 둬서(📷7d, f), 다른 하나는 파열부로부터 외측 fragment(📷7e, g, 원칙적으로는 관절막)에 찔러 넣는다. 조수는 리트랙터를 단단히 원위쪽으로 잡고, 관절막 위에 나온 바늘을 needle holder로 잡는다.

후각에 걸쳐 가능한 한 후방까지 약 3~5 mm 간격으로 실을 걸고, 봉합사는 관절경 하에서 느슨함이 없는지 확인한 후, 체결한다(📷7h).

후방쪽으로는 저자들은 앵커 타입의 All-Insdie 디바이스(다음 항 참조)를 이용해 봉합하고 있다.

코멘트 NEXUS view ////

　Needle은 끝부분이 조금씩 구부러질 수 있으므로 그것을 이용해 가능한 한 파열부위에 수직으로 바늘을 삽입한다. 바늘 끝이 의도한 부위로 가지 않을 경우에는 미리 needle을 구부려서 위치를 조절하면 가능해지는 경우가 많다. 경골측의 봉합 시에는 먼저 대퇴골측에 실을 걸어 놓고, 이를 조수에게 당기도록 하면서 반월판을 근위 방향으로 걸어 올리듯이 하면 바늘 삽입이 용이하다.

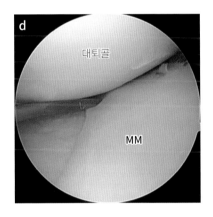

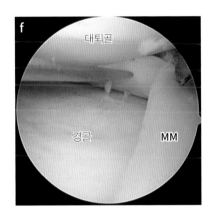

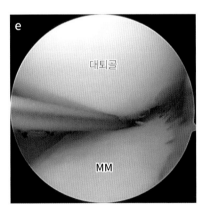

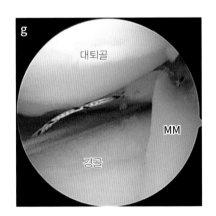

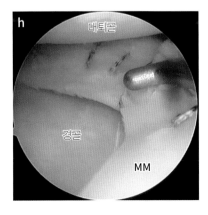

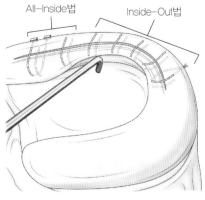

📷7 ACL 손상이 합병된, MM 양동이 손잡이형 파열에 대한 봉합(이어서)

d, e: Inside-Out법에 의한 대퇴골측의 봉합. Double arm needle이 달린 봉합사 하나는 파열부위로부터 충분히 거리를 둔 내측 fragment (d), 다른 하나는 파열부위에서 외측 fragment (e)에 삽입한다.

f, g: 경골측 봉합. 대퇴골에 걸어놓은 실을 근위로 당겨 반월판을 근위 방향으로 걸어 올림으로써 내연측(f) 및 외연측(g)에 바늘을 진입한다.

h: 중간부-후각에 걸쳐 3 mm 간격으로 실시하고, Inside-Out법으로 대퇴골측 5바늘, 경골측 5바늘 등 총 10바늘 봉합한다. 후각-후근(posterior root)에 걸쳐 FasT-Fix™로 총 4바늘 봉합한다.

4 All-Inside법을 이용한 봉합술

앵커 타입의 All-Inside 디바이스

MM 후각–후각부, LM 후각부의 봉합에 적합하며, 그 간편함으로 각 회사마다 디바이스가 발매되어 자주 사용되고 있다. 저자들은 주로 FasT-Fix™360 (Smith & Nephew사)을 이용하고 있다.

코멘트 NEXUS view /////

앵커 타입의 All-Inside 디바이스

앵커 tip 부분의 진입 길이를 조정할 수 있으므로, 관절막에 가할 경우에는 바늘 끝을 10~12 mm, 반월판 실질부의 내연 근처에서 가할 경우에는 16~20 mm로 적절히 길이를 조정하여 슬관절 후방의 연부조직이 손상되지 않도록 주의한다.

특히 LM 후각–후근부 파열에서, 전외측 삽입구로부터 수평 방향으로 진입하면 후방의 신경혈관 다발에 손상의 위험성이 있으므로 원칙적으로 금기이다.

MM 중간부는 내측측부인대, LM 중간부의 슬와근 바로 전방은 외측측부인대가 손상될 우려가 있어 사용을 권장하지 않는다.

MM의 ramp lesion 봉합법

Ramp lesion은 ACL 손상에 많이 합병하는 MM 후각부의 변연부 파열이며, ACL 손상의 전방 및 회전 불안정성의 secondary restraint로서 최근 주목받고 있으며, 저자들은 원칙적으로 모든 경우에서 봉합술을 선택하고 있다. All-Inside 봉합법이 저자들은 가장 유효성이 높다고 생각한다.

일반적으로 전방으로부터의 관절경 및 탐색방법으로는 진단을 놓치는 경우가 많고 **◎ 8a**. 전외측에 관절경을 두고 대퇴골 내측과(medical condyle)와 후방십자인대(posterior cruciate ligament; PCL) 사이를 관통하여 후내측을 관절경으로 관찰해야 정확한 진단이 가능하다 **◎ 8b, c**.

전내측 삽입구로부터 관절경을 두고 전외측 삽입구에서 FasT-Fix™를 삽입하고, 대퇴골측의 실질부에 첫 번째 앵커를 삽입한다 **◎ 8d**.

관절막이 이완되어 원위에 내려 앉아서 존재하므로, 전방에서 관절경으로 관찰하기가 어렵다. 그러므로 관절경을 전외측 삽입구로 이동시킨 후, FasT-Fix™와 함께 후내측으로 이동(trans-notch view)해서 후방 관절막을 시야에서 직접 확인하면서 관절막에 FasT-Fix™ 두 번째 앵커를 삽입한다 **◎ 8e**. Knot pusher로 봉합을 마무리 지으면서, 이완되어 있던 후방의 관절막에 긴장이 회복 되어서 관절막이 근위로 끌어올려진다 **◎ 8f, g**. 두 번째 FasT-Fix™는 전외측 삽입구의 관절경으로 보면서 전내측 삽입구로 삽입하고, 첫 번째보다 후각 쪽으로 가깝게 위치하게 해서 반월판의 대퇴골면에 수직 mattress봉합을 한다 **◎ 8h**. 첫 번째 봉합에 의해서 관절막이 근위쪽으로 끌어올려졌기 때문에 전방에서도 관절막에 삽입할 수 있다 **◎ 8i**. 그 후 필요에 따라 경골측에도 봉합한다 **◎ 8j**.

코멘트 NEXUS view ////

Ramp lesion에서는 후방 관절막이 이완되어 원위로 이동하였기 때문에 대퇴골측은 통상적인 전방으로부터의 수술 방식에서는 관절막측을 접근할 수가 없어 정복(reduction)하기가 어렵다. 후방의 관절막를 단단히 잡아 근위로 끌어올리면 비로소 봉합이 가능하다.

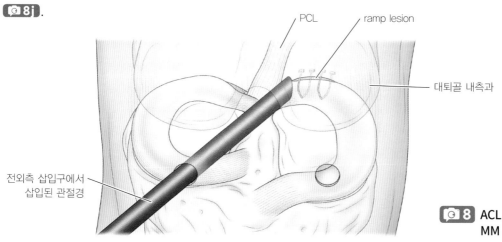

PCL   ramp lesion

대퇴골 내측과

전외측 삽입구에서 삽입된 관절경

◎ 8 ACL 손상이 동반된 MM ramp lesion의 봉합

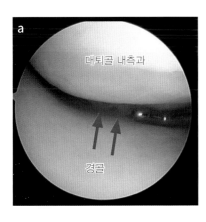
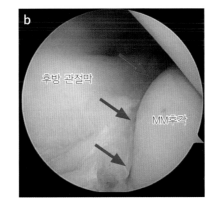
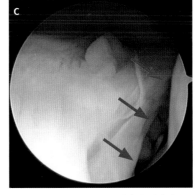

하방으로 내려 앉은 이완된 관절막

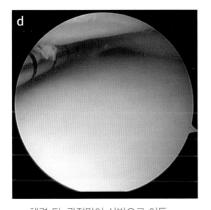
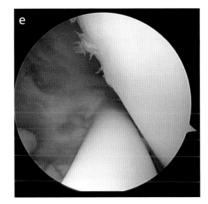
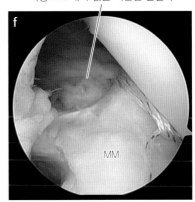

체결 뒤, 관절막이 상방으로 이동

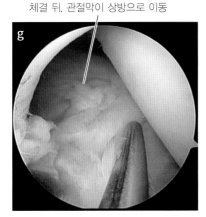
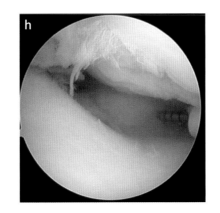
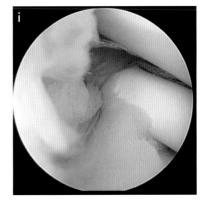

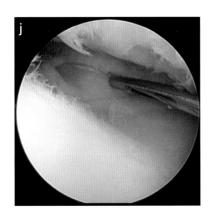

📷 8 ACL 손상이 동반된 ramp lesion의 봉합(이어서)

a: MM의 관절경 소견. 전방에서의 관절경 관찰 및 프로빙에서는 MM(➡)의 불안정성은 확실하지 않다.

b: 전외측에서의 관절경을 대퇴골 내측과와 PCL 사이로 지나게 하여 후내측을 보면 ramp lesion이 확인된다(➡).

c: 관절경을 조금 더 전진시키면 관절경에 밀려서 후방 관절막이 후방으로 이동하면서 파열 부위가 더 명확히 보인다(➡).

d: 전내측에서 관절경을 두고 전외측 삽입구에서 FasT-Fix™를 삽입하고, 대퇴골측 실질부에 첫 번째 앵커를 삽입한다.

e: 전내측 삽입구에 위치하고 있던 관절경을 전외측 삽입구로 조심스럽게 이동시킨 후, FasT-Fix™와 함께 trans-notch. View 방향으로 이

동하여 동시에 위치하게 하여, FasT-Fix™를 이용해 관절막에 두 번째 앵커를 삽입한다.

f: 앵커 삽입 후, 아직 체결은 하지 않은 상태. 후방 관절막이 아직 이완되어 있으며 하방으로 내려앉은 상태.

g: Knot pusher로 체결함으로써 이완되었던 후방 관절막이 상방으로 올라온다.

h: 두 번째 FasT-Fix™를 전내측 삽입구로 삽입하고, 첫 번째보다 더욱 후각쪽으로 가깝게 이동한 뒤, 대퇴골측 실질부에 삽입한다.

i: 관절막측 삽입. 첫 번째 봉합에 의해 관절막이 상방으로 끌어올려졌기 때문에 쉽게 관설막에 삽입할 수 있다.

j: 체결 후, 양호한 안정성을 보인다.

(문헌5, p.170-1에서 참고함)

관절내 봉합 장치

Knee Scorpion™ (Arthrex사)은 특히 LM 슬와 열공부위나 후각 및 후근 손상의 봉합에 적합하다.

LM 후각 방사상(radial) 파열 봉합법

후근측에 실질부가 충분히 남아 있는 경우에는 tie-grip suture를 실시한다.

Knee Scorpion™을 이용해 **9a** 파열부위의 양쪽 끝부분에 vertical mattress봉합을 실시한다 **9b**. Vertical mattress봉합은 2-0 fiber wire의 한쪽 끝을 Knee Scorpion™에 걸고, 가능한 한 관절막에 가까운 곳에 실을 건다.

이어서 마찬가지로 fiber wire의 반대측의 한쪽 끝을 가능한 한 내연에 가까운 곳에 건다. 슬라이딩 노트를 이용해 체결함으로써 **9c** vertical mattress봉합을 형성한다.

그 후, vertical mattress를 연결하듯이 Knee scorpion™을 이용해 같은 방법으로 horizontal mattress봉합을 실시한다 **9d**.

> **코멘트 NEXUS view** ////
>
> LM 후근부에 앵커 타입의 All-Inside 디바이스를 이용하려는 경우, 파열된 후근측으로 전내측 삽입구로부터 삽입하려고 하면 비스듬히 삽입하게 되어, cutting through 되기 쉽다. 한편 전외측 삽입구에서 후근부로의 삽입은 금기이다. 이러한 이유로부터 저자는 원칙적으로 Knee scorpion™을 이용하고 있다.

> **코멘트 NEXUS view** ////
>
> **Knee Scorpion™**
>
> Knee Scorpion™을 이용할 때는 scorpion needle에 의한 연골손상을 피하기 위해 반월판을 통과한 후에는 Knee Scorpion™을 기울여서 바늘이 연골에 닿지 않도록 주의한다.
>
> 꿰인 실이 Knee Scorpion™에서 쥐어지지 않을 수도 있으므로 바늘을 되돌릴 때 무리한 힘을 가하지 말아야하며, 실이 쥐어져 있는지를 확실히 시야에 넣고 확인하면서 조작할 수 있어야 한다.
>
> Knee Scorpion™을 이용한 mattress봉합에서는 디바이스가 삽입구로부터 들어갔다 나오는 과정에서 연부조직이 같이 꿰어질 위험성을 수반한다. Cannula를 사용하거나, 슬라이딩 노트 전에 2개의 실을 동시에 다시 고쳐 잡으면서 이러한 위험을 피할 수 있다.

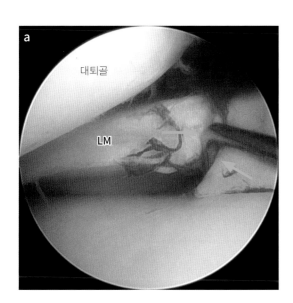

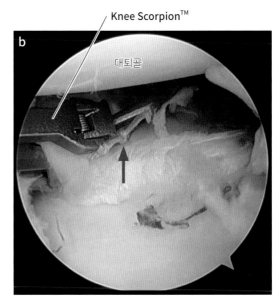

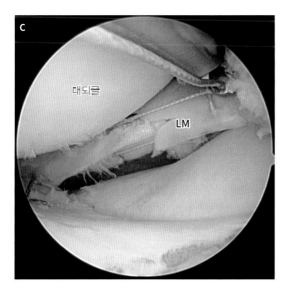

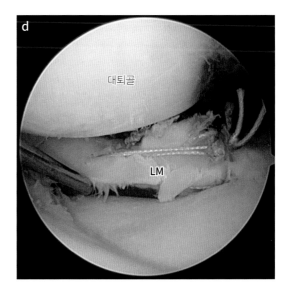

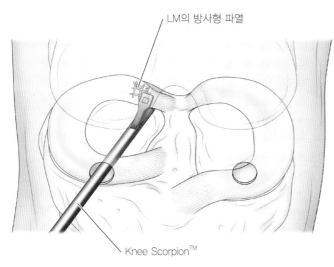

📷9 방사형 파열의 봉합

a: 방사상 파열이 LM 후근부에 보인다(━▶).

b: 파열부 양쪽에 건 vertical mattress봉합 (━▶)을 넘듯이 Knee Scorpion™으로 vertical mattress봉합을 한다.

c: 슬라이딩 노트를 사용하여 체결한다.

d: 수평 mattress봉합 3바늘을 건 후 상태이다.

(문헌5, p.193에서 참고함)

MM 후근(posterior root) 손상의 봉합법 📷10a, b

저자들은 pull-out법에 의한 봉합과 함께 centralization법에 의한 보강을 실시하고 있다.

MM 후근 봉합용 경골 가이드(Arthrex사 혹은 Smith & Nephew사)를 사용해 가이드와이어 삽입 후, 6 mm 직경의 Flip cutter (Arthrex사)로 깊이 10 mm의 소켓을 제작한다. 저자들은 반월판 끝부분을 터널 내로 끌어들임으로써 📷10c biological healing을 추구하므로, 기본적으로는 해부학적 부착부(footprint)의 약간 후내측에 터널을 제작한다. 터널에 걸리는 연골 및 터널 안쪽에 반월판 끝부분이 접촉하는 부위의 연골을 제거하여, 촉진된 healing도 기대할 수 있다.

전내측 삽입구에서 Knee Scorpion™을 삽입한다. Knee Scorpion™에는 Suture Tape (Arthrex사)를 실의 중앙으로 로딩해 둔다. Knee Scorpion™을 이용해 끝부분에서 약 5 mm 정도 되는 곳에서 실을 꿰어 racking hitch knot로 끝부분을 단단히 쥔다 📷10d. 같은 방식으로 다시 2개의 Suture Tape를 보다 내측에 걸고, 이들 2개의 실은 MM 후각의 변연부를 쥐도록 한다. 봉합사를 터널 내로 유도하여 경골 근위 전면에 pull-out 한다. 그러나 이 시점에서, 특히 진구성 증례에서는 주로 경골측 관절막의 유착에 의해 파열부위의 충분한 정복이나 끝부분의 터널 내로 당겨오는 것이 잘 안 될 수가 있고, 돌출도 정복되지 않을 수 있다 📷10e.

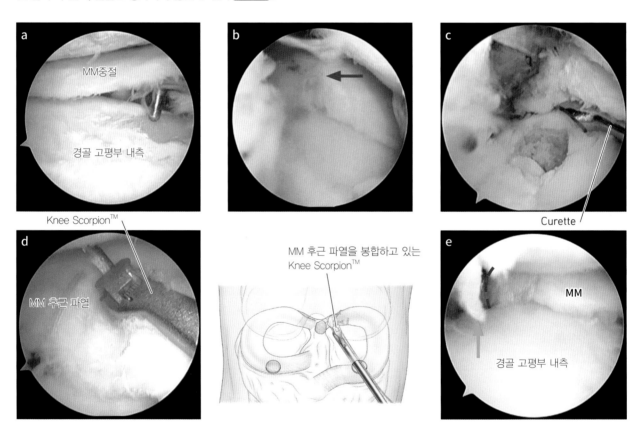

📷10 진구성 MM후근 파열례의 봉합

a: MM 중절부는 돌출되고, 경골 고평부의 연골은 결손되었다.
b: MM 후근부는 파열되어 있다(➡).
c: 역행성 드릴로 터널을 제작하고, curette 이용하여 연골을 제거한다.
d: Knee Scorpion™을 이용하여 파열단에 3개의 suture tape를 걸고 Racking hitch knot로 봉합한다.
e: Pull-out 후의 반월판의 정복이 아직 불충분해 보인다.
　빨간 점선: MM 후근단, 파란 화살표: 터널위치

(문헌5, p.175-7에서 참고함)

정복을 완성하기 위해서는 전외측 삽입구에서 대퇴골 내측과를 관절경으로 보면서 대퇴골의 골극을 확인하고, 골극이 존재하는 증례에서는 osteotome을 이용해서 절제한다 **◎ 10f**. 내측 중앙 삽입구를 대퇴골 내측과의 바로 앞, MM의 약 1 cm 근위 **◎ 10g**에 제작한다. 내측 중앙 삽입구로부터 osteotome을 삽입해, 경골 고평부의 골극도 절제한다.

그 후 반월-경골관절막을 박리한다 **◎ 10h**. Bankart Rasp를 반월판 아래에서 관절막과 경골 고평부의 변연 사이에 삽입하여 망치로 두드려 박리한다. 중간부에서 후근의 터널 제작부까지 전체 주위를 박리한다. 이 박리를 실시한 후에 pull-out의 봉합사를 잡아당김으로써 돌출된 MM이 정복되고, 끝부분이 충분히 터널내에 들어가는 것을 확인한다 **◎ 10i**.

Centralization법으로 반월판의 돌출을 정복, 보강한다 **◎ 10j**.

마지막으로 경골 전면의 터널 출구로 버튼을 이용해 pull-out 봉합사를 최종 고정한다 **◎ 10k**.

고정 포지션은 무릎 굴곡 60°, 장력은 manual max로 하고, 환측 하지를 늘어뜨려 관절경 하에서 이완이 없는 것을 확인한 후 체결하였다.

코멘트 NEXUS view ////

Bankart Rasp에 의한 반월경골 관절막(meniscotibial capsule)의 박리는 본 수술에서 가장 중요한 조작이다. 특히 진구성 증례에서는 관절막의 유착에 의해 통상의 봉합 술기만으로는 돌출이 전혀 정복되지 않는다.

특히 후내측부가 가장 유착되는 부위로서 박리조작에 의해 pull-out의 봉합사를 잡아당겨 후내측부가 부드럽게 터널 방향으로 정복될 때까지 철저하게 박리하는 것이 중요하다.

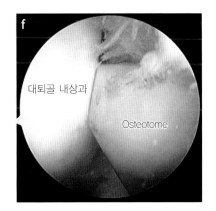

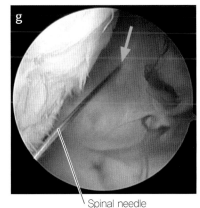

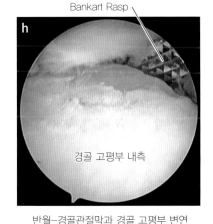

반월-경골관절막과 경골 고평부 변연 사이를 박리하고 있는 Bankart Rasp

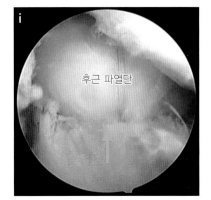

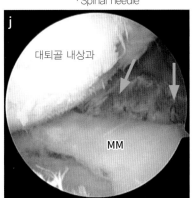

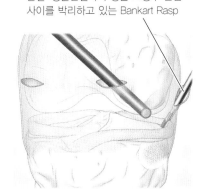

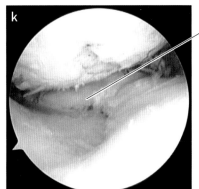

정복된(reduction) MM

◎ 10 진구성 MM후근 파열의 봉합(이어서)

f: 대퇴골 골극의 절제

g: 내측 중앙 삽입구를 spinal needle 진입 부위(━━)로 제작한다.

h: 경골 골극을 절제 후 반월-경골관절막을 Bankart Rasp으로 박리한다.

i: 충분한 박리에 의해 반월판 끝이 충분히 끌려오고, 돌출이 정복된다(━━).

j: Centralization 시행 후. MM 중간부가 내방화되어 있음을 관절경하에 확인할 수 있다.

k: Pull-out 봉합사 최종 고정 후. MM의 돌출이 완전히 정복되었다.

(문헌5, p.178-84에서 참고함)

5 돌출된 반월판에 대한 Cetralization법

LM에 대한 centralization법

외측 중앙 삽입구를 슬와 열공의 약 1 cm 전방에서 LM보다 가능한 한 가까운 곳에 제작한다 `📷11b`. 골극이 있는 증례에서는 osteotome을 이용해 대퇴골·경골측 모두 골극을 절제한다. 필요에 따라 Bankart Rasp를 이용하여 경골쪽 관절막를 박리한다. 이 박리 조작은 반월판 결손예에서 관절막 자체를 내방화(medialization)하는 경우에서는 필수적인 조작이며, 박리 후에 grasper 등으로 잔존 반월판 혹은 관절막을 내측으로 견인하고, 무리 없이 이동되는지를 확인한다.

외측 중앙 삽입구에서 앵커를 외측 경골 고원의 가장자리, 슬와 열공 바로 전방에 삽입한다 `📷11c`. Micro Suture Lasso™을 외측 중앙 삽입구에서 삽입하고 `📷11e`, 슬와 열공 바로 전방에서 반월판과 관절막 경계부에서의 관절막에 위쪽에서 아래쪽을 향해 삽입하여 반월판 변연부에서 관절막 아래쪽에서 위쪽으로 실을 통과시킨다 `📷11g`. 동일한 술기를 다른 쪽 앵커의 실에 대해 실시함으로써 mattress봉합을 형성한다 `📷11h`.

외측 경골 고평부의 가장자리, 첫 번째 앵커의 1 cm 전방에 삽입한다 `📷11i`. 같은 술기를 반복해서 mattress봉합을 만든다. 앞에서 서술한 것처럼 제작한 2개의 mattress봉합을 슬라이딩 노트를 이용해 체결한다 `📷11j`.

최종적으로 관절경으로 돌출된 LM이 정복되어 내방화되어 있는 것을 확인한다 `📷11k`.

코멘트 NEXUS view /////

Micro Suture Lasso™은 반월판 변연부의 관절막에 수직으로 삽입하며, 경골측에서 끝부분이 반월판 실질에 걸리지 않고 관절막에 걸려 있는지 반드시 확인해야 한다. 경골 측이 반월판 실질에 걸리면 돌출의 정복이 불충분하게 될 뿐만 아니라, 반월판 실질을 고정해 버림으로써 과제동(over-resistant)이 되는 위험성을 일으킨다.

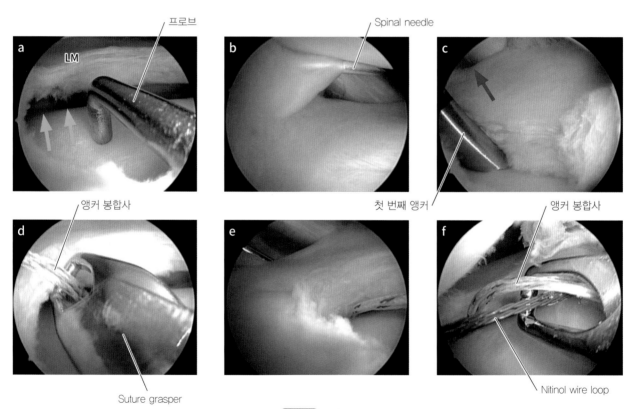

프로브
Spinal needle
앵커 봉합사 · 첫 번째 앵커 · 앵커 봉합사
Suture grasper
Nitinol wire loop

📷11 돌출된 LM에 대한 centralization법

a: LM의 돌출을 프로브로 확인한다. 외측 경골 고평부의 변연이 노출되어 있다(➡).
b: Spinal needle을 이용해 외측 중앙 삽입구를 제작한다.
c: 첫 번째 앵커를 외측 경골 변연, 슬와 열공(➡) 바로 전방에 삽입한다.
d: 앵커의 실을 suture grasper를 이용해 전내측 삽입구로 뽑아낸다.
e: MicroSuture Lasso™을 삽입한다.
f: 앵커의 실과 Nitinol wire loop을 동시에 전내측 삽입구로 꺼낸다.

(문헌5, p.145, 148, 149에서 참고함)

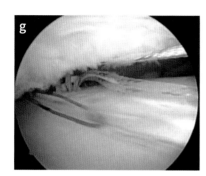
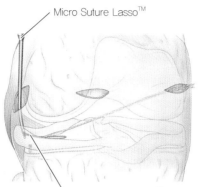

Micro Suture Lasso™

Micro Suture Lasso™ 의 끝부분에 위치한 루프를 통해서
관절막의 경골측에서 대퇴골측으로 실을 통과시킨다.

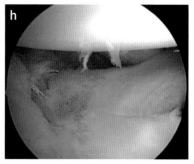

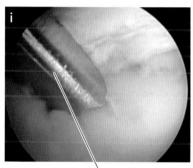

두번째 앵커

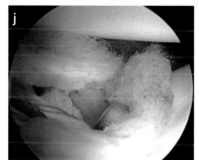

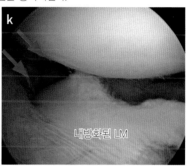

내방화된 LM

📷 **11** **돌출된 LM에 대한 centralization법(이어서)**

g: 루프에 앵커의 실을 통해서 수처 릴레이를 실시함으로써 관절막의 아래에서 위로 실을
통과시킨다.

h: 같은 술기를 반복하고, mattress봉합을 형성한다.

i: 두번째 앵커를 외측 경골 고평부 변연에, 첫 번째 앵커의 1 cm 전방에 삽입하고, 같은 술
기를 반복한다.

j: Mattress봉합을 슬라이딩 노트로 체결한다.

k: Centralization 시행 후. LM 중간부(mid-body)가 내방화되어 있음을 관절경으로 확인
할 수 있다.

빨간색 화살표: Mattress봉합 체결부

(문헌5, p.150-1에서 참고함)

참고문헌

1) Koga H, Muneta T, Yagishita K, et al. Arthroscopic centralization of an extruded lateral meniscus.
   Arthrosc Tech. 2012:1:e209-12.

2) Koga H, Muneta T, Watanabe T, et al. Two-Year Outcomes After Arthroscopic Lateral Meniscus
   Centralization. Arthroscopy. 2016:32:2000-8.

3) Nakagawa Y, Muneta T, Watanabe T, et al. Arthroscopic centralization achieved good clinical
   improvements and radiographic outcomes in a rugby player with osteoarthritis after subtotal lateral
   meniscectomy:A case report. J Orthop Sci. 2017.

4) Koga H, Watanabe T, Horie M, et al. Augmentation of the Pullout Repair of a Medial Meniscus Posterior
   Root Tear by Arthroscopic Centralization. Arthrosc Tech. 2017:6:e1335-e9.

5) 古賀英之. 私たちの半月板機能温存の取り組み・手術法のすべて. 宗田大ほか編. 半月板のすべて 解剖から手術, 再生
   医療まで. 東京:メジカルビュー社:2019. p.145-93.

II. 하지
족관절 관절경의 기본 술기

추쿠오카대학 의학부 정형외과학 **요시무라 이치로**(Ichiro Yoshimura)

Introduction

족관절은 관절 자체의 일치성(congruency)이 높고 주위가 인대로 견고하게 연결되어 있는 관절이다. 그러므로 관혈적인 방법으로는 관절의 표면 전체를 관찰하고 평가하기가 지극히 어렵다.

한편, 족관절 관절경은 관절 연골 표면의 다양한 부위 및 인대를 평가할 수 있으므로, 관혈적 방법에 비해서 수행할 수 있는 역할이 매우 크다. 그러나 족관절 주위는 신경 · 혈관 · 근육 및 건 등이 밀도가 높은 상태로 주행하고 있어 족관절 관절경을 실시하면서 주변조직들을 손상시킬 우려가 있다. 다행히 족관절 주위는 피하지방이 얇아 시진 · 촉진으로 많은 부위의 위치를 확인할 수 있으므로, 수술에 임하기 전에 미리 해부학적 위치 관계를 인지하면 일어날 수 있는 합병증의 위험을 경감할 수 있다.

수술 전 고려 사항

● 수술 전 영상 진단

기본적으로 사용하는 삽입구는 전내측과 전외측 삽입구이다(◎4 참조).

전내측 삽입구는 전경골건, 거골 활차와 경골내측으로 형성되는 soft spot에 위치한다. 드물게 근방에서 대 복재 정맥(great saphenous vein)이 비스듬하게 주행하고 있는 경우가 있어 주의를 요한다.

전외측 삽입구는 대체로 제3비골근(peroneus tertius)의 외측에 위치하는데, 실제로는 전내측 삽입구에서 관절경으로 확인하면서 삽입구의 위치를 결정하게 된다. 족관절 전외측은 천비골신경이 주행하고 있으므로, 주의를 필요로 한다.

● 마취

수술 술기에 따라 다르지만 전신마취 단독 혹은 신경차단 등을 필요로 하는 경우가 많다.

기술 순서

1. 세팅: 정확한 자세 잡기
2. 각 부위 마킹: 지혈대 작동 전
3. 견인
4. 삽입구 제작
   · 전내측 삽입구
   · 전외측 삽입구

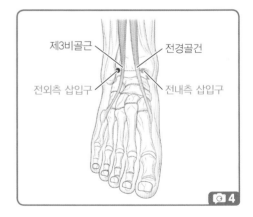

◎4

Fast Check

1. 관류압을 걸어 관절막을 부풀린다.
2. 합병증을 피하기 위해 수술 전에 충분히 마킹을 한다.
3. 피부와 관절 내부가 가까운 것을 인지하고 있어야 한다.
4. 관절경을 관절 내부에서 과도하게 조작하는 것을 삼간다.

기본 술기

1 세팅: 정확한 자세 잡기

앙와위로 lithotomy positioner 위에 하퇴를 올려놓는다. 하퇴를 올려놓음으로써 견인을 제거했을 때에도 안정적으로. 관절경 관찰을 할 수 있게 된다. 고관절, 무릎관절이 약 45° 정도 굴곡위가 되도록 세팅한다. 또 반드시 족관절이 바로 상방을 향하게 한다 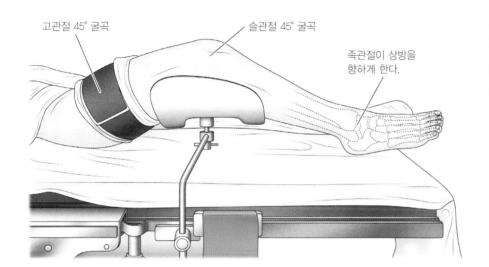1.

관절경은 2.7 mm 직경 30° 관절경을 사용하는 것이 일반적이다. 관류압은 보통 60〜80 mmHg으로 하지만 전방을 관찰하는 경우는 80〜100 mmHg으로 한다.

코멘트 NEXUS view ////

세팅할 때는 반드시 족관절이 직상방을 향하도록 한다. 시술 위치가 일정하지 않으면 시행할 때마다 시야가 달라진다. 지혈대 사용은 술자의 취향이지만 사용할 경우에는 관류압을 높게 설정할 필요가 없으므로, 관류액으로 인한 수술 중 피하부종을 최소한으로 억제할 수 있다.

고관절 45° 굴곡

슬관절 45° 굴곡

족관절이 상방을 향하게 한다.

그림1 세팅

2 각 부위 마킹 : 지혈대 작동 전

랜드마크는 정맥, 전경골건, 경골외과, 경골내과, 비골건이다.

지혈대를 작동하기 전에 피하 정맥의 위치에 마킹을 한다 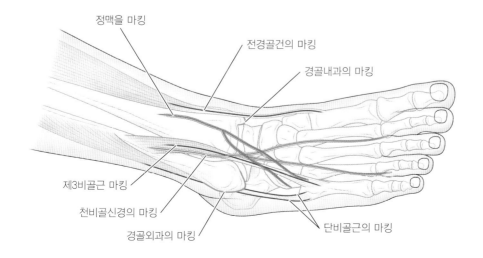2. 피하정맥은 신경과 같이 주행하는 경우가 적지 않다. 미리 정맥의 위치를 파악하는 것으로, 대략적인 신경의 위치를 알 수 있다. 전경골건 위치에도 마킹을 실시하고, 족관절을 족저굴곡(plantar flexion) 및 내번(inversion)시키면 족관절 외측에 천비골신경의 주행을 확인할 수 있는 경우가 있다. 주행이 확인되었을 경우는 마킹한다 2.

정맥을 마킹

전경골건의 마킹

경골내과의 마킹

제3비골근 마킹

천비골신경의 마킹

경골외과의 마킹

단비골근의 마킹

그림2 각 부위의 마킹

3 견인

지혈대를 작동하고, 견인기로 견인을 걸어 관절강을 넓힌다 📷3.

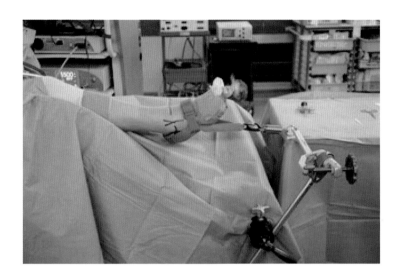

📷3 족관절의 견인

4 삽입구 제작

전내측 삽입구

전경골건, 거골의 활차, 경골 내측에서 형성되는 soft spot의 위치가 전내측 삽입구의 위치가 된다 📷4. 18G needle을 이용해서 생리식염수 혹은 관류액을 관절 내에 10~15 mL 주입한다.

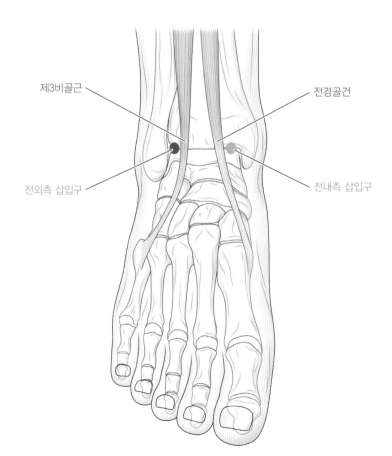

제3비골근

전경골건

전외측 삽입구

전내측 삽입구

📷4 전내측, 전외측 삽입구의 제작 위치

코멘트 NEXUS view ///

18G needle의 전체 길이가 확실히 관절 내로 들어가는지 확인해야 한다. 18G needle이 완전히 들어가지 않는 위치에 삽입구를 제작하다가는 충분한 시야확보와 처치가 어려워질 가능성이 있다.

코멘트 NEXUS view ///

메스

11번 메스로 피부만 절개한다. 이때 신경손상을 피하기 위해 메스로 근위에서 원위 방향으로 절개한다.

Straight hemostat

피하를 박리하지 않고 Straight hemostat으로 관절막를 뚫고, sheath를 전내측 삽입구에서 거골 중앙의 함오목부를 지나 비골의 후방으로 향하는 방향으로 삽입한다. Straight hemostat로 피하를 과도하게 박리하면 피하부종의 원인이 되므로 주의한다.

전내측 관절경으로 관찰해야 할 부위를 🗨6 에 나타낸다.

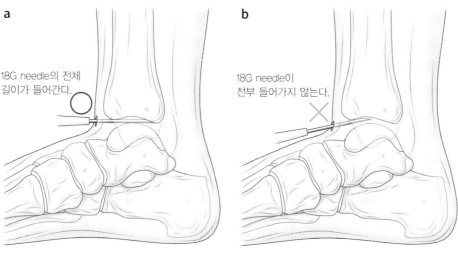

18G needle의 전체 길이가 들어간다.

18G needle이 전부 들어가지 않는다.

🗨5 **전내측 삽입구의 정확한 부위**

a: 18G 바늘이 전체 길이가 들어간다. 이 높이가 정확한 전내측 삽입구의 위치이다.

b: 18G 바늘이 전체 길이가 들어가지 않는다. 이러한 삽입구 상태에서는 충분한 관찰도, 처치도 어렵다.

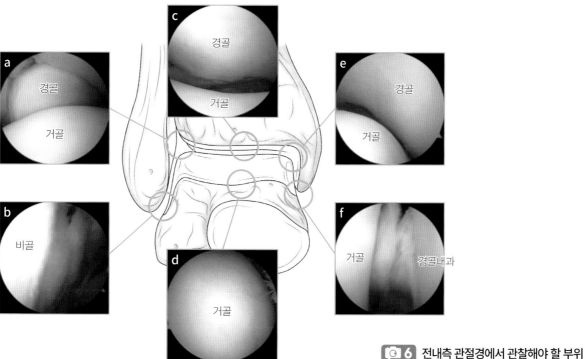

🗨6 **전내측 관절경에서 관찰해야 할 부위**

전외측 삽입구

관절경을 삽입하고, 관절경의 방향을 전방에서 후방으로 향하게 한다. 관절경 시야 안에서 전하방 경비인대, 비골, 경골, 거골이 시야에 들어오는 위치로 관절경을 이동한다 **7a**. 그 위치에서 관절 경을 180° 회전시켜 시야 속에 들어온 관절막의 위치가 전외측 삽입구의 위치가 된다 **7b**. Spinal needle을 찔러 넣어서 위치를 확인하고, 같은 술기로 전외측 삽입구를 제작한다.

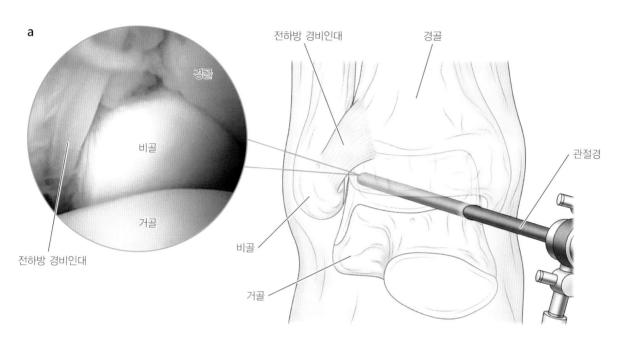

a

경골

전하방 경비인대

경골

비골

관절경

거골

비골

전하방 경비인대

거골

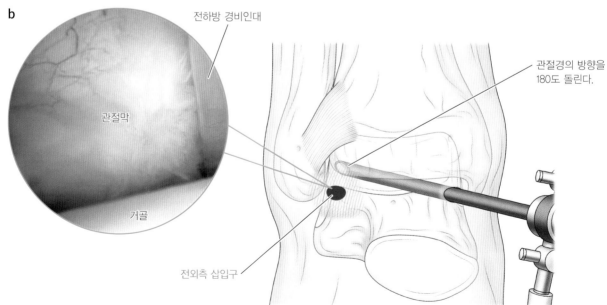

b

전하방 경비인대

관절막

관절경의 방향을 180도 돌린다.

거골

전외측 삽입구

7 전외측 삽입구의 정확한 위치

a: 관절경의 방향을 전방에서 후방으로 향하면, 경골, 비골, 거골, 전하방 경비인대가 시야에 들어온다.

b: 관절경의 방향을 후방에서 전방으로(180° 회전) 이동시키면, 전외측 삽입구의 위치가 시야에 들어온다.

전외측 위치의 관절경에서 관찰해야 할 부위를 🗨8 에 나타낸다.

코멘트 NEXUS view ////

관절경

관절경 시야에 익숙해지기 전까지는 관절경수술 중에 오리엔테이션이 잡히지 않을 수 있다. 그렇기 때문에 언제나 자기만의 관절경의 오리지널 포지션을 지키도록 해야 한다. 삽입구의 위치에 관계없이 관절경의 방향을 전방에서 후방으로 향하면, 반드시 경골 원위부(plafond)와 거골 활차가 시야에 들어오므로, 관절경의 방향을 전방에서 후방으로 향하는 위치를 오리지널 포지션으로 하면 좋다.

관절경 시술을 할 때의 포인트는 관절경을 관절 내에서 무리하게 움직이지 않는 것, 각도를 갖고 있는 사시경(斜視鏡)이라는 특징을 충분히 살리는 것이다. 무리하게 관절경을 움직이면 관절경이 파손되거나 연골손상을 일으킬 수 있다.

코멘트 NEXUS view ////

족관절 전방 충돌(anterior impingement) 등에서 족관절 전방의 곡부를 충분히 관찰할 필요가 있는 경우는 견인을 제거하고 족배굴곡 후, 관류압을 올림으로써 전방의 관절막을 부풀리게 하면 관찰이 용이하다. 견인을 지속적으로 거는 시간은 1시간 이내로 한다. 1시간 넘게 견인을 계속 걸면 수술 후에 족배부(dorsum of foot)의 저림을 호소하는 일이 있다.

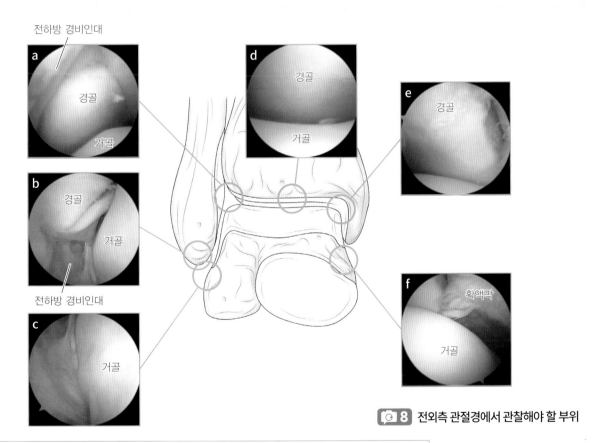

🗨8 전외측 관절경에서 관찰해야 할 부위

관절내 탐색: 관절경에서 프로브의 촉진은 필수적이다

① 관절경과 프로브로 삼각형을 형성하는 이미지(triangulation)를 갖고, 프로브 끝을 항상 관절경의 시야 속에 넣는다.

② 프로빙에 의해 관절 연골에 대해서는 연화(softening), 종창(swelling), 단차(step-off), 간격, 동요, 균열(fissuring), 연골손상의 깊이(depth)를 확인한다.

③ 인대에 대해서는 인대의 긴장 및 인대 부착부를 확인한다.

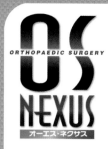

II. 하지

거골하관절경 및 Tendoscopy

제생회 나라병원 성형외과 **마츠이 도모히로**(Tomohiro Matsui)
와세다대학 스포츠과학 학술원 **쿠마이 츠카사**(Tsukasa Kumai)

Introduction

최근 소관절용 관절경이 발달한 것이나, 관절경수술에 필요한 기구들이 개선되면서 족부 주위의 소관절이나 관절 외 병변에 대한 관절경수술의 적응증이 확대되고 있다.

관절경으로는 거골하관절을 비롯하여 무지 MTP (metatarsophalangeal) 관절이나 거주상 관절(talonavicular joint)에 대한 관절경수술이 이루어지고 있다. 관절 외 병변에서는 후족부(족관절 후방), 아킬레스건 활액막, 족저근막 부착부에 대한 관절경수술이나 tendoscopy (비골건, 후경골건, 장무지 굴곡건), 골내부 내시경(종골 등의 양성 골종양) 등이 시행되고 있다.

여기에서는 이들 중에서도 비교적 사용 빈도가 높은 후거종(posterior talocalcaneal) 관절에 대한 관절경(거골하관절경)과 관절외 병변에 대한 내시경으로서 후방 내시경(posterior endoscopy), 아킬레스건 활액막 내시경(종골 후방 활액막 내시경), 족저근막 부착부 내시경의 기본 술기에 대해서 해설한다.

수술 전 고려 사항

● 관절경 · Tendoscopy 수술에 필요한 주변 해부학
주변 해부를 **[◎1]**에 나타낸다.

● 수술 적응증
거골하관절경
일반적으로 대상이 되는 부위는 후거종 관절이다.

적응질환은 족근관 증후군, 거골하관절 불안정증, 골연골병변(osteochondral lesion; OCL), AALTF (accessory anterolateral talar facet) 충돌증후군, 거골하관절내골절, 외상후의 거골하관절 구축이나 활막염, 퇴행성 거골하관절염 등이 있다.

관절 외 병변에 대한 내시경
• 후방 내시경
족관절 후방 충돌 증후군, 족근골 유합증(거골–종골간), 장무지 굴곡건 장애(탄발모지, 건손상, 건초염 등)가 적응된다.

• 아킬레스건 내시경
난치성 종골 후방 활액막염이 해당된다. 특히 Haglund's deformity로 불리는 발꿈치 후상 융기의 현저한 돌출부위를 보이며 MRI에서 해당 부위에 골수부종이나 골미란을 보이는 사례가 좋은 적응이다.

　　적응 외: 종골 부착부에 골극 형성을 수반하는 아킬레스건 병증(Achilles tendinopathy)은 관절경수술의 적응증에서 제외된다.

• 족저근막 부착부 내시경
보존요법에 반응하지 않는 난치성 족저근막염이 적응증이 된다. 다만, 최근에는 체외충격파 등 새로운 보존요법이 보급됨에 따라 수술 환자가 감소하고 있다.

미니정보

AALTF (accessory anterolateral talar facet)

거골 외측돌기의 전후 폭이 넓은 상태로, 종골과 관절면을 이루고 있는 후거종 관절의 정상 변이(normal variant)다. AALTF에 의한 충돌에 의해서 동통이 생긴다고 보고 있으며, 편평족과의 관련성도 보고된 바 있다.[1] Niki 등은 과거 족근동 증후군(sinus tarsi syndrome)이라고 진단된 경우, 높은 비율로 AALTF 충돌증후군이 존재한다고 보고하고 있다.[2]

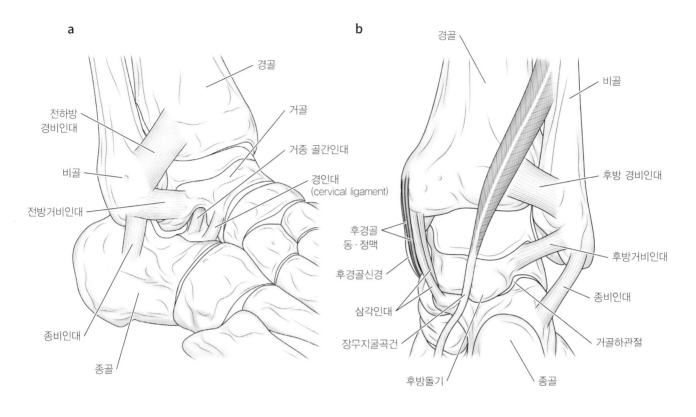

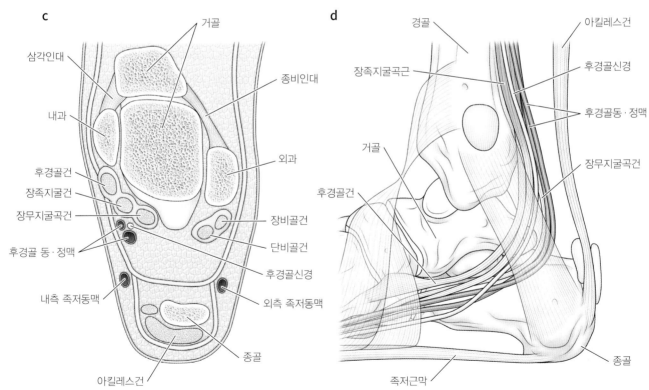

📷1 족관절의 주변해부

a: 족관절 전외측
b: 족관절 후방
c: 족관절 후방의 관상단면
d: 족관절 내측

● **사용하는 관절경의 종류와 특징**

족관절 주변의 소관절이나 관절 외 병변의 관절경 이용 시에는 2.7 mm 직경 30° 관절경을(📷 2a , 📷 2c) 사용하고 있다. 본체가 작고 조작하기 쉬운 것이 특징이다. 후방 내시경 등 관절외 내시경에서는 보다 넓은 시야를 얻을 수 있는 4.0 mm 직경 30° 관절경을 사용한다는 보고도 있다.

무지 MTP 관절경에서는 1.9 mm 직경 30° 관절경 📷 2b 이 이용되는 경우가 많고, 각각의 사용 부위나 처치 내용 등에 따라 특징을 살린 관절경을 사용한다.

a

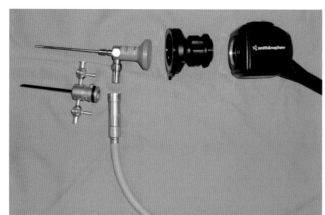

b

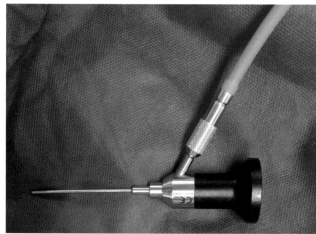

c

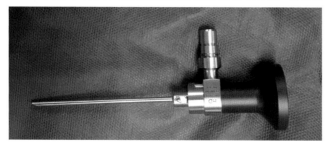

기본 술기

거골하관절경(앙와위)
1 세팅
2 삽입구 제작
 · 전외측 삽입구
 · 중앙 삽입구
3 어프로치
4 프로빙

후방 내시경
1 세팅
2 삽입구 제작
 · 후외측 삽입구, 후내측 삽입구
3 어프로치
4 프로빙

Achilles Tendoscopy
1 세팅
2 삽입구 제작
 · 외측 삽입구
 · 내측 삽입구
3 어프로치
4 프로빙

족저근막 내시경
1 세팅
2 삽입구 제작
 · 내측 삽입구
 · 외측 삽입구
3 어프로치
4 프로빙

📷 **2** **자주 사용하는 관절경**

a: 2.7 mm 직경 30° 관절경
b: 1.9 mm 직경 30° 관절경
c: 2.7 mm 직경 30° 관절경

Fast **C**heck

❶ 관절강이 좁기 때문에 삽입구 제작 위치를 신중하게 결정한다.
❷ 삽입구 제작 시에는 신경을 손상하지 않도록 피부만 메스로 절개하여 Hemostat이나 Mosquito로 관절 내(활액막 내)까지 접근한다.
❸ 소관절이나 시야가 좁은 내시경에서는 출혈을 시키지 않는 것이 중요하며, 쉐이버 사용에 충분히 주의한다.

기본 술기

거골하관절경(앙와위)

1 세팅

족관절경을 할 때와 마찬가지로 leg-holder로 대퇴부를 지탱하고 슬관절 굴곡상태에서 족부를 견인한다 **3a**. 지혈대는 준비해 두되, 기본적으로는 사용하지 않는다.

측와위로 행해지기도 하며, 그 경우에는 견인은 실시하지 않는다.

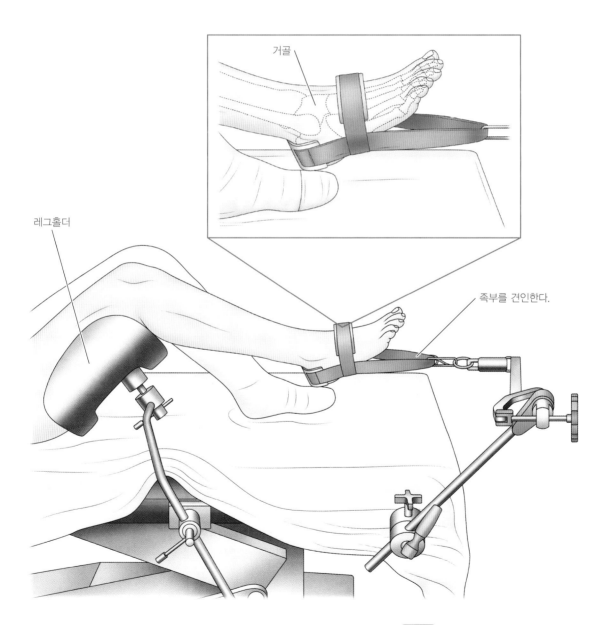

거골

레그홀더

족부를 견인한다.

3 거골하관절 관절경수술 시 세팅(앙와위)

2 삽입구 제작

전외측 삽입구

전외측 삽입구는 외과(LM) 첨부(tip)로부터 10 mm 원위, 20 mm 전방에 있는 족근동(sinus tarsi)의 soft spot에 제작한다  4a . 거골 전방 돌기에서 5~10 mm 후방의 위치이기도 하므로, 이러한 지표들을 체표면에서 만져보면서 삽입구 제작 부위를 결정한다.

삽입구 제작 예정 부위에서 후방 대각선 45°로 약간 두측(cranial)을 향해 18G needle을 삽입하고 4b 생리식염수를 5~10 mL 주입한다.

중앙 삽입구

중앙 삽입구는 외과 첨부(tip)의 바로 원위 및 전방에 제작한다 4a . 후술하는 후방 내시경의 후외측 삽입구를 보조(accessory) 삽입구로서 사용하는 경우도 있다.

코멘트 NEXUS view //////

생리식염수가 올바르게 거골하관절에 들어간 경우에는 주입으로 인해서 내측면이나 역류 등을 확인할 수 있다.

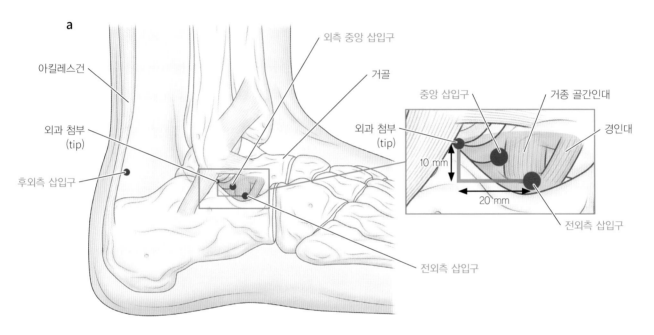

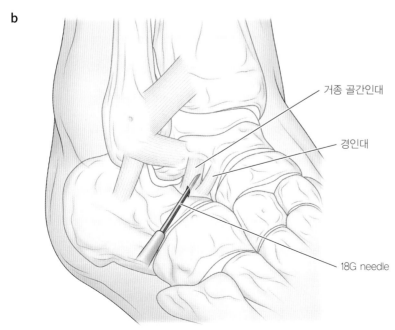

4 **전외측 삽입구, 중앙 삽입구 제작 위치**

a: 전외측 삽입구는 족근동(외과 첨단으로부터 10 mm 원위, 20 mm 전방)의 soft spot에 제작한다.

b: 18G 주사바늘을 삽입구 제작 예정 부위에서 후방 대각선 45°로 약간 두측을 향해 삽입한다.

3 어프로치

신경손상을 피하기 위해 피부만 5 mm 절개하고, 삽입구 제작 시 18G needle을 삽입한 방향으로 Mosquito나 Hemostat를 삽입하여 피하 조직을 박리하고, 그 방향 그대로 관절막까지 관통한다 📷5.

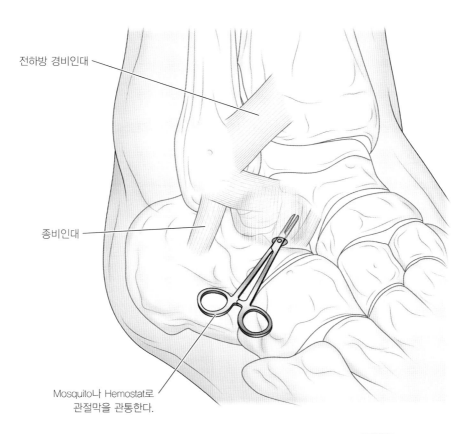

전하방 경비인대

종비인대

Mosquito나 Hemostat로
관절막을 관통한다.

📷5 **어프로치**

Mosquito나 Hemostat로 피하조직을 박리하고,
그대로 관절막도 관통한다. 관절막을 관통한 후,
기구의 끝을 벌려서 삽입구를 확대한다.

4 프로빙

전외측 삽입구로부터의 관절경에서는 후거종 관절의 전방에서 외측을 관찰할 수 있다.

관절경을 전방으로 향하면 후거종 관절 전방 가장자리에 거종 골간 인대를 확인할 수 있고 📷 6a , 관절경을 관절 외측 가장자리를 따라서 진행하면 외측 관절막 및 후거종 관절면을 넓게 관찰할 수 있다 📷 6b .

코멘트 NEXUS view ////

프로브

전외측 삽입구와 중앙 삽입구는 근접해 있기 때문에, 전외측 삽입구로부터 삽입하는 관절경은 후방으로 45° 기울이는데, 중앙 삽입구로부터 삽입하는 프로브는 관절경(전외측 삽입구)보다 얕은 각도로 삽입한다.

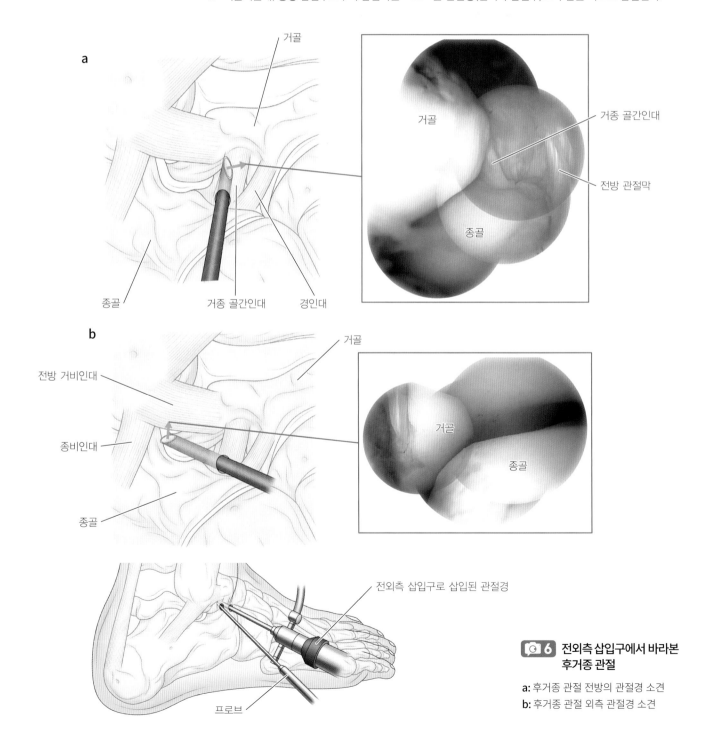

a

거골

거골

거종 골간인대

전방 관절막

종골

종골 거종 골간인대 경인대

b

거골

전방 거비인대

종비인대

거골

종골

종골

전외측 삽입구로 삽입된 관절경

📷6 **전외측 삽입구에서 바라본 후거종 관절**

a: 후거종 관절 전방의 관절경 소견
b: 후거종 관절 외측 관절경 소견

프로브

후방 내시경

1 세팅

족관절을 족저, 족배굴곡을 자유롭게 할 수 있도록 족부를 수술대 끝부분에서 더 원위로 이동시키고, 환측 족관절 전방에 지지대를 놓고 환측 하지를 수술대에서 약간 띄운다 📷7 . 지혈대는 준비해두되 기본적으로는 사용하지 않는다.

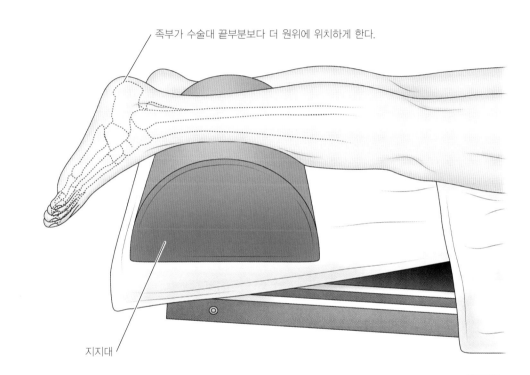

족부가 수술대 끝부분보다 더 원위에 위치하게 한다.

지지대

📷7 후방 내시경 시술의 세팅

2 삽입구 제작

후외측 삽입구, 후내측 삽입구

후외측 삽입구와 후내측 삽입구는 외과 첨부에서 10 mm 정도 근위에 있으며, 아킬레스건 양단의 바로 전방에 제작한다 (◎8).

> **코멘트 NEXUS view**
>
> 후외측 삽입구 제작 전에 주사바늘을 삽입하여 생리식염수를 주입한다. 바늘 끝으로 관절의 레벨 및 삼각골(os trigonum)의 위치를 느끼고 거골하관절 내에 생리식염수를 주입한다. 올바르게 거골하관절 내에 주입할 수 있으면 후족부를 내측으로 향하게 한다.

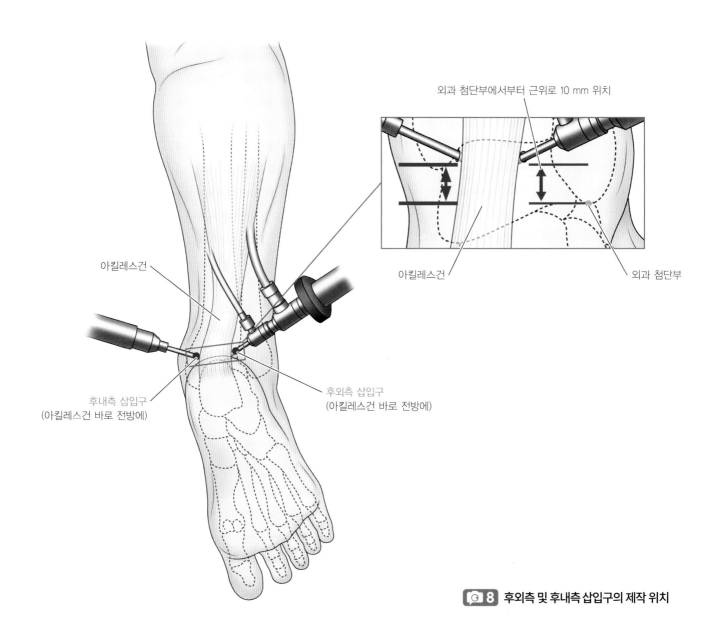

외과 첨단부에서부터 근위로 10 mm 위치

아킬레스건

외과 첨단부

아킬레스건

후외측 삽입구
(아킬레스건 바로 전방에)

후내측 삽입구
(아킬레스건 바로 전방에)

◎8 후외측 및 후내측 삽입구의 제작 위치

3 어프로치

신경장애를 피하기 위해 피부만 5 mm 절개한다. 후외측 삽입구에서 Mosquito를 삽입하고, 제2족지 방향을 향해 피하조직을 박리한다 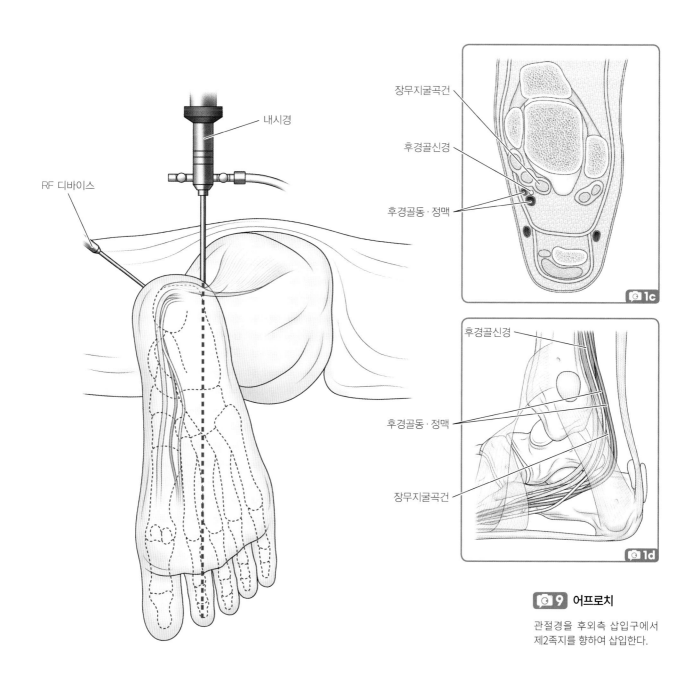 ⑨ .

장무지굴곡건 내측에는 신경혈관다발이 존재하므로 후내측 삽입구를 제작할 때는 기구가 지나치게 내측으로 향하지 않도록 주의한다(ⓒ 1c, d 참조).

코멘트 **NEXUS view** ⁄⁄⁄

외통관(Sheath), RF 디바이스

내시경 삽입 직후에는 주위가 지방성 활막조직으로 덮여 오리엔테이션이 되지 않을 수 있다. 외통관 삽입 시에 둔봉(blunt trocar) 끝으로 거골하관절의 위치를 확인하고, 그 후에는 내시경을 쥔 손을 움직이지 않고 고정한다. RF 디바이스를 쥔 손만을 움직여 RF 디바이스를 관절경의 tip으로 유도한다.

내시경

RF 디바이스

장무지굴곡건

후경골신경

후경골동·정맥

ⓒ 1c

후경골신경

후경골동·정맥

장무지굴곡건

ⓒ 1d

ⓒ 9 **어프로치**

관절경을 후외측 삽입구에서 제2족지를 향하여 삽입한다.

4 프로빙

거골 후방의 지방성 활막 조직을 RF 디바이스로 제거해가면서 시야를 확보한다. 거골을 따라서 시야 확보를 진행시켜 나가면 안전하다 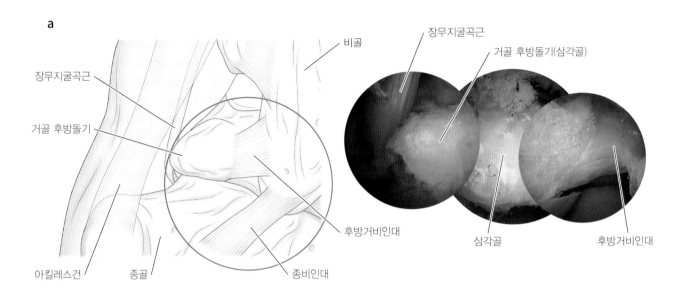 10a.

후거종 관절 후방으로부터 후외측을 관찰할 수 있고, 거골 후방돌기(삼각골; os trigonum)를 중앙으로 하여 내측에 장무지굴곡근, 외측에 거골 외측 돌기와 종비인대의 주행을 확인할 수 있다 10b. 거골 근위로 연부조직을 박리하면서 진행시키면 거종 관절 후방까지 관찰 가능하다.

코멘트 NEXUS view

특히 내측으로의 전개에는 거골 경계를 따라서 RF 디바이스를 진행시켜 나가는 것으로 신경·혈관 손상을 막을 수 있다. 때때로 무지를 구부려보면서 장무지굴곡근의 위치를 확인하는 것도 좋다.

a

b

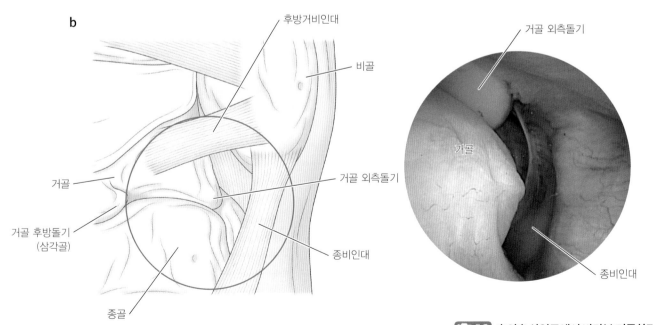

10 후외측 삽입구에서 바라본 거골하관절

a: 거골 후방의 내시경 소견
b: 후거종 관절 후외측 내시경 소견

Achilles Tendoscopy

1 세팅

복와위에서 족부를 수술대 끝에서 더 내려서 족관절 족저, 족배굴곡을 가능하게 한다. 지혈대는 준비해두되 기본적으로는 사용하지 않는다 🗨11.

> **코멘트** **NEXUS view**
>
> 족관절은 자연스러운 족저굴곡 정도로 자세를 잡는다. 족배굴곡을 해버리면 종골과 아킬레스건이 접촉하면서 활액막이 전방으로 밀려나게 된다 🗨12.

> **주의!** **NEXUS view**
>
> **건측과 수술대가 방해된다!**
> 후방(아킬레스건 측)을 조작할 때는 내시경을 쥔 손을 원위로 가져갈 필요가 있는데, 이때 내시경을 쥔 손이 건측 족부 혹은 수술대에 닿아 조작하기 어려운 경우가 있다. 환측을 지지대로 충분히 거상시켜서 예방한다.

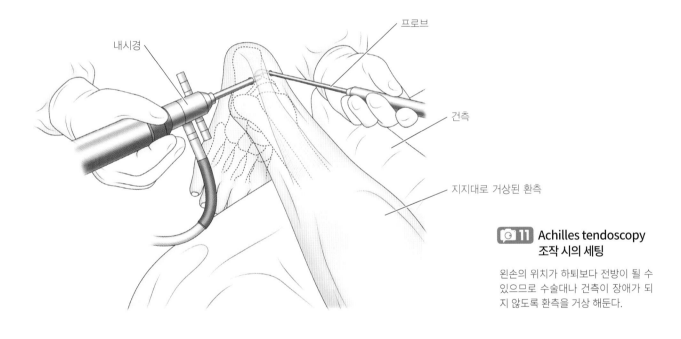

내시경 프로브 건측 지지대로 거상된 환측

🗨11 Achilles tendoscopy 조작 시의 세팅

왼손의 위치가 하퇴보다 전방이 될 수 있으므로 수술대나 건측이 장애가 되지 않도록 환측을 거상 해둔다.

a
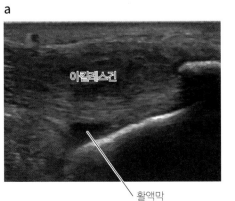
아킬레스건 활액막

b
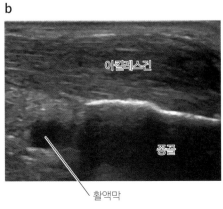
아킬레스건 종골 활액막

🗨12 종골 후방 활액막의 초음파상

a: 족저굴곡. 아킬레스건과 종골 사이에 활액막이 보인다.
b: 족배굴곡. 아킬레스건과 종골 사이의 공간이 눌리면서 활액막이 전방으로 이동하였다.

2 삽입구 제작

외측 삽입구

외측 삽입구는 종골결절(calcaneal tuberosity)의 바로 근위이며, 아킬레스건 외측 가장자리 바로 전방에 제작한다 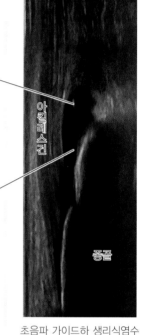.

18G 주사바늘을 삽입하여 생리식염수를 약 5 mL 주입한다. 활액막 내에 진입했다면 저항없이 주입할 수 있다. 삽입구 제작에는 피부만 메스로 5 mm 절개한다.

내측 삽입구

외측 삽입구에서 내시경을 삽입하고 종골결절을 관찰하면서 내시경을 내측으로 진행하여 광원을 가이드 삼아서 아킬레스건 내측 가장자리 바로 전방에 내측 삽입구를 제작한다 .

코멘트 NEXUS view ////

활액막 안에 생리식염수 주입에 익숙하지 않으면 초음파 유도 하에 위치를 확인하여, 생리식염수를 주입하는 방식으로 삽입구 제작 위치를 확인해 두는 것이 좋다.

needle

아킬레스건

종골 후방에 위치한 활액막

종골

초음파 가이드하 생리식염수가 주입되어 있는 이미지

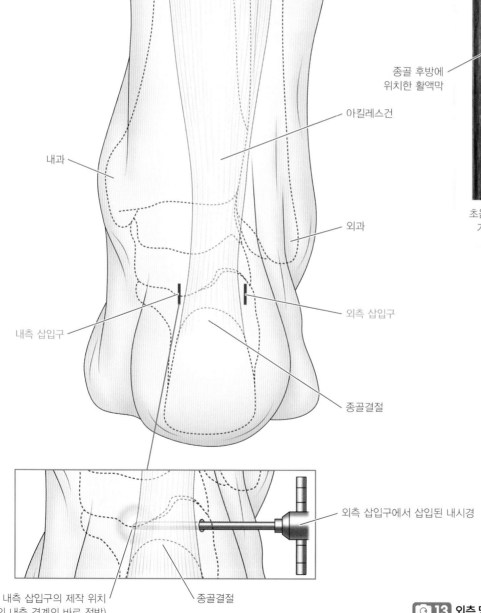

내과

아킬레스건

외과

외측 삽입구

내측 삽입구

종골결절

외측 삽입구에서 삽입된 내시경

내측 삽입구의 제작 위치
(아킬레스건의 내측 경계의 바로 전방)

종골결절

13 외측 및 내측 삽입구의 제작 위치

3 어프로치

Mosquito를 외측 삽입구에서 삽입하고, Mosquito 끝에서 아킬레스건과 종골결절을 촉지하면서
종골 후방 활액막의 위치를 확인 ⓒ14 하는 동시에 주위 연부조직을 박리한다.

코멘트 **NEXUS view**

Mosquito의 끝부분으로 종골을 촉지하고, 그 후방에 있는 활액막의 위치를 확인한 후 끝부분을 벌려,
워킹 스페이스를 만든다. 수술 도구를 넣고 뺄 때는 단일 루트를 통해서 활액막 안에 도달하도록 한다.

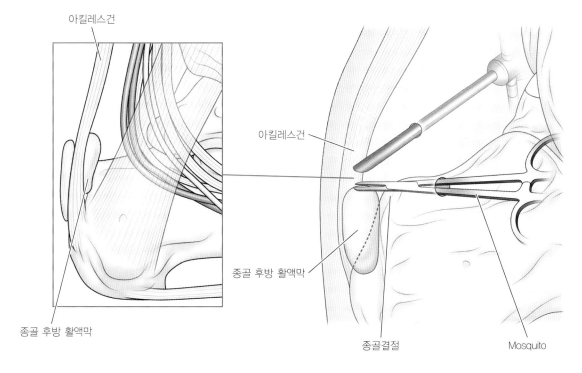

아킬레스건

종골 후방 활액막

아킬레스건

종골 후방 활액막

종골결절

Mosquito

ⓒ14 **어프로치**

Mosquito 끝부분으로 아킬레스건과 종골결절을
촉지하면서 종골 후방 활액막 위치를 확인한다.

4 프로빙

RF 디바이스로 지방체를 제거하면서 시야를 확보한다. 건의 부착부 관찰 시에는 프로브로 아킬레스건을 후방으로 들어올리고 내시경을 원위치에서 전진하면 시야를 확보할 수 있다 ⓖ15.

코멘트 NEXUS view

RF 디바이스
　　충분한 시야를 얻을 때까지 RF 디바이스는 종골을 향하게 하고, 아킬레스건을 향하지 않도록 주의한다.

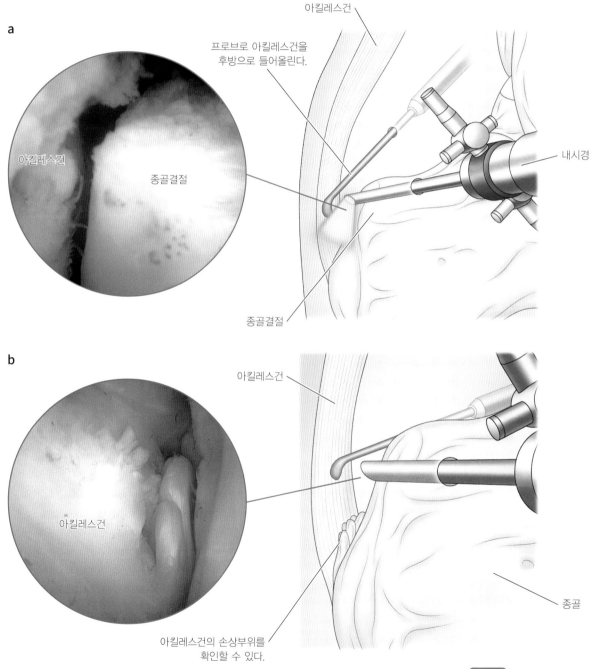

a

아킬레스건

프로브로 아킬레스건을
후방으로 들어올린다.

아킬레스건

종골결절

내시경

종골결절

b

아킬레스건

아킬레스건

종골

아킬레스건의 손상부위를
확인할 수 있다.

ⓖ15 프로빙

a: 시야 확보
b: 손상 부위 확인

족저근막 내시경

1 세팅

앙와위에서 레그홀더를 대퇴부에 설치하여 족부를 거상한다 . 지혈대는 준비해두되 기본적으로는 사용하지 않는다.

코멘트 **NEXUS view** ////

익숙하지 않을 때는 수술 중에 C-arm으로 족부 측면상을 확인하면서 수술한다.

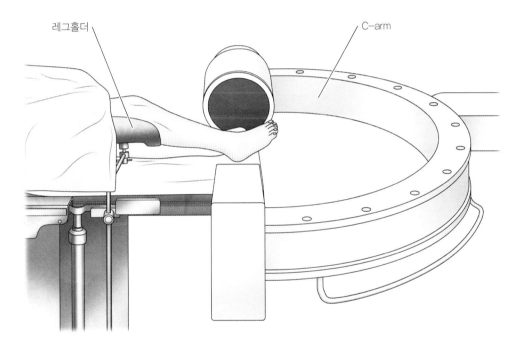

레그홀더

C-arm

📷 16 **족저근막 내시경 조작 시의 세팅**

익숙하지 않을 때는 수술 중에 C-arm으로 족부 측면상을 확인할 수 있도록 한다.

2 삽입구의 제작

내측 삽입구

내측 삽입구는 종골돌기의 전방, 족저근막의 배측(dorsum)에 제작한다 ⓒ 17a .

투시하 혹은 초음파 가이드 하에 삽입구 제작 위치를 결정한다. 피부만 5 mm 절개하고 피하는 Mosquito로 박리한다.

외측 삽입구

내측 삽입구에서 둔봉(blunt trocar)을 삽입하여 외측 피부 직하까지 진행한다. 피하에서 둔봉이 촉지된 부위에 피부를 절개하여 외측 삽입구를 제작한다 ⓒ 17b .

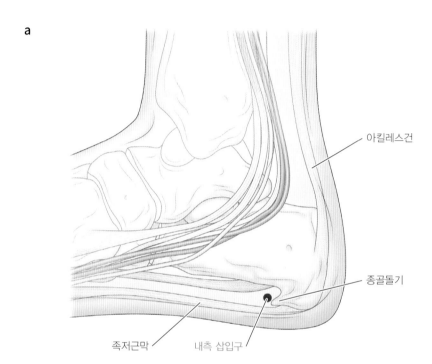

a

아킬레스건

종골돌기

족저근막   내측 삽입구

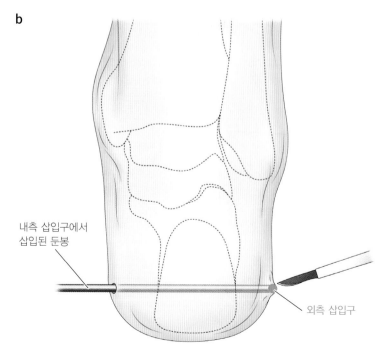

b

내측 삽입구에서
삽입된 둔봉

외측 삽입구

ⓒ 17 내측 및 외측 삽입구의
제작 위치

a: 내측 삽입구(종골돌기의 전방,
족저근막의 배측)
b: 외측 삽입구

3 어프로치

내시경 삽입 시에는 거의 시야가 나오지 않는 상태이므로, 외측 삽입구 부근까지 진행한 내시경 끝
부분에 RF 디바이스를 접촉시킨 상태로 동시에 내측으로 이동하여 족저 중앙부로 유도한다 18.

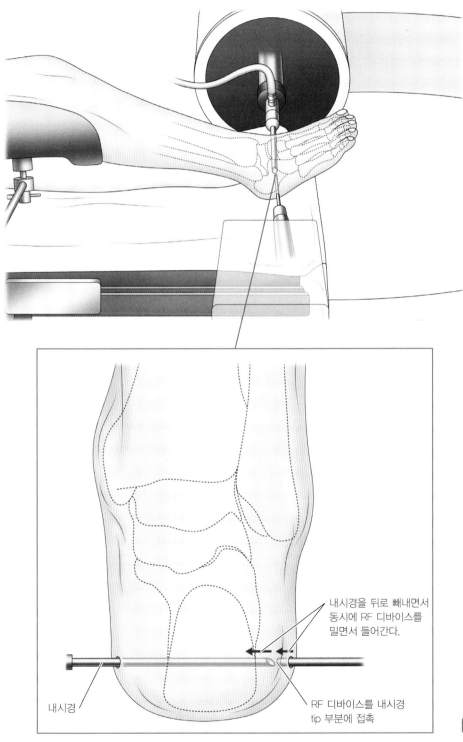

내시경을 뒤로 빼내면서
동시에 RF 디바이스를
밀면서 들어간다.

내시경

RF 디바이스를 내시경
tip 부분에 접촉

18 어프로치

4 프로빙

RF 디바이스로 활막성 지방조직을 제거하면서 시야를 확보하고, 족저근막과 종골돌기를 확인한다
📷19.

코멘트 NEXUS view

RF 디바이스

RF 디바이스를 사용할 때 종골을 촉지하고 종골을 따라 이동하면서 활막성 지방조직을 제거해 나간다.

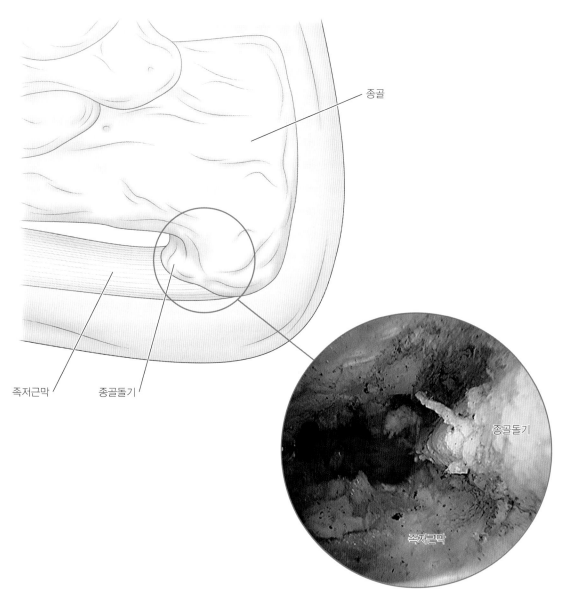

종골

족저근막   종골돌기

종골돌기

족저근막

📷19 **프로빙**

RF 디바이스로 시야 확보 후 족저근막과 종골돌기를 동정한다.

참고문헌 ───

1) Martus JE, Femino JE, Caird MS, et al. Accessory anterolateral talar facet as an etiology of painful talocalcaneal impingement in the rigid flatfoot:a new diagnosis. Iowa Orthop J. 2008:28:1-8.
2) Niki H, Hirano T, Akiyama Y, et al. Accessory talar facet impingement in pathologic conditions of the peritalar region in adults. Foot Ankle Int. 2014:35:1006-14.

II. 하지

관절경 전거비인대 봉합술 및 미세골절술

주조병원 CARIFAS 족부외과센터 **타카오 마사토(Masato Takao)**

Introduction

족관절 외측인대 손상 시에는 족관절의 관절가동범위가 정상에서 벗어나게 되면서 거골의 연골손상이 발생하는 일이 빈번하다. 최근 족관절 관절경수술 술기가 발전함에 따라 인대손상 및 연골손상에 대해서 모두 관절경수술로 동시에 치료가 가능하게 되었다.

이번 편에서는 100 mm² 이하의 비교적 작은 거골 골연골 손상이 합병된 족관절 외측인대 손상에 대한 관절경수술에 대해 설명한다.

수술 전 고려 사항

● 자주 사용하는 기구 📷1

족관절 외측인대 봉합술에서는 suture anchor를 이용한다. 앵커가 봉합사의 소재로 되어 있는 소프트 앵커 📷16 는 지름이 2 mm 미만인 터널에 삽입할 수 있기 때문에 폭이 좁은 비골에 삽입하기가 적합하다. 또, 봉합 시의 봉합사 파열을 막기 위해서 봉합사는 NO. 2를 선택한다.

거골의 연골손상에 대하여 가장 많이 이루어지는 술기는 골연골 절편을 절제한 후 연골하골에 소공을 뚫는 미세골절술이다. 본 수술법에서는 각종 큐렛 📷17 과 Microfracture Pick 📷18 을 이용한다.

수술 진행

> **1** 세팅 및 삽입구 제작
> · 세팅
> · 삽입구 제작
> **2** 관절경 인대 봉합술
> · 잔존인대 관찰
> · 봉합사 앵커 설치
> · Suture relay technique
> · Modified Lasso-loop stitch법
> **3** 거골 골연골 손상에 대한 미세절골술
> · 족부 견인
> · 병변부 관찰
> · 변성 연골의 절제
> · 미세골절술
> **4** 족관절 외측인대 봉합의 마무리
> **5** 술 후 요법

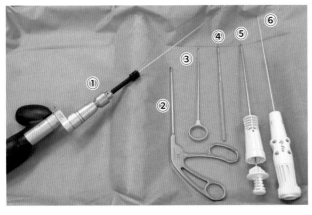

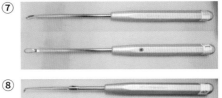

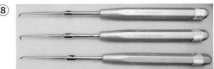

📷1 비교적 작은 거골 골연골 손상을 합병한 족관절 외측인대 손상에 사용하는 디바이스

① 전동 드릴   ② 봉합사 커터   ③ Knot pusher   ④ Hook Probe
⑤ 봉합사 가이드   ⑥ 봉합사 소프트앵커   ⑦ 링 큐렛   ⑧ Microfracture Pick

Fast Check
1 잔존인대의 수술 전 평가는 스트레스 초음파 검사로 확인한다.[1]
2 거골연골 손상의 수술 전 평가는 CT로 확인한다.[2]

수술 술기

1 세팅 및 삽입구 제작

세팅

환자 포지션은 앙와위로 하고, 환측 하지의 하퇴를 레그홀더로 유지함으로써 족관절을 수술대 위에서 약 20 cm 정도 띄운 상태로 수술을 시행한다 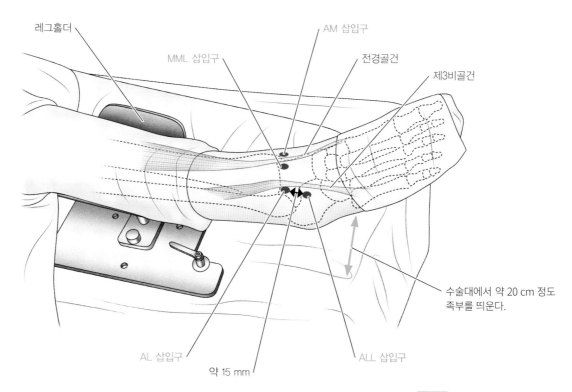 . 지혈대는 일반적으로 사용하지 않지만, 출혈에 의해 시야가 방해되는 경우에 제한적으로 사용하기 위해서 대퇴에 장착한다.

삽입구 제작

삽입구는 족관절 레벨에서 전경골건 바로 외측에 놓는 medial midline (MML) 삽입구, 제3비골근건 바로 외측에 놓는 전외측(anterolateral;AL) 삽입구, AL 삽입구보다 약 15 mm 원위에 두는 accessary antero-lateral (AAL) 삽입구를 이용한다 .

레그홀더 AM 삽입구 MML 삽입구 전경골건 제3비골건

수술대에서 약 20 cm 정도 족부를 띄운다.

AL 삽입구 약 15 mm ALL 삽입구

2 수술자세와 삽입구의 제작 위치

2 관절경 인대 봉합술[3)]

잔존인대 관찰

병변부에서 먼 MML 삽입구로부터 2.7 mm 직경의 관절경을 삽입하여 lateral gutter를 관찰하고, 병변부에 가까운 AAL 삽입구로부터 수술기구를 삽입하여 수술을 실시한다. 그때, 다리 관절을 약간 족배굴곡하여 lateral pouch를 넓혀서, 한층 더 광원 케이블이 전방을 향하도록 회전시켜 가면서 관절경의 시야를 후방으로 향하면, 양호한 시야를 얻을 수 있다 📷3.

먼저 전거비인대(anterior talofibular ligament; ATFL)를 관찰한다. 보존요법으로 치유되지 않는 예에서는 인대가 비골 부착부 주변에서 파열되어 있다.

코멘트 ▶ **NEXUS view** ///

쉐이버

활액막의 증식으로 시야가 방해되는 경우는 지혈대를 사용하고 3.5 mm 전동 쉐이버를 이용해 절제한다. 그때 쉐이버의 후드를 ATFL 방향으로 향하고 쉐이버의 블레이드를 반대 방향으로 향하게 함으로써 잔존인대의 절제를 막을 수 있다.

코멘트 ▶ **NEXUS view** ///

관절경수술에서는 기본적으로 병변부에 대하여 먼 곳에서의 삽입구를 관찰 삽입구, 가까운 삽입구를 작업 삽입구로 해야 수술조작이 용이해진다.

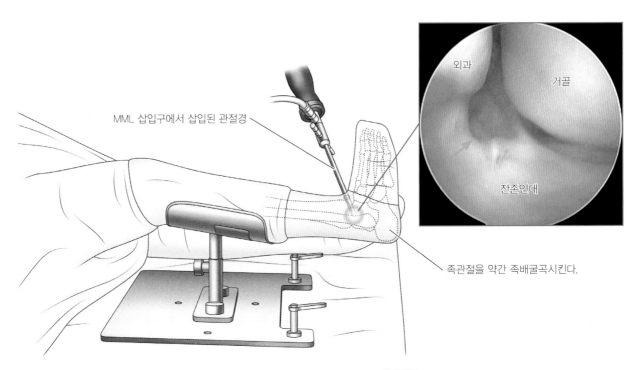

MML 삽입구에서 삽입된 관절경

외과 거골

잔존인대

족관절을 약간 족배굴곡시킨다.

📷3 **잔존인대의 관찰**

병변부에서 거리가 먼 MML 삽입구에서 2.7 mm 직경의 관절경을 삽입하여 lateral gutter를 관절경으로 관찰한다.

➡ 전방거비인대(ATFL)가 비골 부착부 주변에서 파열되어 있다.

　인대섬유가 잔존하는 경우는 봉합술을 실시할 수 있으나 잔존하지 않는 경우, 자가건을 이용한 인대 재건술을 실시할 필요가 있다.

　여기서는 잔존한 경우에서의 인대봉합술에 대해 해설한다.

봉합사 앵커 설치

　잔존인대를 비골에 부착하기 위한 봉합사 앵커를 설치한다.

　드릴 가이드를 AAL 삽입구로부터 삽입하고, sleeve는 가이드 끝을 돌출하지 않게 하는 상태에서, 외과의 관절면 원위 끝부분보다 약 5 mm 근위 관절면 외측 가장자리에서 약 5 mm 외측에서 가이드 끝을 접촉시킨다.

　드릴 구멍이 비골의 장축에 대하여 약 30° 근위로 향하고, 비골의 중앙에 제작되도록 드릴가이드의 방향을 조정한 후, sleeve를 완전히 빼내고, 드릴을 가이드에 삽입하여 터널을 제작한다 📷 4a .

　가이드를 통해서 앵커를 터널 내에 삽입한 후 📷 4b , 앵커의 실을 슬라이드 시켜보면서 앵커가 터널 내에서 안정적으로 위치하여 뽑히지 않는지를 확인한다 📷 4c, d .

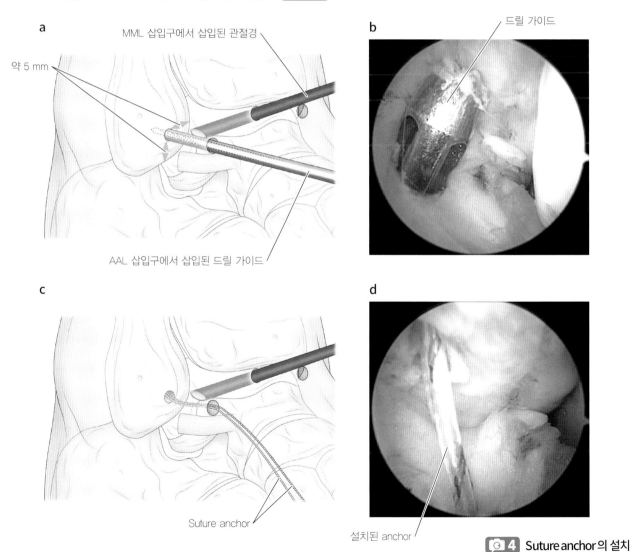

a

MML 삽입구에서 삽입된 관절경

약 5 mm

AAL 삽입구에서 삽입된 드릴 가이드

b

드릴 가이드

c

Suture anchor

d

설치된 anchor

📷 4 Suture anchor 의 설치

a: 드릴가이드에 의한 터널 제작
b: Suture anchor 삽입
c, d: 설치 후의 suture anchor

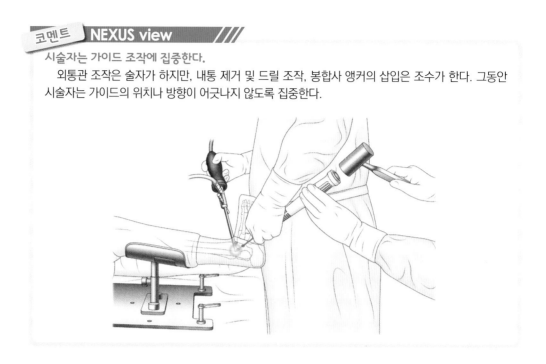

시술자는 가이드 조작에 집중한다.

　외통관 조작은 술자가 하지만, 내통 제거 및 드릴 조작, 봉합사 앵커의 삽입은 조수가 한다. 그동안 시술자는 가이드의 위치나 방향이 어긋나지 않도록 집중한다.

Suture relay technique

　2-0 Nylon을 통과시킨 18G needle을 AAL 삽입구로부터 삽입해서, 잔존하고 있는 ATFL 섬유를 전방에서 후방으로 가능한 전층(full thickness)으로 관통하여 ATFL의 후방에 위치한 needle tip을 확인한다 **5a**. 관통한 것을 확인한 뒤에는, 관통한 needle을 수차례 회전을 시켜서 주변 조직과 봉합사의 마찰력으로 인해서 봉합사가 관절 안으로 진입하게 한다. 이 상태에서 needle을 역회전시키면 특별한 조작 없이도 관절 내에서 루프를 크게 만들 수 있다.

a

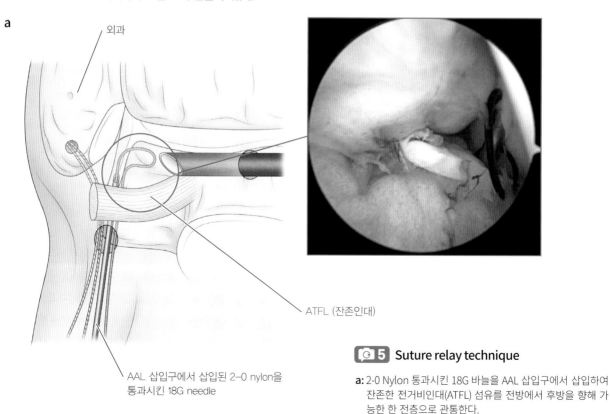

외과

ATFL (잔존인대)

AAL 삽입구에서 삽입된 2-0 nylon을 통과시킨 18G needle

5 Suture relay technique

a: 2-0 Nylon 통과시킨 18G 바늘을 AAL 삽입구에서 삽입하여 잔존한 전거비인대(ATFL) 섬유를 전방에서 후방을 향해 가능한 전층으로 관통한다.

그 후 AAL 삽입구로 Hook Probe를 삽입하여 루프를 잡고 [📷 5b] AAL 삽입구를 통해서 관절 외로 빼낸다. 나일론 루프에 앵커의 봉합사 중 한쪽 실을 원위단에서 2/3 정도의 위치까지 통과시킨 뒤에 [📷 5c], 나일론의 양끝을 당김으로써 루프 상태로 suture anchor 실을 잔존인대에 통과시킨다 [📷 5d].

b

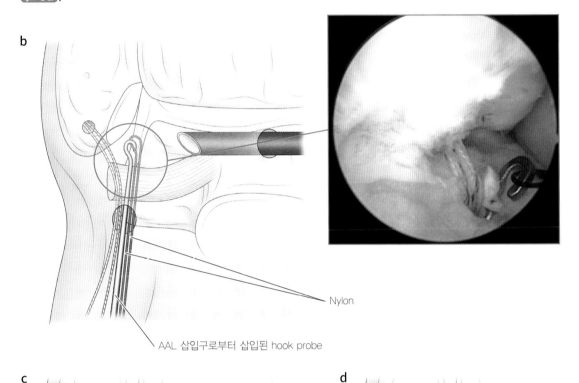

Nylon

AAL 삽입구로부터 삽입된 hook probe

c

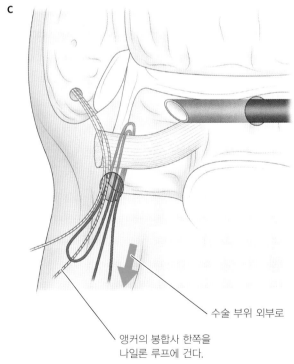

수술 부위 외부로

앵커의 봉합사 한쪽을
나일론 루프에 건다.

d

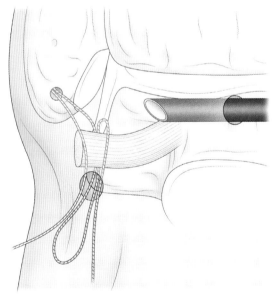

[📷 5] **Suture relay technique (이어서)**

b: AAL 삽입구로부터 훅 프로브를 삽입해서 나일론 루프를 쥐어서,
AAL 삽입구로부터 창상 외부로 이끈다.

c: 니일론 루프에 봉합사 앵커의 한쪽 실을 원위단에서 2/3 정도의
위치까지 꿰어 넣는다.

d: 나일론실의 양 끝을 잡아당김으로써 루프 모양으로 봉합사 앵커
의 실을 잔존인대에 관통시킨다.

Modified Lasso-loop stitch법

잔존인대의 봉합에는 modified lasso-loop stitch법을 사용한다. 우선, 앞서 만들어진 루프에 반대쪽 봉합사 앵커의 실을 꿰어 넣는다 . 그 후에 루프를 반회전시켜서 새로운 루프를 만들고 같은 쪽 봉합사를 이 루프에 통과시켜서 에 실을 당기면, 루프가 가볍게 조여진다 **6c**.

최종적으로는 반대측의 실을 강하게 잡아당겨, 잔존인대의 끝부분을 비골에 압착시킴으로써, 족관절을 안정화시킨다 **6d**.

코멘트 NEXUS view ////

다른 수술을 병용해야 하는 경우, 즉 족관절 전방충돌 혹은 거골 골연골 손상에 대한 수술 술기들은 족관절이 견인된 상태로 하는 것이 용이하다. 따라서 **6d**의 조작은 견인이 필요한 술기가 종료된 후에 실시한다.

a
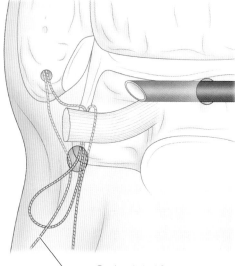
ATFL을 관통하지 않은 anchor의 봉합사를 루프에 통과시킨다.

b
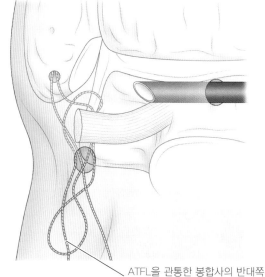
ATFL을 관통한 봉합사의 반대쪽 끝을 루프에 통과시킨다.

c
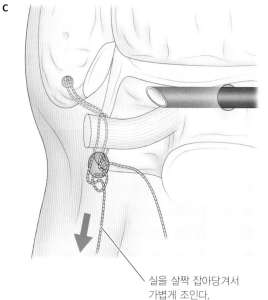
실을 살짝 잡아당겨서 가볍게 조인다.

d
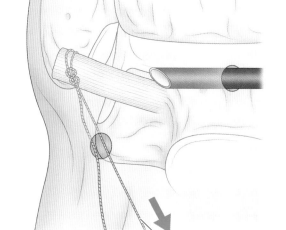
실을 강하게 당긴다.

6 Modified Lasso-Loop stitch

a: 루프에 반대쪽 앵커의 실을 꿰어 넣는다.
b: 루프를 반대로 회전시켜, 같은 쪽 실을 이 루프에 통과시킨다.
c: 같은 쪽 실의 끝을 잡아당겨 루프를 가볍게 조인다.
d: 최종적으로 다리 관절을 0° 중립위로 하고, 루프와 반대쪽 봉합사 앵커실의 끝을 강하게 잡아당김으로써 루프를 강하게 조인다.

3 거골 골연골 손상에 대한 미세골절술

거골 골연골 손상에 대한 술식 선택은 병변의 크기에 따라 결정된다.

수술 전의 CT 소견에 따라서 병변부의 넓이를 계측하여 100 mm^2 이하이면 미세골절술 등의 bone marrow stimulating 방법을 시행하는 것이, 그 이상의 크기라면 골연골 이식술이나 PRP 등의 생물학적 제제의 투여 등의 재생의료를 시행하는 것이 일반적이다.

여기에서는 미세골절술에 대해 기술한다.

족부 견인

미세골절술은 족부를 견인하여 족관절의 관절강을 확대시켜야 양호한 시야 하에 실시할 수 있다. 저자들은 붕대견인법(Bandage distraction technique)을 이용하고 있다.[4]

레그홀더에 견인기를 연결시켜, 6 kgf (약 59 N) 힘으로 견인한다. 이걸로 족관절 간격을 약 4 mm 확대시킬 수 있다. 견인에 의한 합병증을 막기 위해 견인 시간은 120분 이하로 한다.

레그홀더

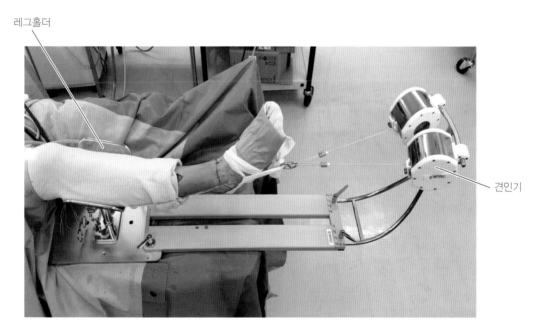

견인기

◎ 7 족부의 견인

레그홀더에 견인기를 연결하고, 6 kgf (약 59 N)의 힘으로 견인한다.

병변부 관찰

거골의 골연골 손상은 후내측부에 발병하는 경우가 많다.

우선 병변부에 가까운 MML 삽입구에 관절경을 삽입하고, 병변부에서 먼 AL 삽입구에서 프로브를 삽입해서 병변부의 관찰과 프로빙을 실시한다 📷8.

코멘트 **NEXUS view** ///////

족관절을 최대 족저굴곡하면 병변부가 전방으로 이동해 관찰하기 쉬워진다.

병변부에서 관찰할 수 있는 변화로는 관절연골의 softening, fibrillation, 연골하골까지 이르는 균열, 골연골편의 불안정화·박탈, 연골 하골의 노출 등이다.

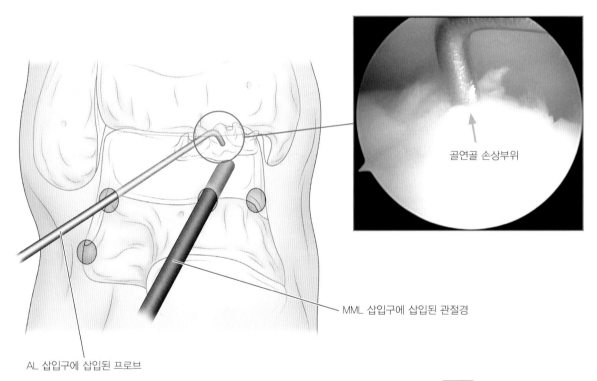

골연골 손상부위

MML 삽입구에 삽입된 관절경

AL 삽입구에 삽입된 프로브

📷8 **병변부의 촉진**

병변부(──▶) 관찰 및 프로빙을 실시한다.

변성 연골의 절제

병변부의 위치를 확인한 후, 관절경의 위치를 병변부에서 먼 AL 삽입구로 바꾸고, 병변부에 가까운 MML 삽입구에서 수술기구를 삽입해 이하의 수술조작을 실시한다.

변성한 연골이 잔존하면 연골 결손부는 복구되기 어렵다.[5] 따라서 골연골편과 함께 변성된 연골조직을 충분히 절제한다.

MML 삽입구에서 ring curette를 삽입하고 골연골편을 주위 조직에서 떼어낸 후 **9a**, grasper를 삽입하여 골연골편을 잡고 관절 밖으로 끌어낸다 **9b**. 이 조작에 의해 생긴 결손부위 주변의 연골벽을 정상적인 연골이 보일 때까지 연골 하골면에 대하여 수직으로 예리하게 절제한다. 절제한 연골편은 grasper로 제거한다.

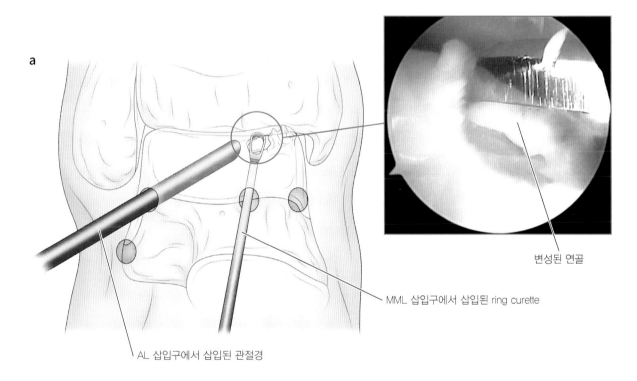

변성된 연골

MML 삽입구에서 삽입된 ring curette

AL 삽입구에서 삽입된 관절경

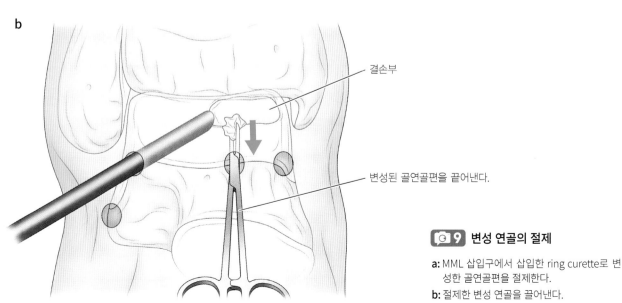

결손부

변성된 골연골편을 끌어낸다.

9 변성 연골의 절제

a: MML 삽입구에서 삽입한 ring curette로 변성한 골연골편을 절제한다.
b: 절제한 변성 연골을 끌어낸다.

미세골절술

MML 삽입구에서 Microfracture Pick을 삽입하여 병변부 연골하골에 소공을 뚫는다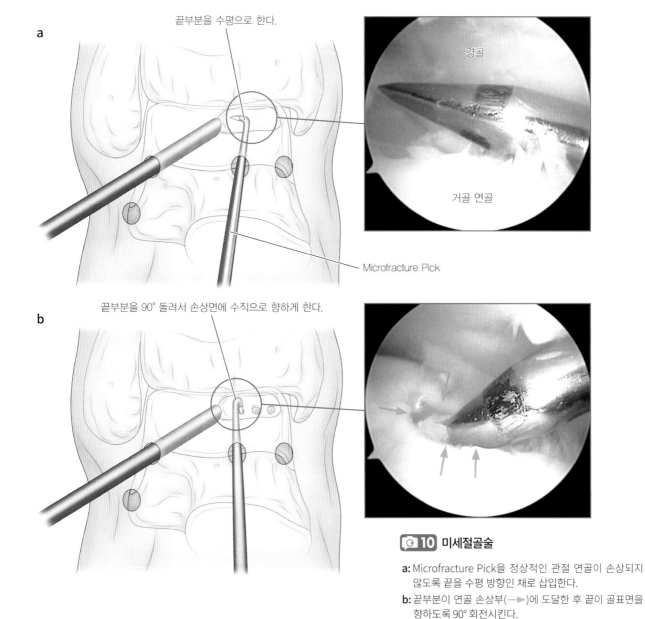10.

> **코멘트** **NEXUS view** ////
>
> **미세골절술 정(awl)**
>
> 미세골절술 정(awl)은 골표면에 대해서 소공을 뚫기 쉽게 하기 위해 끝이 일정한 각도로 구부러져 있다. 삽입구로부터 관절 내에 삽입할 때는 정상적인 관절 연골을 손상시키지 않도록 끝부분을 수평 방향으로 향하게 하고10a, 연골 손상부에 도달한 후 끝을 골면을 향하도록 90° 회전시킨다 10b.

Microfracture Pick의 끝을 노출된 연골하골에 눌러서 표면에 대고있는 상태에서 조수가 해머로 기저부를 치면서 깊이 3 mm 정도의 작은 구멍을 5 mm 간격으로 뚫는다.

마지막으로 관류를 멈추고 관절 내의 압력을 줄임으로써 소공에서 출혈이 나오는지 확인한다.

a

끝부분을 수평으로 한다.

경골

거골 연골

Microfracture Pick

b

끝부분을 90° 돌려서 손상면에 수직으로 향하게 한다.

10 미세절골술

a: Microfracture Pick을 정상적인 관절 연골이 손상되지 않도록 끝을 수평 방향인 채로 삽입한다.

b: 끝부분이 연골 손상부(➡)에 도달한 후 끝이 골표면을 향하도록 90° 회전시킨다.

4 족관절 외측인대 봉합의 마무리

족관절을 0° 중립위로 하고, 루프와 반대측 봉합사 앵커의 끝을 강하게 잡아당김으로써 잔존인대의 끝부분이 비골 부착되면서 압착됨과 동시에 실이 적당히 결절 내에서 sliding하면서 축이 되는 실(post)이 느슨해지지 않은 채 루프를 강하게 조일 수 있다(⊙6d 참조).

반복해서 2회의 봉합을 가한 후, 커터를 이용해서 불필요한 실을 절제하고 종료한다⊙11.

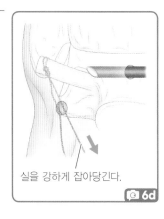

실을 강하게 잡아당긴다.

⊙6d

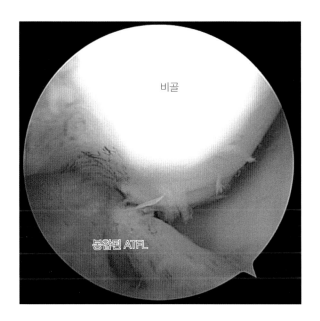

비골

봉합된 ATFL

⊙11 수술을 마친 후 관절경 소견

결절 봉합을 2회 실시한 후 여분의 실을 남기고 자른다.

5 술 후 요법

수술 후에는 보행 시 이외에는 외부 고정을 실시하지 않고, 다음날부터 족관절의 능동관절운동을 시작한다. PTB 보조기 장착 하에 수술 다음날부터 보행훈련을 실시하고, 수술 후 4주에 PTB 보조기를 제거해 부분 하중보행, 수술 후 6주에 전 하중보행을 시작한다. 조깅은 수술 후 3개월, 종목에 따른 훈련은 수술 후 4~6개월에 시작하는 것을 목표로 한다.

참고문헌

1) 笹原 潤:運動器エコーの実践 足関節. わかる！運動器エコー ビギナーズガイド. 東京:新興医学出版社:2016. p.137-52.

2) Hannon CP, Bayer S, Murawski CD, et al. Debridement, Curettage, and Bone Marrow Stimulation: Proceedings of the International Consensus Meeting on Cartilage Repair of the Ankle. Foot Ankle Int. 2018:39 (suppl):16S-22-S.

3) Takao M, Matsui K, Stone JW, et al. Arthroscopic anterior talofibular ligament repair for lateral instability of the ankle. Knee Surg Sports Traumatol Arthrosc. 2016:24:1003-6.

4) Takao M, Ochi M, Shu N, et al.Bandage distraction technique for ankle arthroscopy. Foot Ankle Int. 1999:20:389-91.

5) Takao M, Uchio Y, Kakimaru H, et al. Arthroscopic drilling with or without debridement of remaining cartilage for osteochondral lesions of the talar dome in unstable ankles. Am J Sports Med. 2004:32: 332-6.